끝까지 **답**을 찾는

수학의 힘

γ

최상위

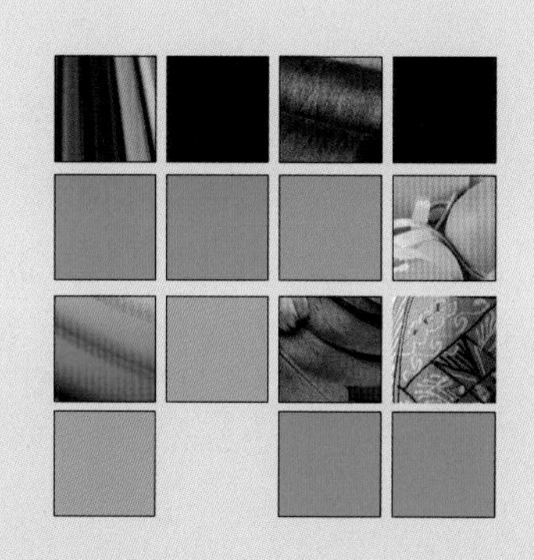

수학의 힘

γ

최상위

3_2

초등수학

끝까지 **답**을 찾는

수학의 힘

수학의 힘 γ

이 책의 차례

CONTENTS

STEP2 대표 유형의
충전 수준을 체크해 보세요.
내 실력이 한눈에
보인답니다.

1 곱셈

단원의 흐름

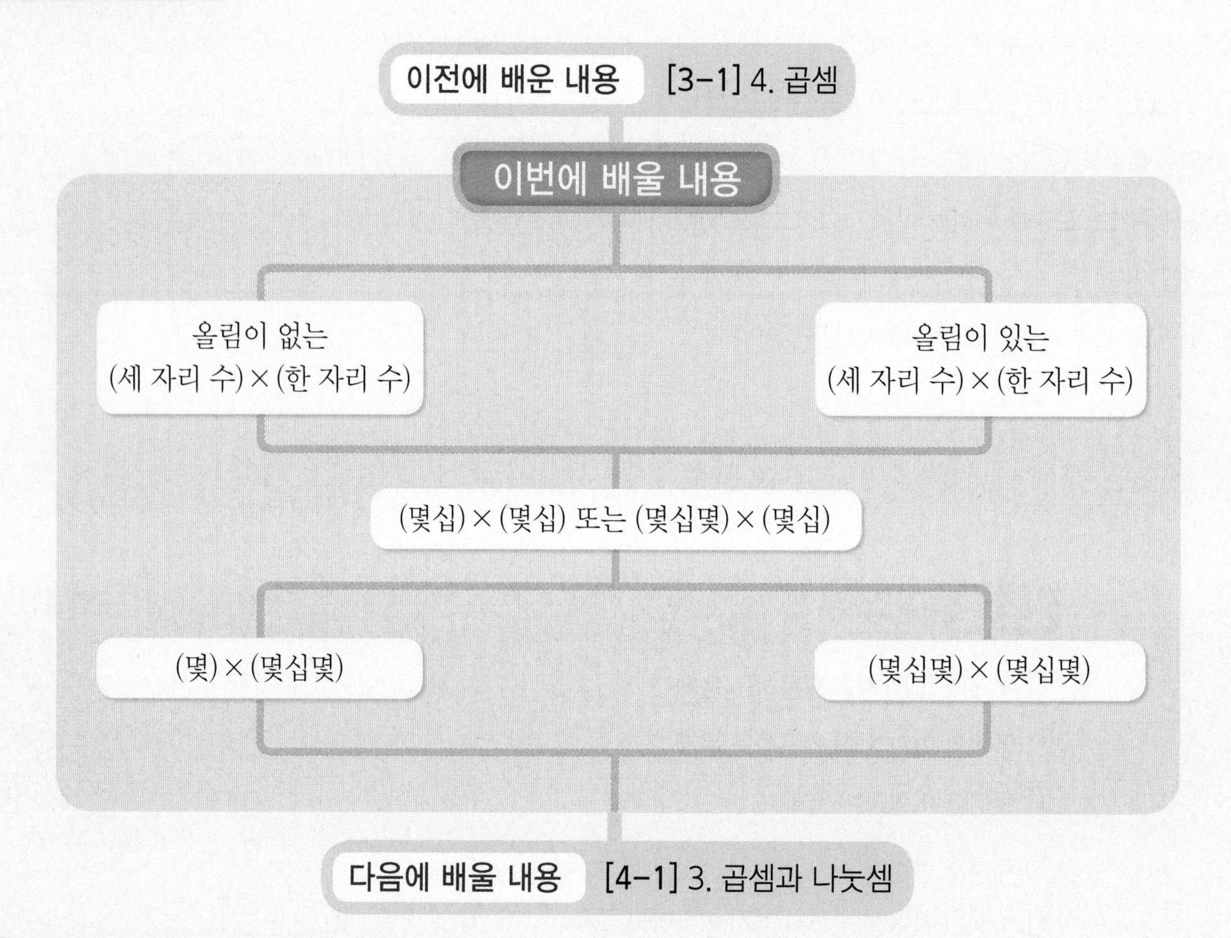

꼭! 알아야 할 대표 유형

- 유형 1 곱셈식을 계산하여 크기를 비교하는 문제
- 유형 2 계산 결과의 차를 구하는 문제
- 유형 3 바르게 계산한 값 구하는 문제
- 유형 4 창의·융합형 문제
- 유형 5 한 달 동안 규칙적인 날수를 계산하여 곱셈하는 문제
- 유형 6 이어 붙인 색 테이프의 전체 길이를 구하는 문제
- 유형 7 계산 결과가 가장 큰 곱셈식을 만드는 문제
- 유형 8 계산식에서 알맞은 숫자를 구하는 문제

개념 Summary 교과서 개념 서머리

High Level

✤ (세 자리 수)×(한 자리 수) (1) - 올림이 없는 계산

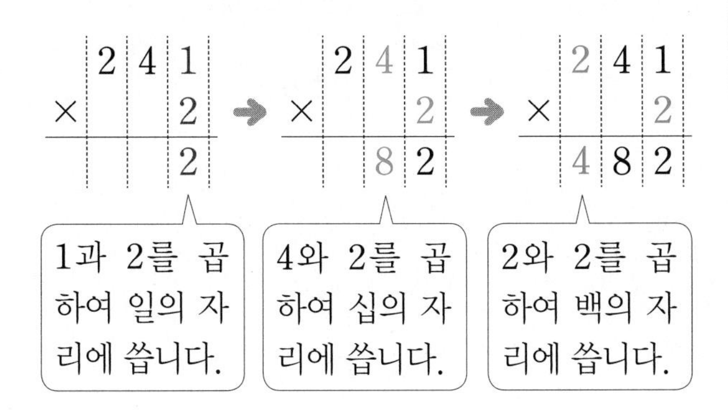

2 4 1
× 2
2
2 4 1
× 2
8 2
2 4 1
× 2
4 8 2
1과 2를 곱하여 일의 자리에 씁니다.
4와 2를 곱하여 십의 자리에 씁니다.
2와 2를 곱하여 백의 자리에 씁니다.

✤ (세 자리 수)×(한 자리 수) (2) - 올림이 있는 계산

(1) 일의 자리에서 올림이 있는 계산

1 ⟶ 6×3=18의 10을 십의 자리로 올림

$$\begin{array}{r} 2\ 1\ 6 \\ \times\quad\ \ 3 \\ \hline 6\ 4\ 8 \end{array}$$

(2) 십, 백의 자리에서 올림이 있는 계산

40×3=120의 100을 백의 자리로 올림
1
1 4 3
× 3
4 2 9
5 1 2
× 4
2 0 4 8
500×4=2000의
2000을 천의 자리로 올림

✤ (몇십)×(몇십) 또는 (몇십몇)×(몇십)

• (몇십)×(몇십)

$$\begin{array}{r} 3\ 0 \\ \times\ 2\ 0 \\ \hline 6\ 0\ 0 \end{array}$$

• (몇십몇)×(몇십)

$$\begin{array}{r} 2\ 3 \\ \times\ 3\ 0 \\ \hline 6\ 9\ 0 \end{array}$$

30×20
=3×10×2×10
=3×2×10×10
=6×100=600

✤ (몇)×(몇십몇)

$$\begin{array}{r} 7 \\ \times\ 2\ 5 \\ \hline 3\ 5 \\ 1\ 4\ 0 \\ \hline 1\ 7\ 5 \end{array}$$

3 5 … 7×5
1 4 0 … 7×20

➔

3 ⟶ 7×5=35의 30을 십의 자리로 올림

$$\begin{array}{r} 7 \\ \times\ 2\ 5 \\ \hline 1\ 7\ 5 \end{array}$$

✤ (몇십몇)×(몇십몇)

(1) 올림이 한 번 있는 계산

$$\begin{array}{r} 2\ 6 \\ \times\ 1\ 3 \\ \hline 7\ 8 \\ 2\ 6\ 0 \\ \hline 3\ 3\ 8 \end{array}$$

7 8 … 26×3
2 6 0 … 26×10

➔ 26과 일의 자리 3을 먼저 곱하고 26과 십의 자리 1을 곱한 값을 더합니다.

(2) 올림이 여러 번 있는 계산

$$\begin{array}{r} 6\ 2 \\ \times\ 2\ 8 \\ \hline 4\ 9\ 6 \\ 1\ 2\ 4\ 0 \\ \hline 1\ 7\ 3\ 6 \end{array}$$

4 9 6 … 62×8
1 2 4 0 … 62×20

➔ 62와 일의 자리 8을 먼저 곱하고, 62와 십의 자리 2를 곱한 값을 더합니다.

• (몇십몇)×(몇십몇)의 계산
(두 자리 수)×(일의 자리 수)와
(두 자리 수)×(십의 자리 수)를
더합니다.

Plus개념

하이레벨 개념

1 몇 배인 수 구하기

몇 배를 곱셈으로 구합니다.

예시 132의 3배인 수 구하기

$$\begin{array}{r} 1\ 3\ 2 \\ \times \quad\ \ 3 \\ \hline 3\ 9\ 6 \end{array}$$

➔ 132의 3배인 수는 396입니다.

1 개념 플러스 문제

다음이 나타내는 수를 구하세요.

124의 2배

(　　　　　　　)

2 (세 자리 수)×(한 자리 수)의 활용

곱셈의 활용

예시
- 귤이 한 상자에 136개씩 4상자 있습니다.
  ➔ 귤은 모두 (136×4)개입니다.
- 책을 하루에 154쪽씩 2일 읽었습니다.
  ➔ 읽은 쪽수는 모두 (154×2)쪽입니다.

2 개념 플러스 문제

한 봉지에 125개씩 들어 있는 사탕이 3봉지 있습니다. 3봉지에 들어 있는 사탕은 모두 몇 개일까요?

(　　　　　　　)

3 곱이 가장 큰(작은) 곱셈식 만들기

가장 큰 곱, 가장 작은 곱 만들기

(1) 두 수의 곱이 가장 큰 곱셈식은
(가장 큰 수)×(두 번째로 큰 수)입니다.

(2) 두 수의 곱이 가장 작은 곱셈식은
(가장 작은 수)×(두 번째로 작은 수)입니다.

예시 60, 50, 40

➔ 두 수의 곱이 가장 큰 곱셈식: 60×50
　 두 수의 곱이 가장 작은 곱셈식: 40×50

3 개념 플러스 문제

두 수의 곱이 가장 크도록 두 수를 골라 □ 안에 써넣고, 계산하세요.

60　70　90

□×□=□

4 곱셈식에서 □ 안에 알맞은 수 구하기

곱셈식에서 모르는 숫자 구하기

예시
$$\begin{array}{r} 3 \\ \times ㉠\,2 \\ \hline 9\,6 \end{array}$$

➔ 3×㉠=9이므로 ㉠=3입니다.

4 개념 플러스 문제

□ 안에 알맞은 수를 써넣으세요.

$$\begin{array}{r} 2 \\ \times \square\,4 \\ \hline 1\,4\,8 \end{array}$$

5 계산 결과가 가장 큰 것 찾기

① 곱셈식을 계산합니다.

② 계산 결과의 크기를 비교하여 가장 큰 것을 찾습니다.

곱셈에 대한 교환법칙
두 수의 자리를 바꾸어 곱해도 계산 결과는 같습니다.
예시 $5\times26=26\times5$

5 개념 플러스 문제

계산 결과가 가장 큰 것을 찾아 기호를 쓰세요.

㉠ 61×13　㉡ 45×21　㉢ 23×41

(　　　　　)

6 약속에 따라 계산하기

약속한 기호에 따라 식 만들고 계산하기

예시 가◆나=가×나+1일 때, 3◆6 구하기

➔ 3◆6=3×6+1
=18+1
=19

덧셈과 곱셈이 섞여 있는 식은 곱셈을 먼저 계산하고 덧셈을 계산해.

6 개념 플러스 문제

기호 ◆에 대하여 가◆나=가×나+가라고 약속할 때, 다음을 계산하세요.

42◆28

(1) 식을 세워 보세요.

42◆28=□×□+□

(2) 위 (1)의 식을 계산하세요.

(　　　　　)

STEP 1 하이레벨 입문

유형 1 (세 자리 수)×(한 자리 수)

1 계산해 보세요.

(1)
$$\begin{array}{r} 1\ 2\ 3 \\ \times \quad\ \ 2 \\ \hline \end{array}$$

(2)
$$\begin{array}{r} 4\ 1\ 3 \\ \times \quad\ \ 3 \\ \hline \end{array}$$

2 빈칸에 알맞은 수를 써넣으세요.

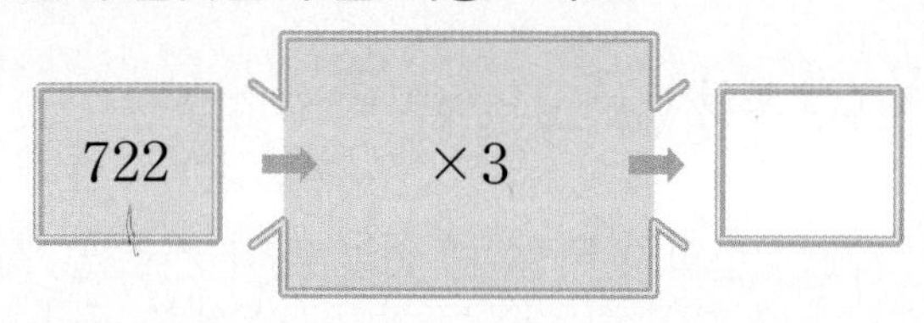

3 보기 와 같이 계산해 보세요.

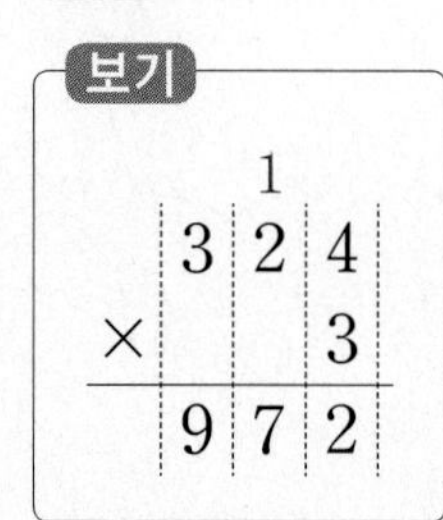

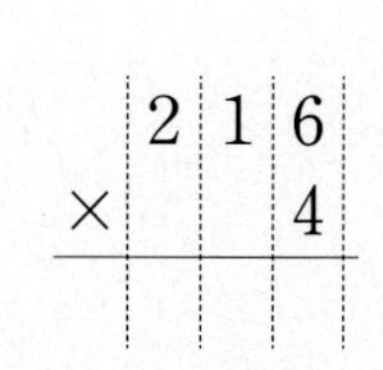

4 두 수의 곱을 구하세요.

652 4

( )

5 계산 결과를 찾아 선으로 이어 보세요.

423×3 •
231×4 •

• 1269
• 924
• 824

6 탁구공이 한 상자에 114개씩 들어 있습니다. 2 상자에 들어 있는 탁구공은 모두 몇 개일까요?

식 ______

답 ______

7 덧셈식을 곱셈식으로 나타내어 보고 어림해 보세요. 바르게 어림했는지 계산해 보세요.

789+789+789+789

식 ______

어림한 값 ( )

계산한 값 ( )

8 계산 결과를 비교하여 ○ 안에 $>$, $=$, $<$를 알맞게 써넣으세요.

$$421 \times 2 \bigcirc 321 \times 3$$

9 한 대에 256명이 탈 수 있는 비행기가 있습니다. 이 비행기 3대에는 모두 몇 명이 탈 수 있을까요?

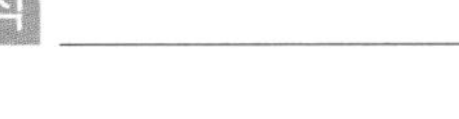

식 ______________________

답 ______________

10 □ 안에 알맞은 수를 써넣으세요.

$$\begin{array}{r} 3\,\square\,3 \\ \times \quad\;\, 6 \\ \hline 2\,1\,1\,8 \end{array}$$

11 수업 준비물로 바둑돌을 한 명에게 5개씩 주려고 합니다. 바둑돌은 모두 몇 개 필요할까요?

반	1	2	3	4
학생 수(명)	25	29	31	28

식 ______________________

답 ______________

유형 2 (몇십)×(몇십) 또는 (몇십몇)×(몇십)

12 빈칸에 두 수의 곱을 써넣으세요.

40	90

13 빈칸에 알맞은 수를 써넣으세요.

×80

18	1440
46	
65	

14 계산 결과가 더 큰 것을 찾아 기호를 쓰세요.

㉠ 30×40 ㉡ 20×70

( )

15 색종이가 한 묶음에 19장씩 40묶음 있습니다. 이 중에서 250장을 사용했다면 남은 색종이는 몇 장일까요?

( )

1 단원 곱셈

유형 3 (몇)×(몇십몇)

16 빈칸에 알맞은 수를 써넣으세요.

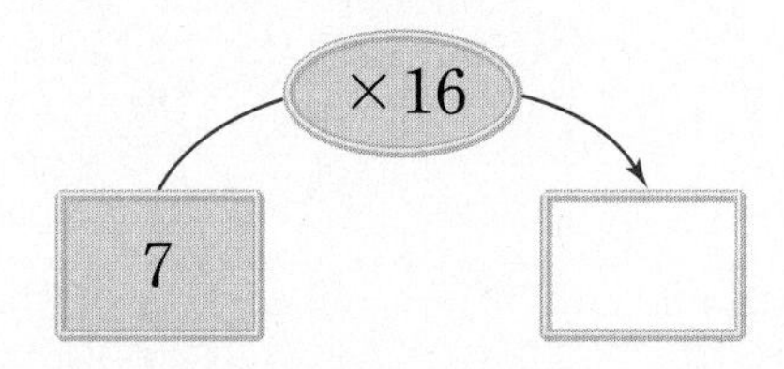

17 계산에서 잘못된 부분을 찾아 바르게 계산해 보세요.

$$\begin{array}{r} 9 \\ \times\ 24 \\ \hline 36 \\ 18 \\ \hline 54 \end{array} \rightarrow \begin{array}{r} 9 \\ \times\ 24 \\ \hline \end{array}$$

18 계산 결과를 비교하여 ○ 안에 >, =, <를 알맞게 써넣으세요.

4×63 ○ 8×34

19 운동장에 학생들이 한 줄에 7명씩 25줄로 서 있습니다. 줄을 선 학생은 모두 몇 명일까요?

식 ____________________

답 ____________________

유형 4 (몇십몇)×(몇십몇)

20 □ 안에 알맞은 수를 써넣으세요.

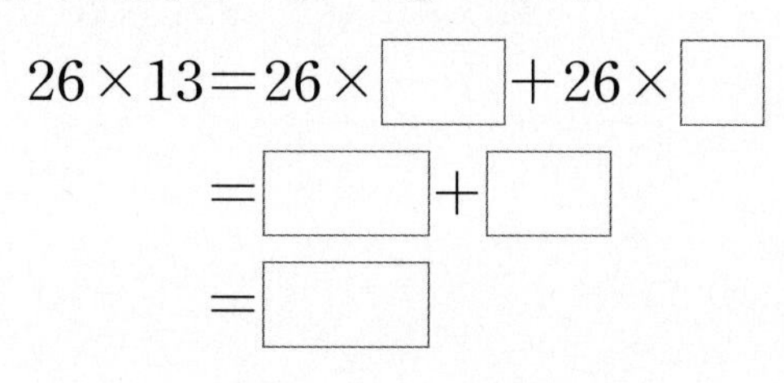

21 빈 곳에 알맞은 수를 써넣으세요.

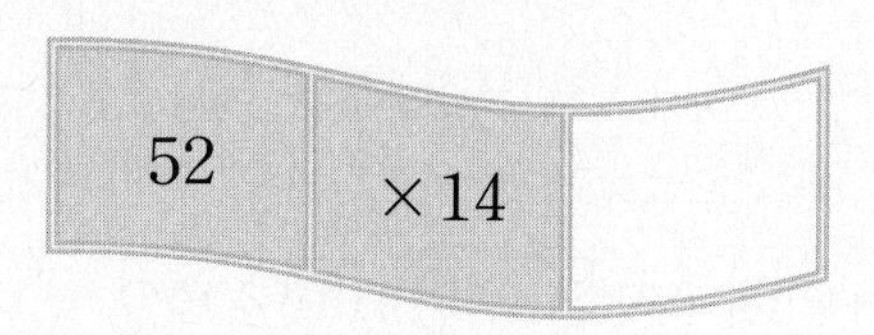

22 두 수의 곱을 구하세요.

26	69

(　　　　　　　　)

23 84 × 37의 계산에서 □ 안의 두 수의 곱은 실제로 얼마를 나타낼까요?

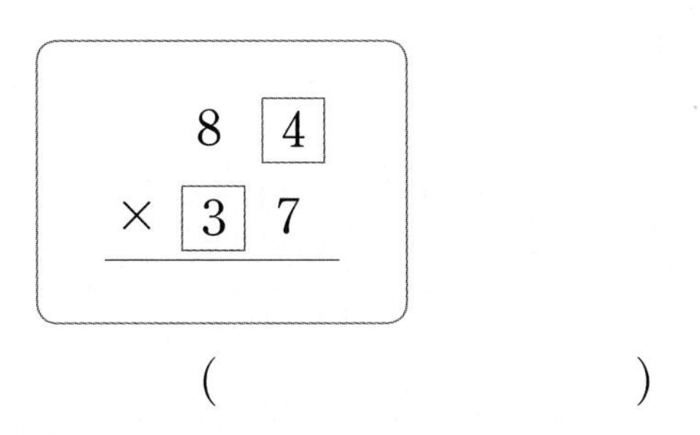

(   )

24 계산 결과를 찾아 선으로 이어 보세요.

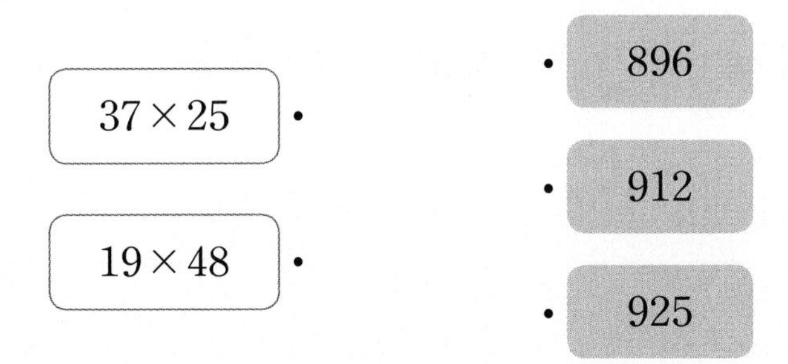

25 곱이 400인 것을 찾아 색칠하세요.

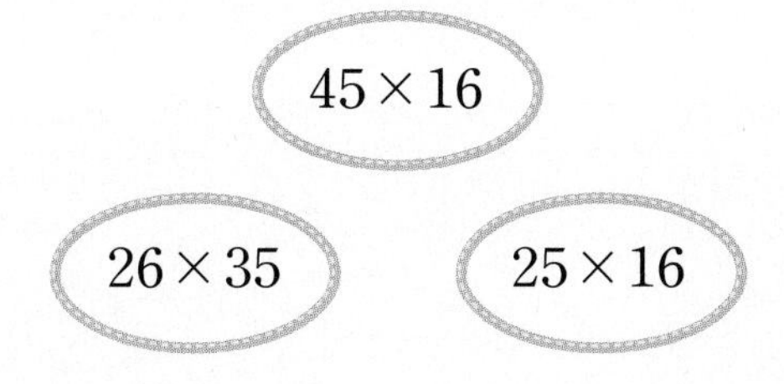

26 장미를 한 다발에 25송이씩 묶어 꽃다발을 만들려고 합니다. 꽃다발 18개를 만드는 데 필요한 장미는 모두 몇 송이일까요?

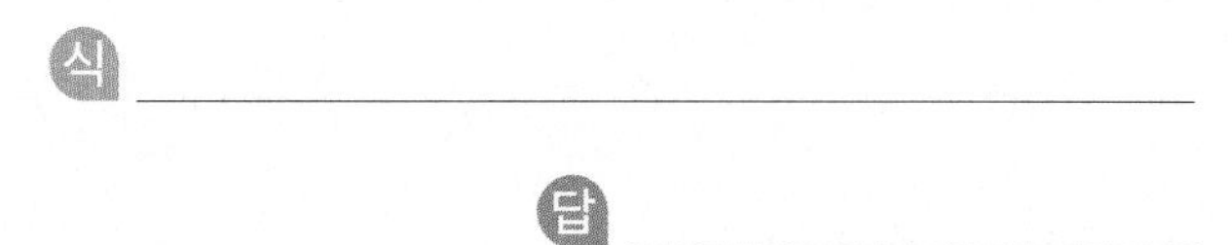

27 곱이 가장 큰 것을 찾아 기호를 쓰세요.

㉠ 46×23
㉡ 14×57
㉢ 32×32

(   )

28 유정이는 동화책을 하루에 25쪽씩 읽으려고 합니다. 3주 동안 읽을 수 있는 동화책은 모두 몇 쪽일까요?

식 ______________________

답 ______________

29 한 상자에 16개씩 들어 있는 토마토가 15상자 있습니다. 그중에서 토마토를 65개 팔았다면 남은 토마토는 몇 개일까요?

(   )

1 단원 곱셈

하이레벨 탐구

대표 유형 1 곱셈식을 계산하여 크기를 비교하는 문제

■에 들어갈 수 있는 수 중 가장 큰 자연수를 구하세요.

$316 \times 3 >$ ■

문제해결 Key

곱셈식을 먼저 계산한 다음 ■와 비교합니다.

(1) 316×3을 계산해 보세요.

(　　　　　　　　)

(2) 위 (1)의 값보다 작은 수 중 가장 큰 자연수를 구하세요.

(　　　　　　　　)

체크 1-1 □ 안에 들어갈 수 있는 수 중 가장 큰 자연수를 구하세요.

$223 \times 4 > \square$

(　　　　　　　　)

체크 1-2 □ 안에 들어갈 수 있는 수 중 가장 작은 자연수는 얼마인지 풀이 과정을 쓰고 답을 구하세요. 5점

$\square > 16 \times 25$

풀이 ________________

답 ________________

대표 유형 2 계산 결과의 차를 구하는 문제

민지는 한 자루에 230원 하는 색연필을 3자루 사고 천 원짜리 지폐 1장을 냈습니다. 민지가 받아야 할 거스름돈은 얼마일까요?

문제해결 Key

(거스름돈)
=(낸 돈)−(물건값)

(1) 색연필 3자루의 값은 얼마일까요?

( )

(2) 민지가 받아야 할 거스름돈은 얼마일까요?

( )

체크 2-1

주은이네 학교 학생들이 한 줄에 15명씩 45줄로 서서 체조를 하고 있습니다. 주은이네 학교 전체 학생이 700명일 때 체조에 참가하지 않은 학생은 몇 명일까요?

( )

체크 2-2

귤이 한 상자에 178개씩 3상자 있습니다. 이 중에서 145개는 나누어 주고, 29개는 썩어서 버렸습니다. 남은 귤은 몇 개인지 풀이 과정을 쓰고 답을 구하세요. 5점

풀이

답

대표 유형 3 바르게 계산한 값 구하는 문제

어떤 수에 40을 곱해야 할 것을 잘못하여 더했더니 85가 되었습니다. 바르게 계산한 값을 구하세요.

문제해결 Key

① 어떤 수를 □라 하여 잘못 계산한 식을 만듭니다.
② 어떤 수를 구합니다.
③ 바르게 계산한 값을 구합니다.

(1) 어떤 수를 □라 하여 잘못 계산한 식을 쓰세요.

식 ______________________

(2) 어떤 수를 구하세요.

( )

(3) 바르게 계산한 값을 구하세요.

( )

체크 3-1 어떤 수에 30을 곱해야 할 것을 잘못하여 더했더니 54가 되었습니다. 바르게 계산한 값을 구하세요.

( )

체크 3-2 어떤 수에 60을 곱해야 할 것을 잘못하여 뺐더니 19가 되었습니다. 바르게 계산한 값을 구하세요.

( )

대표 유형 4 창의·융합형 문제

→ 열량의 단위는 킬로칼로리이고 kcal라고 씁니다.

식품을 먹었을 때 몸속에서 발생하는 에너지의 양을 '열량'이라고 합니다. 초등학생의 하루 kcal 권장량은 1200~1300 kcal라고 합니다. 식품별 열량이 다음과 같을 때 민정이가 고구마 2개와 귤 12개를 먹었다면 민정이가 먹은 음식의 열량은 몇 kcal일까요?

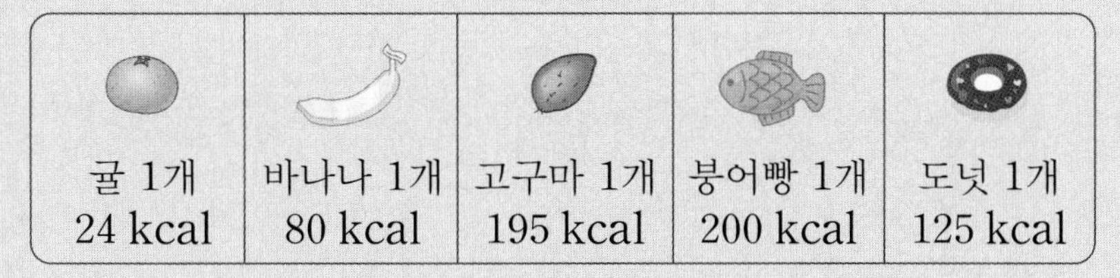

귤 1개
24 kcal
바나나 1개
80 kcal
고구마 1개
195 kcal
붕어빵 1개
200 kcal
도넛 1개
125 kcal

문제해결 Key

(1개의 열량)×(개수)로 각각의 열량을 계산한 다음 더합니다.

(1) 고구마 2개의 열량은 몇 kcal일까요?

( )

(2) 귤 12개의 열량은 몇 kcal일까요?

( )

(3) 민정이가 먹은 음식의 열량은 몇 kcal일까요?

( )

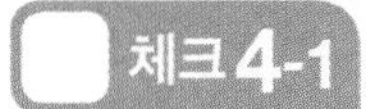

식품별 열량을 나타낸 표입니다. 우진이가 하루 종일 먹은 간식의 열량은 모두 몇 kcal인지 구하세요.

식품	열량
우유 1개	122 kcal
토마토 1개	22 kcal
사과 1개	100 kcal
케이크 1조각	181 kcal
사이다 1개	105 kcal

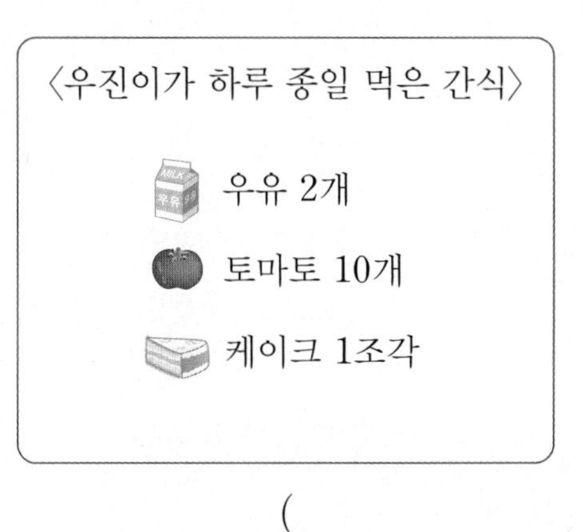

〈우진이가 하루 종일 먹은 간식〉
우유 2개
토마토 10개
케이크 1조각

( )

대표 유형 5 한 달 동안 규칙적인 날수를 계산하여 곱셈하는 문제

인주는 7월 한 달 동안 3일부터 4일마다 줄넘기를 82번씩 했습니다. 인주가 7월 한 달 동안 한 줄넘기 횟수는 모두 몇 번일까요?

문제해결 Key

① 한 달 동안 줄넘기 한 날수를 구합니다.
② (줄넘기 한 날수) × (한 줄넘기 수)를 계산합니다.

(1) 인주가 7월 한 달 동안 줄넘기를 한 날수는 며칠일까요?

(　　　　　　)

(2) 인주가 7월 한 달 동안 한 줄넘기 횟수는 모두 몇 번일까요?

(　　　　　　)

체크 5-1 현아는 9월 한 달 동안 5일부터 5일마다 12 km를 달렸습니다. 현아가 9월 한 달 동안 달린 거리는 모두 몇 km일까요?

(　　　　　　)

체크 5-2 은호와 동생은 5월 한 달 동안 1일부터 3일마다 종이학을 한 사람당 23개씩 접었습니다. 은호와 동생이 5월 한 달 동안 접은 종이학은 모두 몇 개일까요?

(　　　　　　)

대표 유형 6 이어 붙인 색 테이프의 전체 길이를 구하는 문제

길이가 15 cm인 색 테이프 12장을 그림과 같이 3 cm씩 겹치게 이어 붙였습니다. 이어 붙인 색 테이프의 전체 길이는 몇 cm일까요?

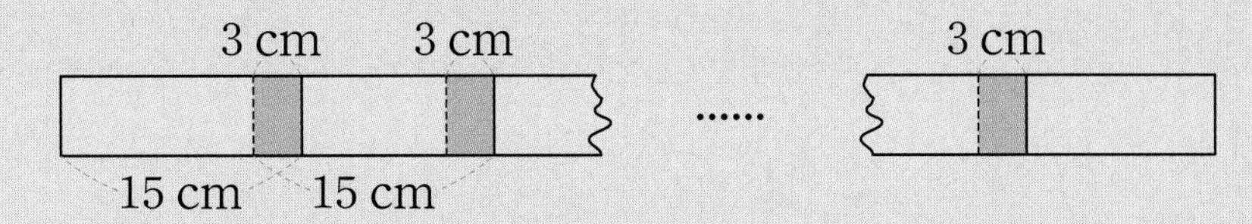

문제해결 Key

색 테이프 ■장에서 겹친 부분은 (■−1)군데입니다.
(이어 붙인 색 테이프의 전체 길이)
=(색 테이프의 길이의 합)−(겹친 부분의 길이의 합)

(1) 색 테이프 12장의 길이의 합은 몇 cm일까요?

(　　　　　　　)

(2) 겹친 부분의 길이의 합은 몇 cm일까요?

겹친 부분은 ☐군데이므로 3×☐=☐(cm)입니다.

(3) 이어 붙인 색 테이프의 전체 길이는 몇 cm일까요?

(　　　　　　　)

체크 6-1

길이가 27 cm인 색 테이프 20장을 그림과 같이 2 cm씩 겹치게 이어 붙였습니다. 이어 붙인 색 테이프의 전체 길이는 몇 cm일까요?

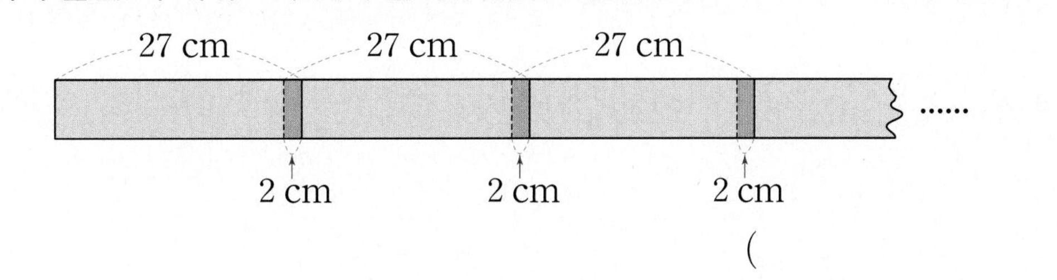

(　　　　　　　)

체크 6-2

은지는 길이가 20 cm인 끈 14개를 그림과 같이 묶어서 이었습니다. 끈을 묶을 때 두 끈의 양쪽에서 3 cm씩 필요합니다. 이은 끈의 전체 길이는 몇 cm일까요?

(　　　　　　　)

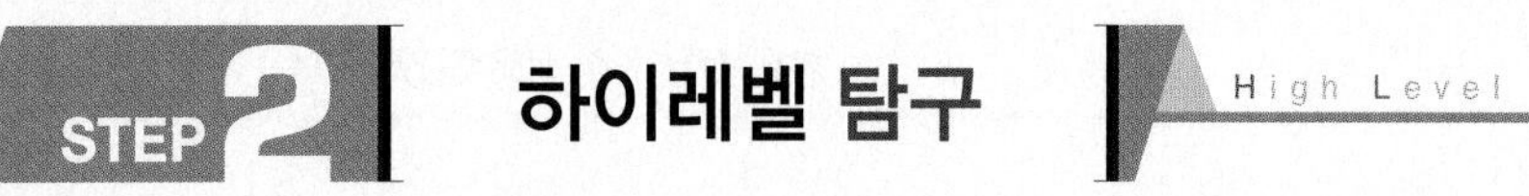

대표 유형 7 계산 결과가 가장 큰 곱셈식을 만드는 문제

수 카드 [2], [5], [7]을 한 번씩만 사용하여 계산 결과가 가장 큰 곱셈식을 만들고 계산 결과를 구하세요.

$$\boxed{㉠}\boxed{㉡}\times 3\boxed{㉢}$$

문제해결 Key

곱이 가장 큰 곱셈식을 만들려면
① 십의 자리에 가장 큰 수를 넣습니다.
② 나머지 수를 넣어 계산 결과가 가장 크게 되는 경우를 찾습니다.

(1) 곱이 가장 큰 곱셈식을 만들려면 ㉠에 얼마를 넣어야 할까요?

( )

(2) □ 안에 (1)의 수와 나머지 카드의 수를 넣어 계산하세요.

□□ × 3□ = □

□□ × 3□ = □

(3) 계산 결과가 가장 큰 곱셈식을 만들고 계산 결과를 구하세요.

□□ × 3□

( )

체크 7-1 수 카드 [3], [6], [8]을 한 번씩만 사용하여 계산 결과가 가장 큰 곱셈식을 만들려고 합니다. □ 안에 알맞은 수를 써넣고 계산 결과를 구하세요.

□□ × 2□

( )

체크 7-2 수 카드 [4], [5], [9]를 한 번씩만 사용하여 계산 결과가 가장 작은 곱셈식을 만들려고 합니다. □ 안에 알맞은 수를 써넣고 계산 결과를 구하세요.

□□ × 5□

( )

빠른 정답 1쪽, 정답 및 풀이 9쪽

대표 유형 8 계산식에서 알맞은 숫자를 구하는 문제

오른쪽 ♥에 공통으로 들어갈 숫자를 구하세요.

	♥	♥	♥
×			♥
2	7	7	♥

문제해결 Key

♥×♥의 일의 자리 숫자가 ♥인 한 자리 수 ♥를 모두 구한 다음 조건을 만족하는 ♥를 찾습니다.

(1) □ 안에 알맞은 수를 써넣으세요.

$1\times1=1$, $5\times5=25$, $6\times6=$□이므로 ♥$=1$, □, □이 될 수 있습니다.

(2) ♥에 (1)의 수를 넣어 계산해 보세요.

♥$=1$일 때: 111, ♥$=$□일 때: □, ♥$=$□일 때: □

(3) ♥에 공통으로 들어갈 숫자를 구하세요.

(　　　　　　　　)

체크 8-1 ◆에 공통으로 들어갈 숫자를 구하세요.

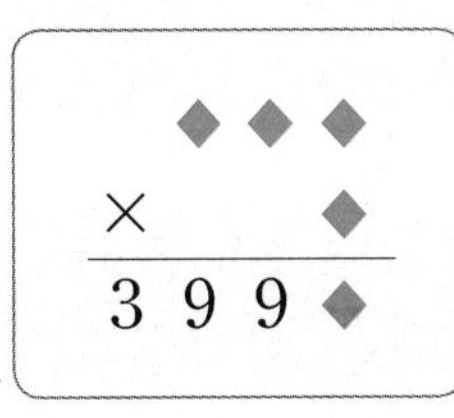

(　　　　　　　　)

체크 8-2 오른쪽 계산에서 ㉠과 ㉡은 서로 다른 숫자입니다. ㉠과 ㉡에 알맞은 숫자를 각각 구하세요. (단, ㉠<㉡입니다.)

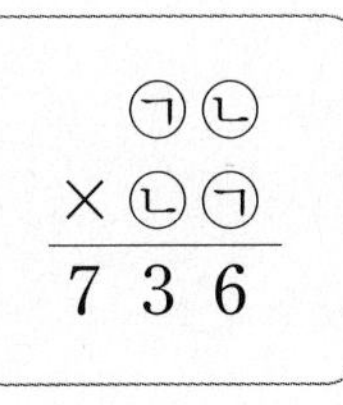

㉠ (　　　　　　　　), ㉡ (　　　　　　　　)

하이레벨 탐구 플러스

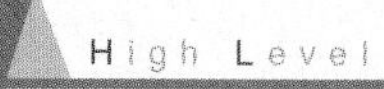

1 □ 안에 들어갈 수 있는 수 중 가장 큰 자연수를 구하세요.

◀ 곱셈식을 계산하여 크기를 비교하는 문제

$6 \times 29 > \square$

( )

융합형

2 조기 한 두름은 조기 20마리입니다. 어느 생선 가게에 조기 30두름이 있습니다. 이 중에서 47마리를 팔았다면 남은 조기는 몇 마리일까요?

◀ (몇십)×(몇십)을 활용하여 팔고 남은 조기의 수를 구하는 문제

( )

3 다음과 같이 세 변의 길이가 같은 삼각형과 네 변의 길이가 같은 사각형이 있습니다. 삼각형의 세 변의 길이의 합과 사각형의 네 변의 길이의 합의 차는 몇 cm일까요?

◀ 한 변을 이용하여 변의 길이의 합을 구하여 차를 구하는 문제

428 cm

236 cm

( )

코딩형

4 기호의 규칙 에 따라 계산하고 수를 오른쪽으로 이동하려고 합니다. ㉠에 알맞은 수를 구하세요.

> 규칙
> 기호 ◎: 바로 왼쪽의 수에 23을 곱합니다.
> 기호 ◈: 바로 왼쪽의 수에 6을 곱합니다.

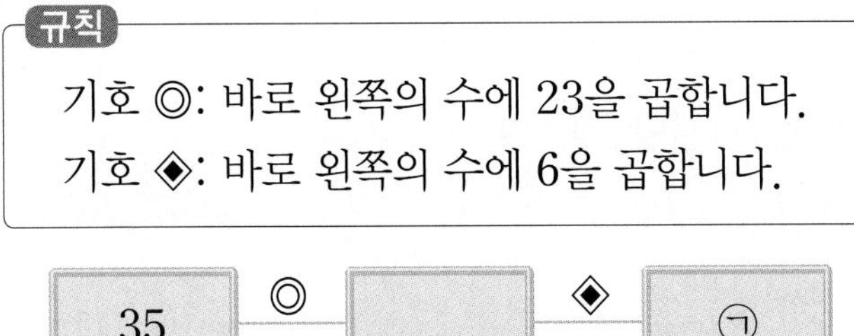

(   )

◀ 주어진 규칙에 따라 곱셈하는 문제

5 길이가 14 cm인 색 테이프 64장을 그림과 같이 2 cm씩 겹치게 이어 붙였습니다. 이어 붙인 색 테이프의 전체 길이는 몇 cm일까요?

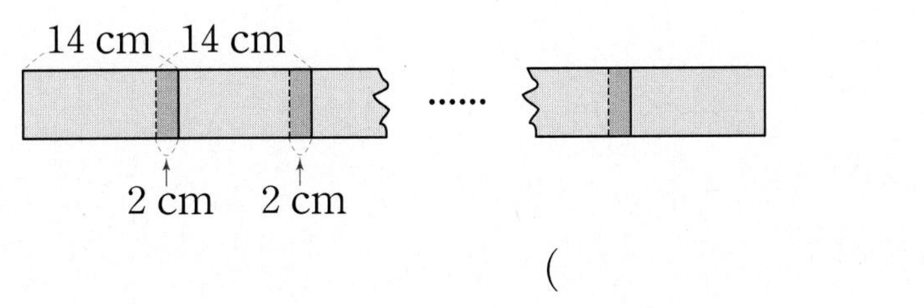

(   )

◀ (몇십몇)×(몇십몇)을 활용하여 이어 붙인 색 테이프의 전체 길이를 구하는 문제

6 다음은 해법 동물 농장에 있는 동물의 수입니다. 이 농장에 있는 동물들의 다리는 모두 몇 개일까요?

동물	소	양	닭	오리
수(마리)	346	74	204	156

(   )

◀ 각 동물의 다리 수를 알고 곱셈을 이용하여 전체 다리 수를 구하는 문제

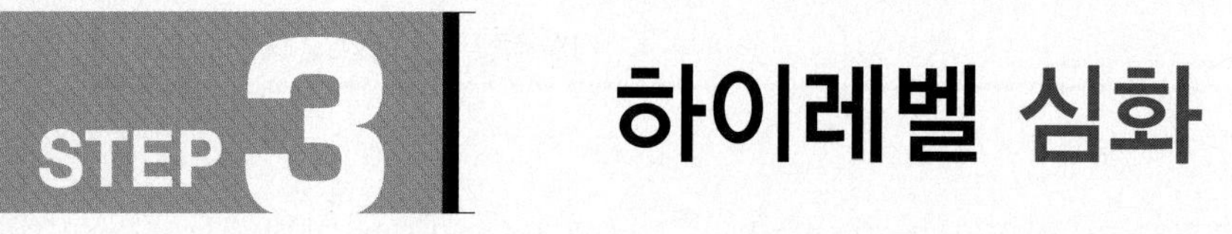

High Level

1 ㉮, ㉯, ㉰ 세 공장에서 1시간 동안 만드는 신발 수를 나타낸 표입니다. 휴식 시간 없이 ㉮ 공장은 하루 동안, ㉯ 공장은 5시간 동안, ㉰ 공장은 14시간 동안 일할 때, 만든 신발 수가 많은 공장부터 차례로 쓰세요.

공장	㉮	㉯	㉰
1시간 동안 만드는 신발 수(켤레)	38	162	52

( )

풀이

2 1부터 9까지의 자연수 중에서 □ 안에 들어갈 수 있는 수는 모두 몇 개일까요?

$386 \times \square < 54 \times 23$

( )

풀이

3 어떤 두 수가 있습니다. 두 수 중 큰 수는 작은 수의 3배보다 2가 더 크다고 합니다. 두 수의 합이 86일 때 두 수의 곱을 구하세요.

( )

풀이

4 어떤 직사각형의 네 변의 길이의 합은 한 변이 223 cm인 정사각형의 네 변의 길이의 합과 같습니다. 이 직사각형의 세로가 156 cm일 때, 가로는 몇 cm일까요?

(　　　　　　　　)

풀이

5 다음 조건을 만족하는 어떤 두 수를 구하세요.

- 어떤 두 수는 연속한 수입니다.
- 어떤 두 수를 곱하면 702입니다.

(　　　　　　　　), (　　　　　　　　)

풀이

6 길이가 160 m인 열차가 1분에 930 m를 달리고 있습니다. 이 열차가 같은 빠르기로 터널을 완전히 통과하는 데 6분이 걸렸다면 터널의 길이는 몇 km 몇 m일까요?

(　　　　　　　　)

풀이

7 다음과 같은 수 카드를 한 번씩만 사용하여 (두 자리 수)×(두 자리 수)의 곱이 가장 크게 되도록 곱셈식을 만들고, 계산 결과를 구하세요.

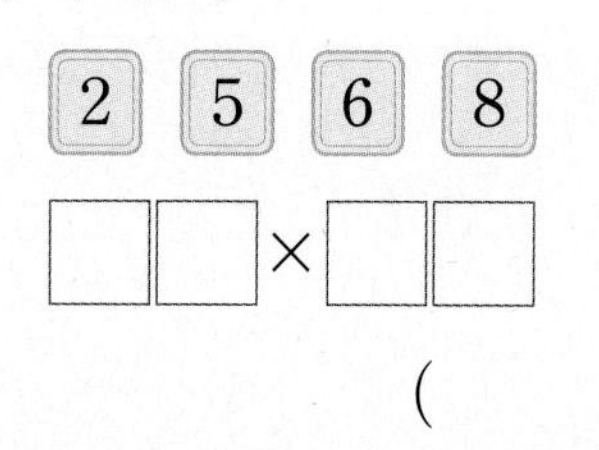

( )

풀이

8 3부터 6까지의 숫자를 한 번씩만 사용하여 (세 자리 수)×(한 자리 수)의 곱셈식을 만들어 곱을 구하려고 합니다. 곱이 가장 큰 경우와 가장 작은 경우의 합을 구하세요.

( )

풀이

창의력

9 어떤 두 수의 합과 곱을 나타낸 것입니다. 어떤 두 수를 큰 수부터 차례로 쓰세요.

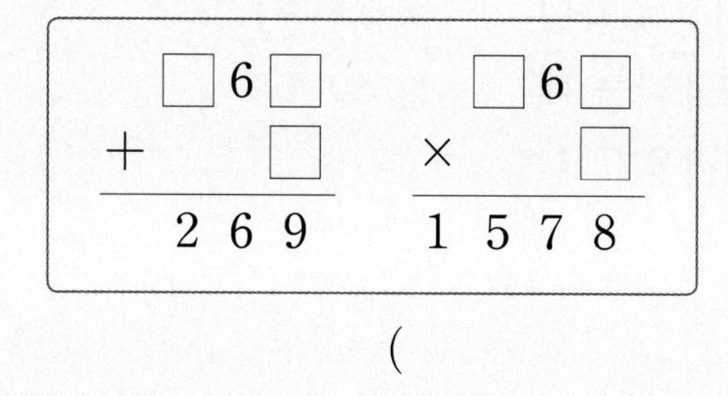

( )

풀이

10 1, 2, 3과 같이 차례로 늘어놓은 자연수를 연속하는 자연수라고 합니다. 어떤 연속하는 자연수 3개의 합이 60일 때, 세 수 중 가장 작은 수와 가장 큰 수의 곱을 구하세요.

(　　　　　　　)

풀이

경시문제 유형

11 어떤 세 자리 수의 백의 자리 숫자와 일의 자리 숫자를 바꾸어 7을 곱했더니 5852가 되었습니다. 처음 세 자리 수는 얼마인지 구하세요.

(　　　　　　　)

풀이

창의력

12 18부터 250까지의 수를 연속하여 쓰려고 합니다. 수를 다 쓰면 쓴 숫자는 모두 몇 개일까요?

(　　　　　　　)

풀이

13 12분에 14 km씩 가는 자동차 ㉮와 6분에 5 km씩 가는 자동차 ㉯가 있습니다. 오늘 오후 4시에 두 자동차가 같은 지점에서 서로 반대 방향으로 동시에 출발하였다면, 오늘 오후 7시 50분에 ㉮ 자동차와 ㉯ 자동차 사이의 거리는 몇 km일까요? (단, 두 자동차의 빠르기는 각각 일정합니다.)

( )

풀이

경시문제 유형

14 다음 조건을 모두 만족하는 ●와 ▲의 곱을 구하세요.

- ●는 합이 46×31인 연속하는 31개의 수 중에서 가장 작은 수입니다.
- ▲는 합이 49×41인 연속하는 41개의 수 중에서 가장 큰 수입니다.

(1, 2, 3과 7, 8, 9, 10 등과 같은 수를 연속하는 수라고 합니다.)

( )

풀이

1 유리네 아파트는 18층까지 있습니다. 이 아파트 한 층의 높이는 329 cm이고, 1층에는 상가가 있는데 상가는 아파트 한 층보다 67 cm 더 높다고 합니다. 키가 137 cm인 유리가 8층에 서 있을 때, 땅바닥에서 유리 머리 끝까지의 높이는 몇 cm인지 구하세요.

풀이

2 그림과 같이 벽에 크기가 같은 타일을 86개 붙였습니다. 벽과 타일, 타일과 타일 사이의 간격이 모두 같다면 ㉠은 몇 cm일까요?

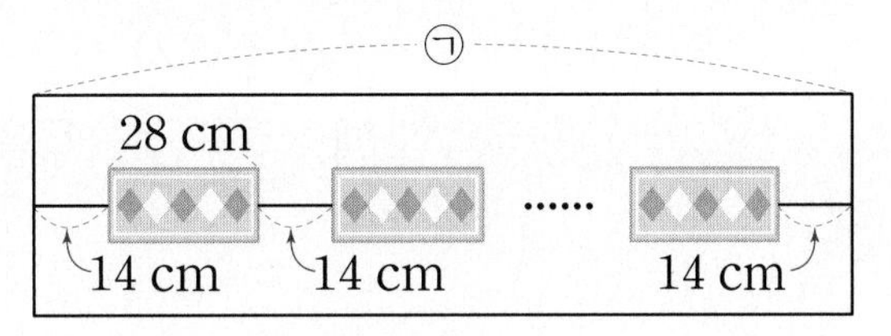

풀이

답

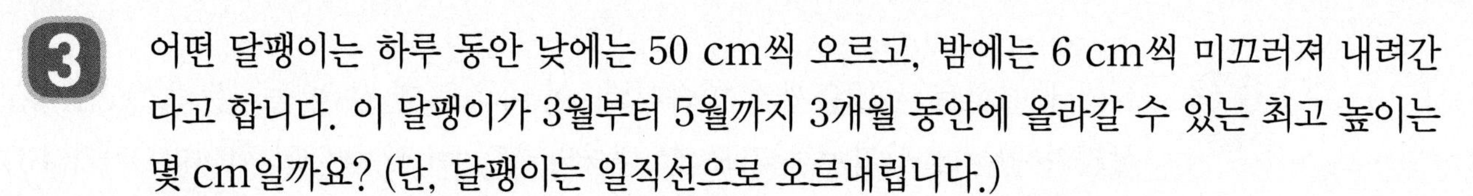

3 어떤 달팽이는 하루 동안 낮에는 50 cm씩 오르고, 밤에는 6 cm씩 미끄러져 내려간다고 합니다. 이 달팽이가 3월부터 5월까지 3개월 동안에 올라갈 수 있는 최고 높이는 몇 cm일까요? (단, 달팽이는 일직선으로 오르내립니다.)

풀이

답 ____________

경시대회 본선 기출문제

4 ㉠, ㉡, ㉢은 1부터 9까지의 수 중에서 서로 다른 수이고 ㉡은 ㉠보다 1 작습니다. ㉠㉡×㉠㉡=㉢㉠㉠㉡일 때, ㉠+㉡+㉢을 구하세요.

풀이

답 ____________

하이레벨

생각의 힘

High Level

인도 사람들이 사용한 곱셈법을 아나요?

고대 인도 사람들은 격자 곱셈법(겔로시아 곱셈법)을 사용했습니다.

격자: 바둑판처럼 가로, 세로를 일정한 간격으로 직각이 되게 짠 것

겔로시아 곱셈법은 격자를 그리고 대각선도 그려야 해서 불편해 보이지만 큰 자리 수의 곱셈에 유용할 수 있답니다.

그럼, 격자 곱셈법은 어떻게 곱셈을 하면 되는지 35 × 12로 알아봅시다.

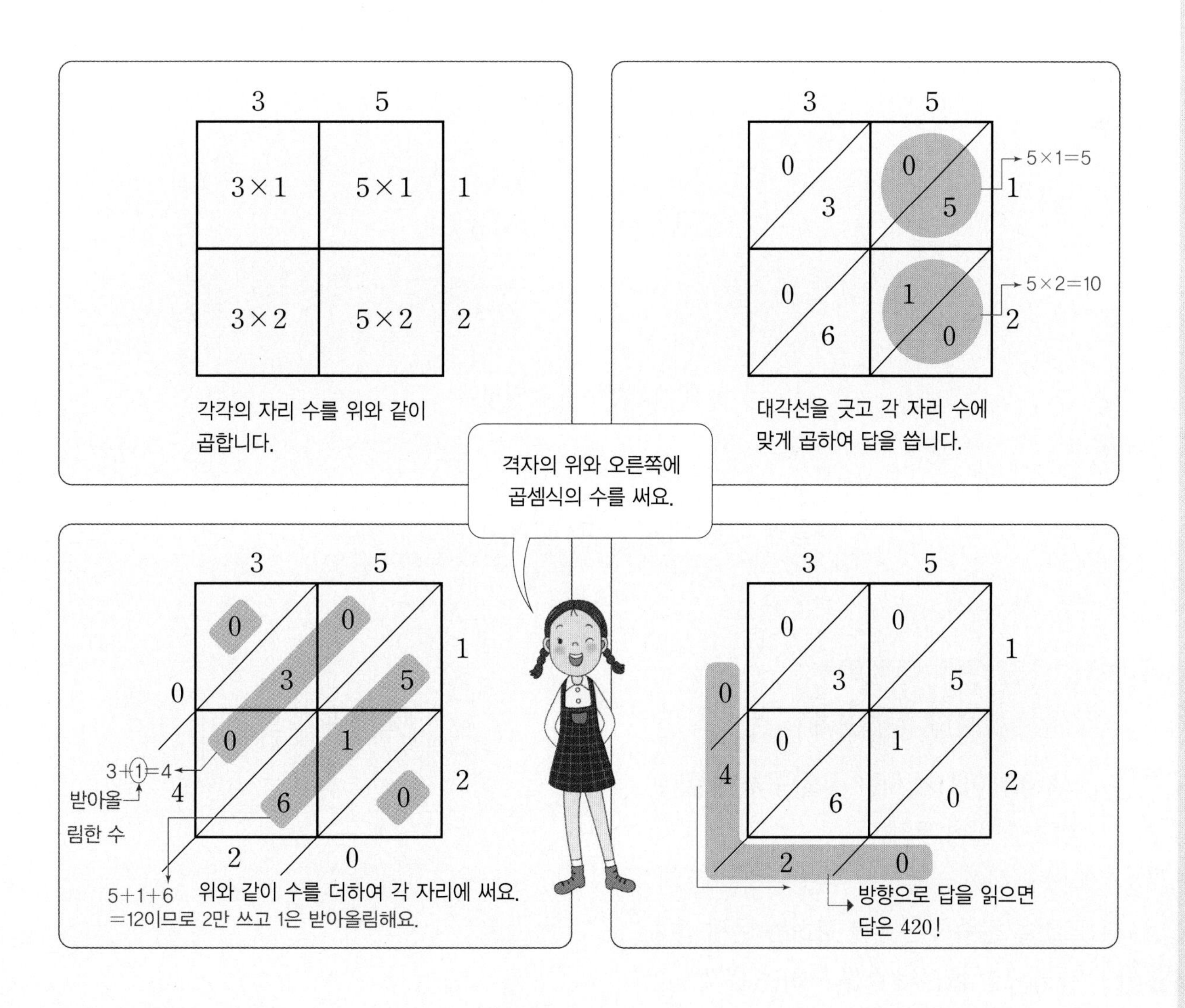

3 5
3×1 5×1 1
3×2 5×2 2
각각의 자리 수를 위와 같이 곱합니다.
5×1=5
5×2=10
대각선을 긋고 각 자리 수에 맞게 곱하여 답을 씁니다.
격자의 위와 오른쪽에 곱셈식의 수를 써요.
3+1=4
받아올림한 수
5+1+6=12이므로 2만 쓰고 1은 받아올림해요.
위와 같이 수를 더하여 각 자리에 써요.
방향으로 답을 읽으면 답은 420!

인도 사람들이 사용한 격자 곱셈법! 신기하죠?

격자 곱셈법으로 더 큰 수의 곱셈을 해 보는 건 어떨까요?

2 나눗셈

단원의 흐름

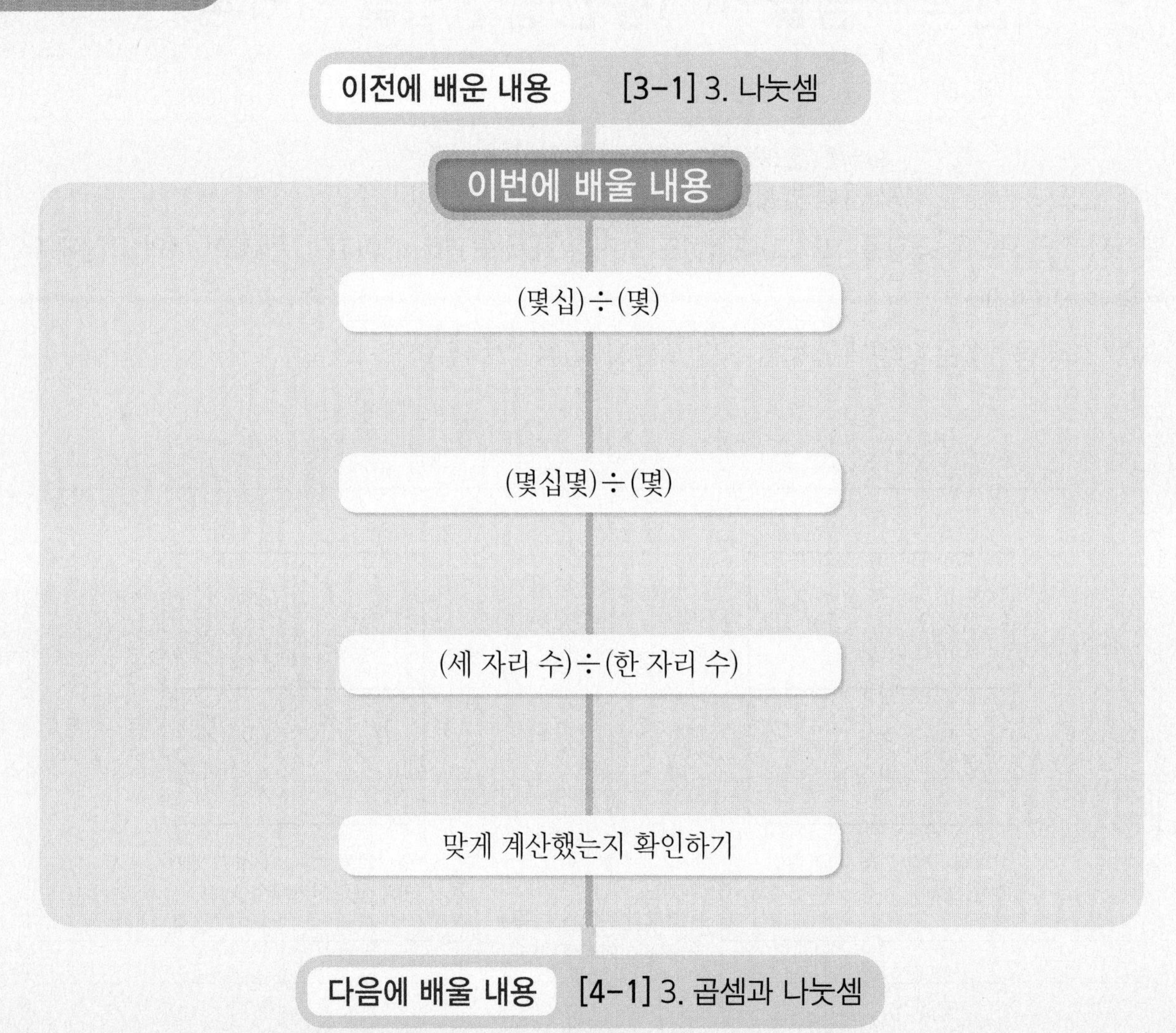

꼭! 알아야 할 대표 유형

- 유형 1 나누어떨어지게 하는 수를 구하는 문제
- 유형 2 창의·융합형 문제
- 유형 3 나눗셈식에서 알맞은 수를 구하는 문제
- 유형 4 조건을 만족하는 수를 구하는 문제
- 유형 5 더 필요한 물건의 수를 구하는 문제
- 유형 6 일정한 간격으로 놓인 물건의 수를 구하는 문제
- 유형 7 수 카드를 사용하여 나눗셈식을 만드는 문제
- 유형 8 조건을 만족하는 자연수를 구하는 문제

개념 Summary

교과서 개념 서머리

High Level

✤ (몇십)÷(몇)

• 내림이 없는 (몇십)÷(몇)

나눗셈식을 세로로 쓰는 방법

$60 \div 2 = 30 \Rightarrow \begin{array}{r} 30 \\ 2\overline{)60} \end{array}$

각 자리에 맞춰서 몫을 써야 해.

• 내림이 있는 (몇십)÷(몇)

$$\begin{array}{r} 12 \\ 5\overline{)60} \\ \underline{5} \\ 10 \\ \underline{10} \\ 0 \end{array} \Rightarrow 60 \div 5 = 12$$

✤ (몇십몇)÷(몇) (1) – 내림이 없는

• 나머지가 없는 (몇십몇)÷(몇)

$$\begin{array}{r} 12 \\ 2\overline{)24} \\ \underline{2} \\ 4 \\ \underline{4} \\ 0 \end{array} \Rightarrow 24 \div 2 = 12$$

나머지가 0일 때 나누어떨어진다고 합니다.

• 나머지가 있는 (몇십몇)÷(몇)

$$\begin{array}{r} 11 \leftarrow \text{몫} \\ 5\overline{)57} \\ \underline{5} \\ 7 \\ \underline{5} \\ 2 \leftarrow \text{나머지} \end{array}$$

57을 5로 나누면 몫은 11이고 2가 남습니다. 이때 2를 $57 \div 5$의 나머지라고 합니다.

$57 \div 5 = 11 \cdots 2$

✤ (몇십몇)÷(몇) (2) – 내림이 있는

• 나머지가 없는 (몇십몇)÷(몇)

$$\begin{array}{r} 17 \leftarrow \text{몫} \\ 2\overline{)34} \\ \underline{2} \\ 14 \\ \underline{14} \\ 0 \end{array}$$

$\Rightarrow 34 \div 2 = 17$

• 나머지가 있는 (몇십몇)÷(몇)

$$\begin{array}{r} 15 \leftarrow \text{몫} \\ 3\overline{)46} \\ \underline{3} \\ 16 \\ \underline{15} \\ 1 \leftarrow \text{나머지} \end{array}$$

$\Rightarrow 46 \div 3 = 15 \cdots 1$

✤ (세 자리 수)÷(한 자리 수)

• 나머지가 없는 (세 자리 수)÷(한 자리 수)

$$\begin{array}{r} 65 \\ 5\overline{)325} \\ \underline{30} \\ 25 \\ \underline{25} \\ 0 \end{array}$$

백의 자리에서 3을 5로 나눌 수 없으므로 십의 자리에서 32를 5로 나눕니다.

• 나머지가 있는 (세 자리 수)÷(한 자리 수)

$$\begin{array}{r} 101 \\ 3\overline{)304} \\ \underline{3} \\ 4 \\ \underline{3} \\ 1 \end{array}$$

십의 자리에서 나눌 수 없으므로 몫에 0을 씁니다.

✤ 맞게 계산했는지 확인하기

$17 \div 6 = 2 \cdots 5$

$6 \times 2 = 12 \Rightarrow 12 + 5 = 17$

나누는 수와 몫의 곱에 나머지를 더하면 나누어지는 수가 되어야 합니다.

Plus개념

하이레벨 개념

High Level

1 >, <가 있는 식에서 □ 구하기

>, <가 있는 식에서 □ 안에 들어갈 수 있는 자연수 구하기

예시 $30 \div 3 > \square$

➜ $10 > \square$이므로 □ 안에 들어갈 수 있는 자연수는 1부터 9까지입니다.

1 개념 플러스 문제

□ 안에 들어갈 수 있는 가장 작은 자연수를 구하세요.

$$90 \div 6 < \square$$

(1) $90 \div 6$을 계산하세요.

(　　　　　　)

(2) □ 안에 들어갈 수 있는 가장 작은 자연수를 구하세요.

(　　　　　　)

2 나눗셈식에서 나머지 알아보기

나머지는 나누는 수보다 항상 작습니다.

㉠÷㉡에서

(1) 나머지가 가장 큰 경우의 나머지

➜ ㉡-1

(2) 나머지가 가장 작은 경우의 나머지

➜ 0

2 개념 플러스 문제

다음 나눗셈식에서 나머지가 될 수 없는 수는 어느 것일까요? ·························· (　　　)

$$\square \div 5$$

① 0　　② 2　　③ 3

④ 4　　⑤ 5

3 나눗셈의 활용

문장을 나눗셈식으로 나타내기

예시 바둑돌 38개를 3개씩 나누어 12묶음이 되고 2개가 남았습니다.

➜ $38 \div 3 = 12 \cdots 2$

(12: 몫, 2: 나머지)

3 개념 플러스 문제

종이테이프 7 cm로 리본을 1개 만들 수 있습니다. 종이테이프 79 cm로는 리본을 몇 개까지 만들 수 있을까요?

(　　　　　　)

4 나누어떨어지는 수 찾기

(1) 2로 나누어떨어지는 수: 일의 자리 숫자가 0, 2, 4, 6, 8인 수 예시 20, 42, 64……

(2) 5로 나누어떨어지는 수: 일의 자리 숫자가 0, 5인 수 예시 15, 20……

(3) 3(9)으로 나누어떨어지는 수: 각 자리 숫자의 합이 3(9)으로 나누어떨어지는 수
예시 81 ➜ $8+1=9$, 9는 3(9)으로 나누어떨어지므로 81은 3(9)으로 나누어떨어집니다.

약수: 어떤 수를 나누어떨어지게 하는 수
예시 $15 \div 5 = 3$으로 5는 15를 나누어떨어지게 하는 수이므로 5는 15의 약수입니다.

4 개념 플러스 문제

다음 중 5로 나누어떨어지는 수를 찾아 쓰세요.

75　82　91

(　　　　　　)

5 (세 자리 수)÷(한 자리 수)의 나머지 구하기

예시 $103 \div 4$의 계산에서 나머지 구하기

$$
\begin{array}{r}
25 \\
4\overline{)103} \\
8 \\
\hline
23 \\
20 \\
\hline
3
\end{array}
$$

➜ 몫: 25
나머지: 3

5 개념 플러스 문제

나머지가 더 큰 것을 찾아 기호를 쓰세요.

㉠ $347 \div 9$
㉡ $279 \div 7$

(　　　　　　)

6 나눗셈식에서 나누어지는 수 구하기

맞게 계산했는지 확인하기
➜ 나누는 수와 몫의 곱에 나머지를 더하면 나누어지는 수가 되어야 합니다.

$19 \div 5 = 3 \cdots 4$

$5 \times 3 = 15$ ➜ $15 + 4 = 19$

참고 나눗셈을 맞게 계산하였는지 확인하는 것을 검산한다고 합니다.

6 개념 플러스 문제

□ 안에 알맞은 수를 구하세요.

$\square \div 4 = 17 \cdots 3$

(　　　　　　)

2 단원 나눗셈

STEP 1

하이레벨 입문

유형 1 (몇십)÷(몇)

1 나눗셈의 몫을 찾아 선으로 이어 보세요.

$40 \div 4$ •		• 10
		• 20
$90 \div 3$ •		• 30

2 바르게 계산한 사람은 누구일까요?

소라: $60 \div 4 = 12$
은주: $90 \div 5 = 18$

( )

3 5초 동안 70 m를 달리는 자동차가 있습니다. 이 자동차는 1초에 몇 m를 달리는 셈일까요?

식 ____________________

답 ____________

4 몫의 크기를 비교하여 ○ 안에 $>$ 또는 $<$를 알맞게 써넣으세요.

$40 \div 2$ ○ $60 \div 2$

5 달걀 한 판에는 달걀이 30개 담겨 있습니다. 달걀 2판을 한 명에게 6개씩 나누어 주려고 합니다. 모두 몇 명에게 나누어 줄 수 있을까요?

( )

유형 2 (몇십몇)÷(몇) (1) – 내림이 없는

6 나눗셈을 하고 맞게 계산했는지 확인해 보세요.

$3\overline{)65}$

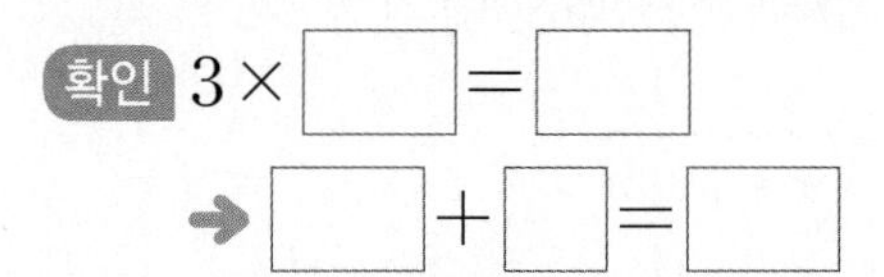

확인 $3 \times \square = \square$
➜ $\square + \square = \square$

7 빈칸에 알맞은 수를 써넣으세요.

84 ➜ $\div 2$ ➜ $\square$

8 나눗셈의 몫이 22÷2와 같은 것을 찾아 기호를 쓰세요.

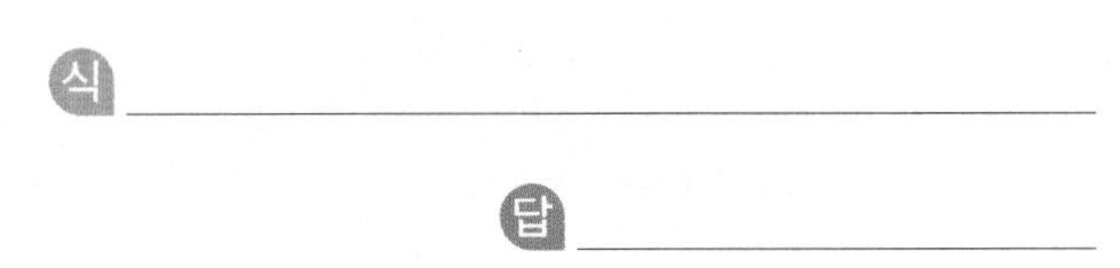

( )

9 계산에서 잘못된 곳을 찾아 바르게 계산해 보세요.

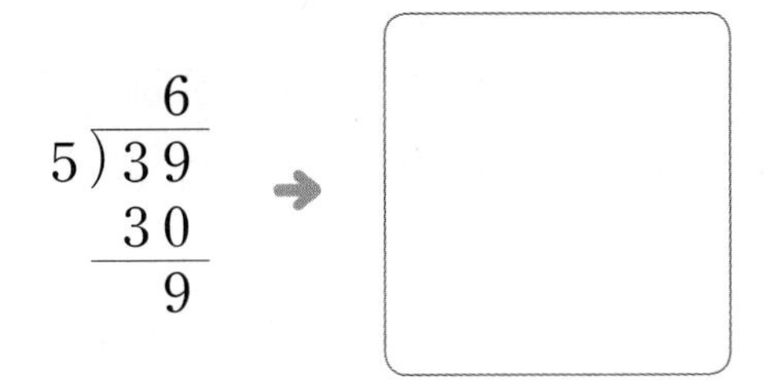

10 사탕이 93개 있습니다. 이 사탕을 세 봉지에 똑같이 나누어 담았습니다. 한 봉지에 담긴 사탕은 몇 개일까요?

식 ____________________

답 ____________

11 다음 중 나머지가 5가 될 수 없는 식에 ×표 하세요.

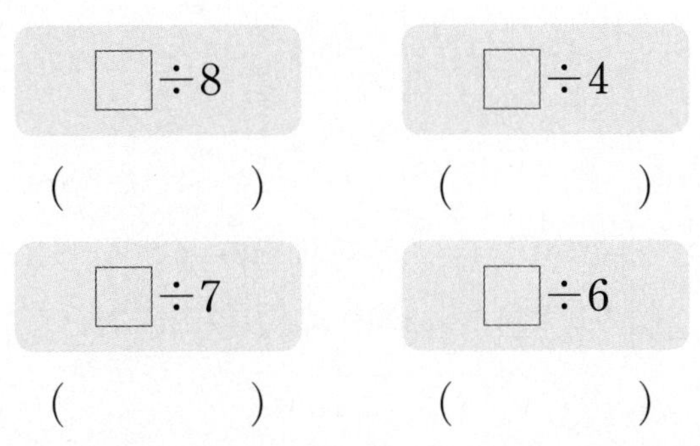

12 고구마를 67개 캤습니다. 이 고구마를 바구니 한 개에 6개씩 담았더니 1개가 남았습니다. 고구마를 담은 바구니는 몇 개일까요?

식 ____________________

답 ____________

13 나머지가 큰 것부터 차례로 기호를 쓰세요.

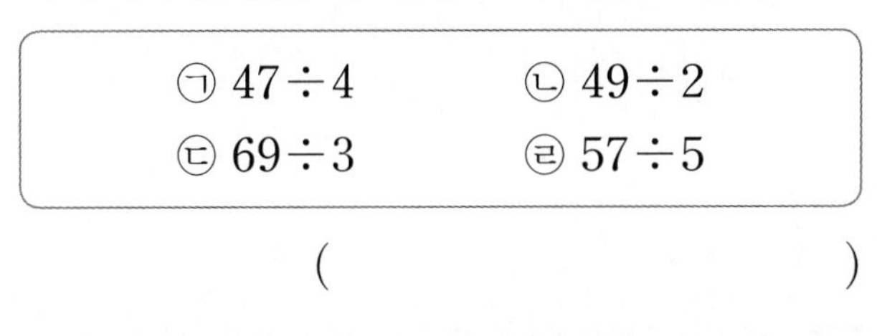

( )

14 공책 63권을 8명에게 남는 공책이 없도록 똑같이 나누어 주려고 합니다. 공책은 적어도 몇 권 더 필요할까요?

( )

2 단원 나눗셈

유형 3 (몇십몇)÷(몇) (2) – 내림이 있는

15 빈칸에 알맞은 수를 써넣으세요.

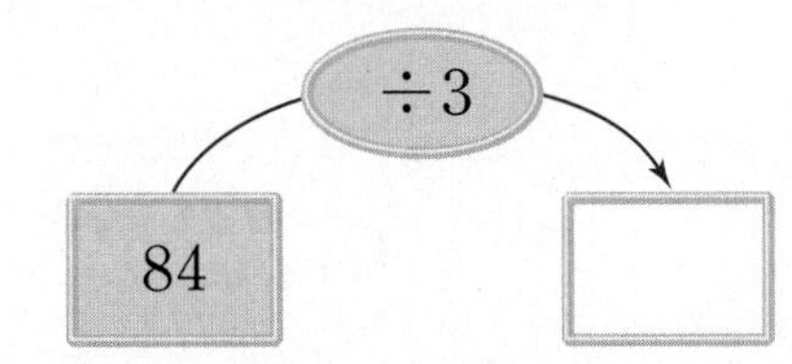

16 큰 수를 작은 수로 나눈 몫과 나머지를 차례로 구하세요.

51	6

( ), ( )

17 계산이 잘못된 곳을 찾아 바르게 계산해 보세요.

$$\begin{array}{r} 14 \\ 5\overline{)76} \\ 5 \\ \hline 26 \\ 20 \\ \hline 6 \end{array}$$

➜

18 딸기 65개를 접시 5개에 똑같이 나누어 담으려고 합니다. 접시 한 개에 딸기를 몇 개씩 담아야 할까요?

식 ______________________

답 ______________

19 몫이 다른 하나를 찾아 기호를 쓰세요.

㉠ $4\overline{)52}$ ㉡ $6\overline{)78}$ ㉢ $4\overline{)76}$

( )

20 지우개가 83개 있습니다. 6명에게 똑같이 나누어 준다면 지우개를 한 명에게 몇 개씩 줄 수 있고 몇 개가 남을까요?

( ), ( )

창의력

21 다음 수 카드를 한 번씩만 사용하여 만들 수 있는 가장 큰 두 자리 수를 나머지 수로 나누면 나누어떨어질까요, 나누어떨어지지 않을까요?

3	5	8

( )

22 어떤 수를 7로 나누었더니 몫이 12, 나머지가 1이 되었습니다. 어떤 수는 얼마일까요?

( )

유형 4 (세 자리 수)÷(한 자리 수)

23 계산해 보세요.

(1) $6\overline{)918}$

(2) $5\overline{)622}$

24 나눗셈의 몫을 찾아 선으로 이어 보세요.

572÷4 •		• 140
994÷7 •		• 142
		• 143

25 빈 곳에 알맞은 수를 써넣으세요.

(1)

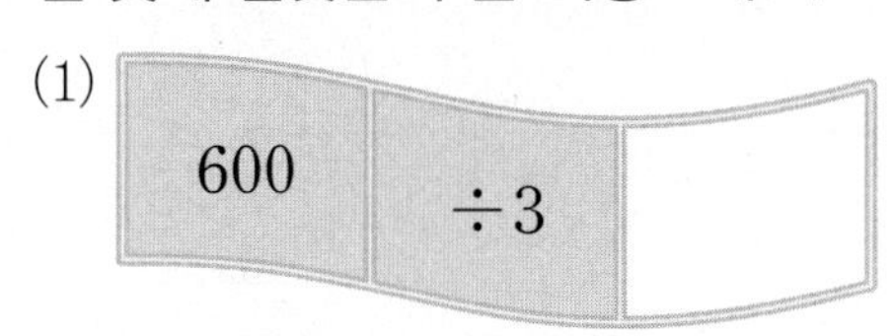

(2)

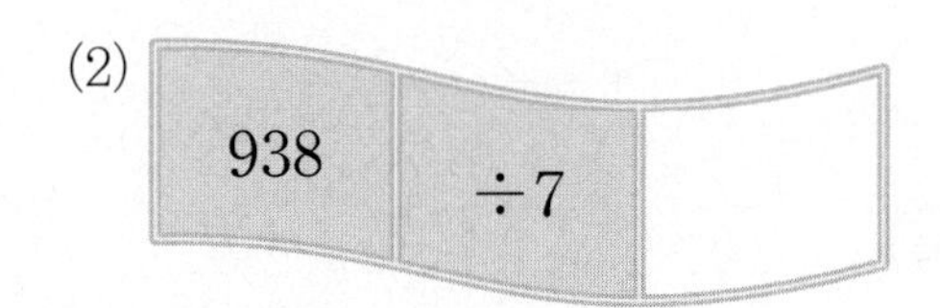

26 나눗셈에서 ㉠과 ㉡에 알맞은 수의 합을 구하세요.

• 196÷8=24…㉠
• 158÷9=㉡…5

(　　　　)

27 색종이 468장을 한 명에게 6장씩 주려고 합니다. 색종이를 몇 명에게 나누어 줄 수 있을까요?

 식 ____________________

답 ____________________

28 나머지가 작은 것부터 차례로 기호를 쓰세요.

㉠ 629÷5　㉡ 937÷9　㉢ 842÷6

(　　　　)

29 사과가 한 바구니에 39개씩 3바구니 있습니다. 이 사과를 4상자에 똑같이 나누어 담으려고 합니다. 한 상자에 사과를 몇 개씩 담을 수 있고 몇 개가 남을까요?

(　　　　), (　　　　)

STEP 2 하이레벨 탐구 High Level

대표 유형 1 나누어떨어지게 하는 수를 구하는 문제

1부터 9까지의 자연수 중 36을 나누어떨어지게 하는 수를 모두 구하세요.

문제해결 Key

1부터 9까지의 자연수로 나누었을 때 나머지가 없는 경우를 구합니다.

(1) 1부터 9까지의 자연수로 36을 나누었을 때 나머지가 없는 경우를 찾으려고 합니다. □ 안에 알맞은 수를 써넣으세요.

$36 \div 1 = 36$, $36 \div 2 = 18$, $36 \div 3 = 12$, $36 \div 4 = 9$,

$36 \div 6 = \square$, $36 \div \square = \square$

(2) (1)에서 1부터 9까지의 자연수 중 36을 나누어떨어지게 하는 수를 모두 구하세요.

(　　　　　　　　　　)

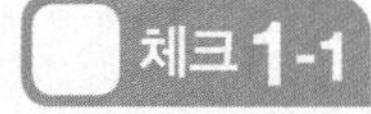

체크 1-1 1부터 9까지의 자연수 중 24를 나누어떨어지게 하는 수를 모두 구하세요.

(　　　　　　　　　　)

체크 1-2 1부터 9까지의 자연수 중 40을 나누어떨어지게 하는 수를 모두 구하려고 합니다. 풀이 과정을 쓰고 답을 구하세요. 5점

풀이

답

대표 유형 2 창의 · 융합형 문제

구기 종목에는 축구, 야구, 핸드볼, 배구, 농구 등이 있습니다. 다음은 구기 종목별 한 팀에 정해진 인원수입니다. 운동장에 있는 학생들을 핸드볼을 하려고 똑같이 나누었더니 남는 사람 없이 12팀이 되었습니다. 운동장에 있는 학생들을 야구팀으로 나누면 몇 팀이 되고 몇 명이 남을까요?

축구	야구	핸드볼	배구	농구
11명	9명	7명	6명	5명

문제해결 Key

전체 학생 수를 구한 다음 나눗셈을 이용합니다.

(1) 운동장에 있는 학생은 몇 명일까요?

(　　　　　　　)

(2) 운동장에 있는 학생들을 야구팀으로 나누면 몇 팀이 되고 몇 명이 남을까요?

(　　　　　　　), (　　　　　　　)

체크 2-1

보드 게임은 게임용 조각(말, 주사위, 카드 등)을 놀이판 위에 놓는 모든 게임을 말합니다. 민정이는 보드 게임 중에 카드 게임을 하려고 합니다. 친구들에게 카드를 8장씩 나누어 주었더니 남은 카드가 없이 6명이 가졌습니다. 이 카드를 5명에게 똑같이 나누어 주면 한 사람이 카드를 몇 장씩 가지고 몇 장이 남을까요?

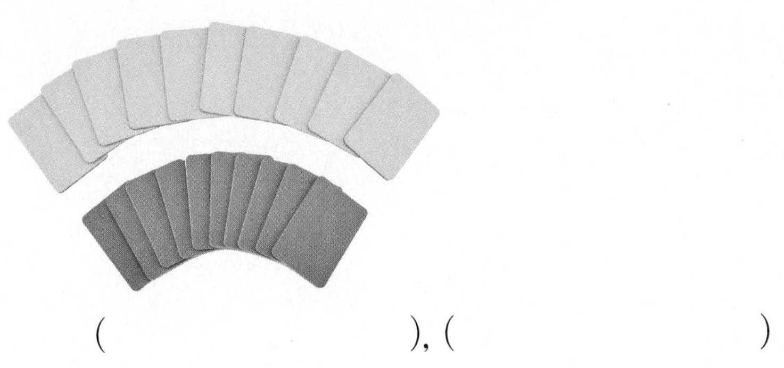

(　　　　　　　), (　　　　　　　)

대표 유형 3 나눗셈식에서 알맞은 수를 구하는 문제

오른쪽 나눗셈식에서 ㉠, ㉡, ㉢, ㉣, ㉤에 알맞은 수를 각각 구하세요.

```
     1 ㉡
㉠) 6 ㉢
    5
    1 8
    ㉣㉤
      3
```

문제해결 Key

㉠, ㉡, ㉢, ㉣, ㉤ 중 알아낼 수 있는 것을 먼저 찾습니다.

(1) ㉣, ㉤에 알맞은 수를 각각 구하세요.

㉣ (　　　　　), ㉤ (　　　　　)

(2) ㉢에 알맞은 수를 구하세요.

(　　　　　)

(3) ㉠과 ㉡에 알맞은 수를 각각 구하세요.

㉠ (　　　　　), ㉡ (　　　　　)

체크 3-1

오른쪽 나눗셈식에서 □ 안에 알맞은 수를 써넣으세요.

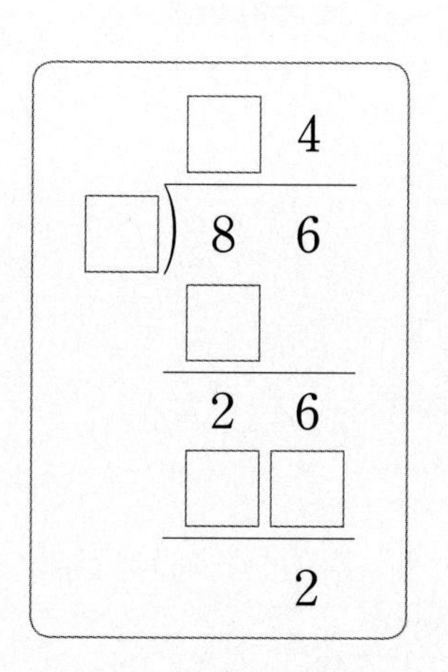

체크 3-2

오른쪽 나눗셈식에서 ㉠+㉡+㉢+㉣+㉤+㉥+㉦을 구하세요.

```
     ㉡㉢
㉠) 9 ㉣
    ㉤
    2 7
    ㉥㉦
      6
```

(　　　　　)

대표 유형 4 조건을 만족하는 수를 구하는 문제

□ 안에 들어갈 수 있는 자연수 중에서 3으로 나누어떨어지는 수를 모두 구하세요.

$60 < \square < 70$

문제해결 Key

① 조건에 맞는 수를 3으로 나누었을 때 나머지가 0인 가장 작은 수를 구합니다.

② ①의 수에 3씩 더한 수는 3으로 나누어떨어지는 수입니다.

(1) 60보다 크고 70보다 작은 자연수 중에서 3으로 나누어떨어지는 가장 작은 수를 구하세요.

(　　　　　　　　)

(2) 60보다 크고 70보다 작은 자연수 중에서 3으로 나누어떨어지는 수를 모두 구하세요.

(　　　　　　　　)

체크 4-1 □ 안에 들어갈 수 있는 자연수 중에서 6으로 나누어떨어지는 수를 모두 구하세요.

$70 < \square < 80$

(　　　　　　　　)

체크 4-2 50부터 60까지의 자연수 중에서 4로 나누었을 때, 나머지가 1이 되는 수를 모두 구하세요.

(　　　　　　　　)

대표 유형 5 더 필요한 물건의 수를 구하는 문제

귤 60개를 친구 7명에게 똑같이 나누어 주려고 하였더니 몇 개가 모자랐습니다. 귤을 남김없이 똑같이 나누어 주려면 귤은 적어도 몇 개 더 필요할까요?

문제해결 Key

나눗셈을 이용하여 남은 귤의 수를 구한 다음 더 필요한 귤의 수를 구합니다.
(더 필요한 귤의 수)
=(나누어 줄 사람 수)
−(남은 귤의 수)

(1) 귤을 몇 개씩 나누어 주고 몇 개가 남을까요?

( ), ( )

(2) (1)의 남은 개수에 몇 개를 더해야 7명에게 한 개씩 나누어 줄 수 있을까요?

( )

(3) 귤을 남김없이 똑같이 나누어 주려면 귤은 적어도 몇 개 더 필요할까요?

( )

체크 5-1 구슬 70개를 8모둠에 똑같이 나누어 주려고 하였더니 몇 개가 모자랐습니다. 구슬을 남김없이 똑같이 나누어 주려면 구슬은 적어도 몇 개 더 필요할까요?

( )

체크 5-2 한 묶음에 25장씩 들어 있는 색종이가 3묶음 있습니다. 이 색종이를 봉지 한 개에 9장씩 담아 학생들에게 나누어 주려고 합니다. 색종이를 남김없이 봉지에 담으려면 색종이는 적어도 몇 장 더 필요할까요?

( )

대표 유형 6 일정한 간격으로 놓인 물건의 수를 구하는 문제

길이가 56 cm인 종이 띠 위에 4 cm 간격으로 누름 못을 꽂으려고 합니다. 종이의 양쪽 끝에는 반드시 누름 못을 꽂는다고 할 때, 필요한 누름 못은 모두 몇 개일까요? (단, 누름 못의 두께는 생각하지 않습니다.)

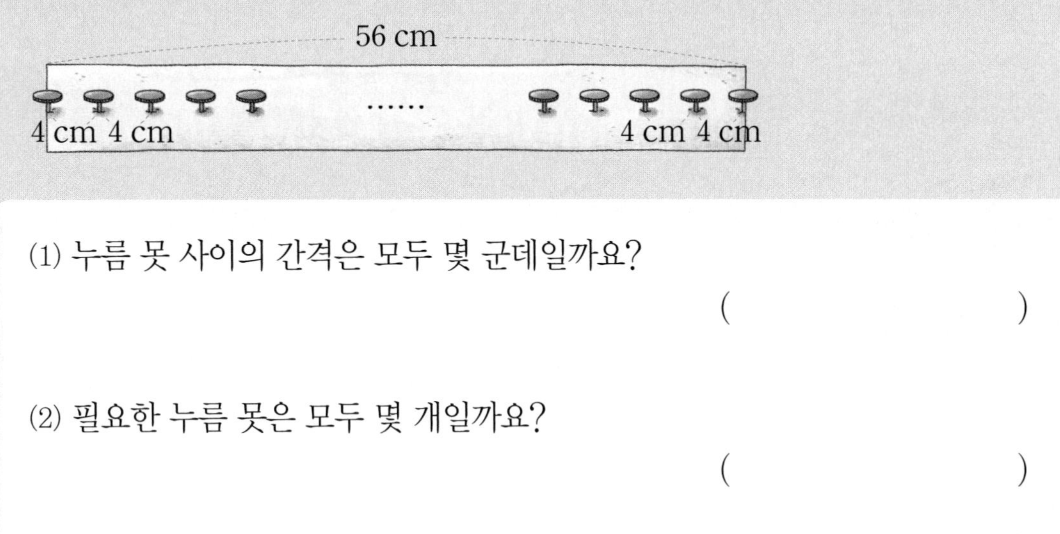

문제해결 Key

① 누름 못 사이의 간격 수를 구합니다.
② 필요한 누름 못의 수를 구합니다.
➔ ①+1

(1) 누름 못 사이의 간격은 모두 몇 군데일까요?

( )

(2) 필요한 누름 못은 모두 몇 개일까요?

( )

체크 6-1

길이가 84 m인 도로의 한쪽에 6 m 간격으로 가로등을 설치하려고 합니다. 도로의 처음과 끝에도 가로등을 설치한다면 필요한 가로등은 모두 몇 개일까요? (단, 가로등의 두께는 생각하지 않습니다.)

( )

체크 6-2

운동장에 한 변이 70 m인 정사각형을 그리고, 그 정사각형의 모든 변에 5 m 간격으로 표지판을 세우려고 합니다. 정사각형의 네 꼭짓점에 모두 표지판을 세운다고 할 때, 표지판을 모두 몇 개 세울 수 있는지 풀이 과정을 쓰고 답을 구하세요. (단, 표지판의 두께는 생각하지 않습니다.) 5점

풀이

답

대표 유형 7 수 카드를 사용하여 나눗셈식을 만드는 문제

3장의 수 카드를 한 번씩 사용하여 나눗셈식 □□÷□를 만들었습니다. 나누어떨어지는 나눗셈식은 모두 몇 가지일까요?

2 4 6

문제해결 Key

① 두 자리 수를 만듭니다.
② 나눗셈식을 만들고 계산합니다.
③ 나누어떨어지는 나눗셈식의 수를 구합니다.

(1) 만들 수 있는 두 자리 수를 모두 구하세요.

( )

(2) 나눗셈식을 만들고 계산한 것입니다. □ 안에 알맞은 수를 써넣으세요.

$24 \div 6 = \square$, $26 \div 4 = 6 \cdots 2$, $42 \div 6 = \square$,

$46 \div 2 = 23$, $62 \div 4 = \square \cdots 2$, $64 \div 2 = \square$

(3) 나누어떨어지는 나눗셈식은 모두 몇 가지일까요?

( )

체크 7-1 3장의 수 카드를 한 번씩만 사용하여 나눗셈식 □□÷□를 만들었습니다. 나누어떨어지는 나눗셈식은 모두 몇 가지일까요?

6 2 8

( )

체크 7-2 3장의 수 카드를 한 번씩만 사용하여 나눗셈식 □□÷□를 만들었습니다. 나누어떨어지지 않는 나눗셈식은 모두 몇 가지일까요?

5 8 4

( )

대표 유형 8 조건을 만족하는 자연수를 구하는 문제

조건을 모두 만족하는 자연수를 구하세요.

- 60보다 크고 80보다 작은 수 중 7로 나누면 2가 남습니다.
- 십의 자리 숫자와 일의 자리 숫자의 합은 16입니다.

문제해결 Key

한 조건을 만족하는 수를 찾고 그 수 중에서 다른 조건을 만족하는 수를 찾습니다.

(1) 60보다 크고 80보다 작은 수 중 7로 나누면 2가 남는 수를 모두 구하세요.

( )

(2) 위 (1)에서 구한 수 중 십의 자리 숫자와 일의 자리 숫자의 합이 16인 수를 구하세요.

( )

체크 8-1 조건을 모두 만족하는 자연수를 구하세요.

- 50보다 크고 70보다 작은 수 중 6으로 나누면 3이 남습니다.
- 십의 자리 숫자와 일의 자리 숫자의 합은 15입니다.

( )

체크 8-2 조건을 모두 만족하는 자연수를 구하세요.

- 60보다 크고 90보다 작은 수 중 4로 나누면 2가 남습니다.
- 십의 자리 숫자와 일의 자리 숫자가 같습니다.

( )

1 1부터 9까지의 자연수 중에서 □÷6의 나머지가 될 수 없는 수는 모두 몇 개일까요?

( )

◀ 나누는 수를 보고 나머지가 될 수 없는 수를 알아보는 문제

2 곤충의 다리는 6개, 날개는 4장입니다. 어느 곤충 박물관에 쇠똥구리의 다리가 84개, 벌의 날개가 52장 있다면, 이 박물관에는 쇠똥구리와 벌 중 어느 곤충이 몇 마리 더 많은지 차례로 쓰세요.

( ), ( )

◀ 나눗셈의 몫의 차를 구하는 문제

3 장미가 28송이, 백합이 29송이 있습니다. 이 꽃을 꽃병 한 개에 4송이씩 꽂으려고 합니다. 꽃을 모두 꽂으려면 꽃병은 적어도 몇 개 필요할까요?

( )

◀ 나눗셈의 몫에 1을 더하여 필요한 물건의 수를 구하는 문제

4 다음 나눗셈이 나누어떨어지게 하려고 합니다. □ 안에 들어갈 수 있는 수를 모두 쓰세요.

$7\square \div 4$

(　　　　　　　　　　)

◀ 나눗셈이 나누어떨어질 때 나누어지는 수의 일의 자리 수를 구하는 문제

5 과수원에서 복숭아를 622개 땄습니다. 이 복숭아를 6가구에 남김없이 똑같이 나누어 주려고 했더니 몇 개가 부족했습니다. 복숭아는 적어도 몇 개 더 있어야 할까요?

(　　　　　　　　　　)

◀ 똑같이 나누어 주기 위해 더 필요한 물건의 수를 구하는 문제

6 다음은 나머지가 있는 나눗셈식입니다. ㉮에 들어갈 수 있는 수 중에서 가장 큰 수를 구하세요. (단, □는 자연수입니다.)

㉮ $\div 8 = 12 \cdots \square$

(　　　　　　　　　　)

◀ 나누는 수를 이용하여 나머지 중 가장 큰 수를 예상하고 나누어지는 수를 구하는 문제

STEP 3 하이레벨 심화

1 흰색 구슬이 17개, 검은색 구슬이 23개, 노란색 구슬이 16개 있습니다. 구슬을 주머니 한 개에 4개씩 담을 때 주머니 수와 8개씩 담을 때 주머니 수의 차는 몇 개일까요?

(　　　　　　　　)

풀이

2 다음 두 나눗셈이 모두 나누어떨어지도록 □ 안에 공통으로 들어갈 한 자리 수를 구하세요.

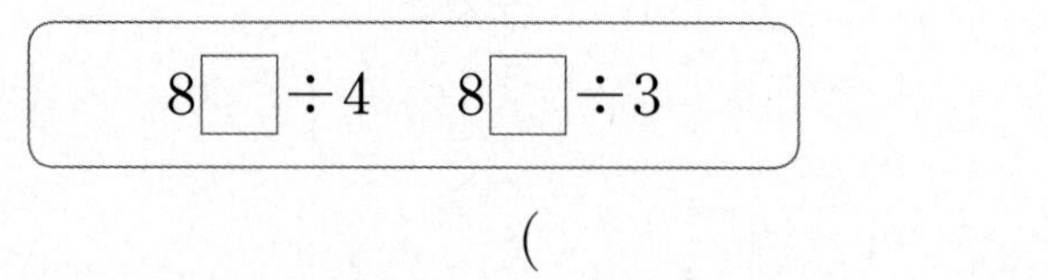

8□÷4　8□÷3

(　　　　　　　　)

풀이

3 보기와 같이 [ ]와 ◆를 약속할 때, 다음을 계산해 보세요.

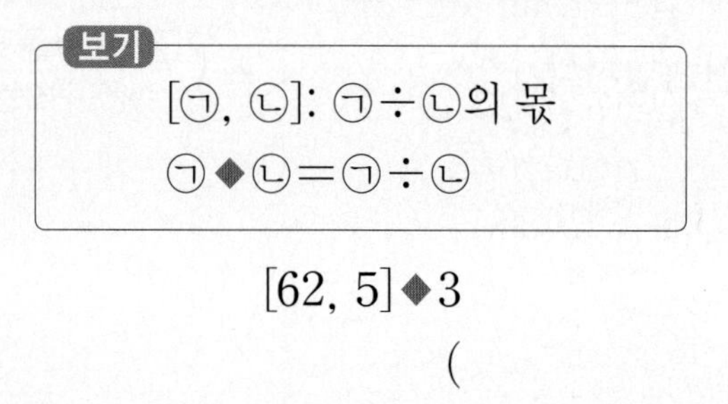

보기

[㉠, ㉡]: ㉠÷㉡의 몫

㉠◆㉡=㉠÷㉡

[62, 5]◆3

(　　　　　　　　)

풀이

4 4장의 수 카드 중에서 3장을 골라 한 번씩만 사용하여 세 자리 수를 만들었습니다. 만든 세 자리 수를 나머지 수 카드의 수로 나누었을 때, 가장 큰 몫과 가장 작은 몫을 각각 구하세요.

2　4　6　8

가장 큰 몫 (　　　　　　)

가장 작은 몫 (　　　　　　)

풀이

5 사탕 53개를 친구들에게 똑같이 8개씩 나누어 주려고 했더니 3개가 부족했습니다. 이 친구들에게 초콜릿 82개를 남김없이 똑같이 나누어 주려고 했더니 또 부족했습니다. 초콜릿을 남김없이 똑같이 나누어 주려면 적어도 몇 개 더 있어야 하는지 구하세요.

(　　　　　　)

풀이

6 6명의 학생이 32일 동안 전체 일의 반을 하였습니다. 남은 일을 8명이 하면 남은 일을 모두 끝내는 데 며칠이 걸릴까요? (단, 한 사람이 하루에 하는 일의 양은 모두 같습니다.)

(　　　　　　)

풀이

7 오른쪽 나눗셈식에서 ㉡이 2일 때, ㉠이 될 수 있는 수를 모두 구하세요.

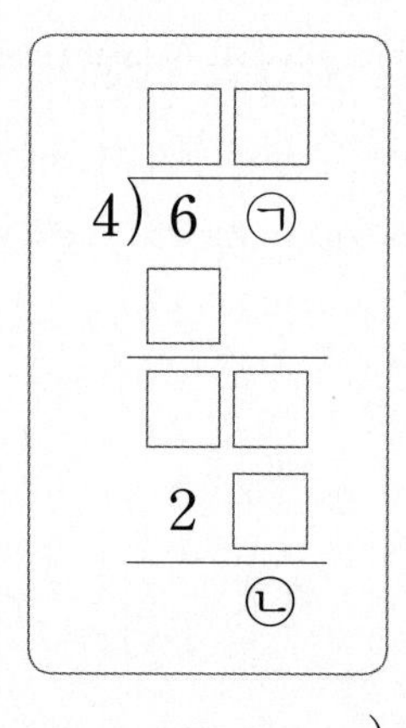

( )

풀이

8 네 변의 길이의 합이 96 cm인 정사각형을 다음과 같은 규칙으로 선을 그어 크기가 같은 정사각형이 여러 개가 되도록 만들었습니다. 6번째에 만든 가장 작은 정사각형 한 개의 네 변의 길이의 합은 몇 cm일까요?

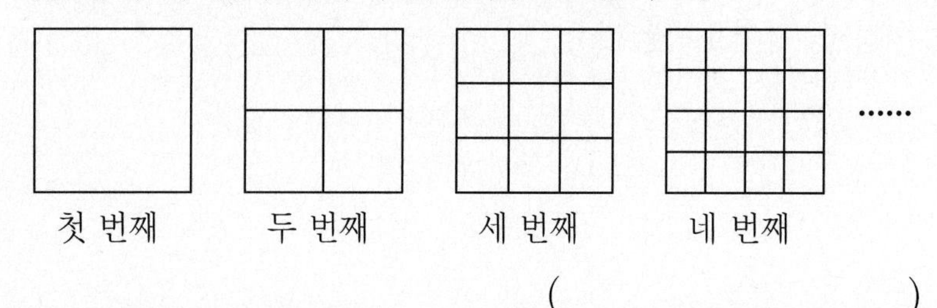

( )

풀이

9 다음 조건을 모두 만족하는 자연수를 구하세요.

- 60보다 크고 90보다 작습니다.
- 5로 나누어떨어집니다.
- 7로 나누면 나머지는 3입니다.

( )

풀이

코딩형

10 다음과 같은 규칙으로 수가 변할 때, ㉠에 알맞은 수는 무엇일까요?

⇨: (앞의 수)$\times$2, ➡: (앞의 수)$\times$3
▶: (앞의 수)$\div$4, ▶▶: (앞의 수)$\times$5

예 4 ⇨ 8 ➡ 24 ▶ 6 ▶▶ 30

㉠ ⇨ □ ➡ □ ▶ □ ▶▶ 90

( )

풀이

11 ㉠, ㉡, ㉢이 다음을 만족할 때, ㉠을 ㉢으로 나눈 몫을 구하세요.

㉠$\div$㉡$=$9, ㉡$\div$㉢$=$4

( )

풀이

12 운동장에 한 변이 90 m인 정사각형 모양의 선을 긋고 그 위에 5 m 간격으로 여학생을 세운 다음, 여학생 사이에 남학생을 한 명씩 세우려고 합니다. 정사각형의 네 꼭짓점 부분에 모두 여학생을 세운다고 할 때, 학생은 모두 몇 명 세울 수 있을까요?

( )

풀이

빠른 정답 2쪽, 정답 및 풀이 17쪽

13 보기는 12355321을 계속 이어 붙여 16자리 수를 만든 것입니다. 이때 마지막 세 자리 수는 321입니다. 보기와 같은 방법으로 91자리 수를 만들 때, 마지막 세 자리 수는 무엇일까요?

보기

1235532112355321

(　　　　　　)

풀이

경시문제 유형

14 어떤 두 자리 수를 그 수의 십의 자리 숫자로 나눈 몫은 10이고, 일의 자리 숫자로 나눈 몫은 12입니다. 어떤 수가 될 수 있는 수들의 합을 구하세요. (단, 반드시 나누어 떨어지는 것은 아닙니다.)

(　　　　　　)

풀이

브레인스토밍

1 성훈이는 2부터 7까지의 숫자가 각각 쓰여 있는 수 카드를 72장 가지고 있습니다. 각 숫자마다 카드의 수가 모두 같다면, 성훈이가 가지고 있는 72장의 수 카드에 쓰여 있는 수의 합은 얼마인지 구하세요.

풀이

답 ____________

2 길이가 91 m인 도로의 양쪽에 7 m 간격으로 은행나무를 심고, 은행나무와 은행나무 사이마다 단풍나무를 4그루씩 심으려고 합니다. 도로의 처음과 끝에는 반드시 은행나무를 심는다고 할 때, 도로의 양쪽에 심는 은행나무와 단풍나무는 모두 몇 그루인지 구하세요. (단, 나무의 두께는 생각하지 않습니다.)

풀이

답 ____________

3 은영이는 상자에 사과를 넣어 포장하려고 합니다. 한 상자에 사과를 6개씩 넣으면 상자가 3개 남고, 한 상자에 사과를 3개씩 넣으면 사과가 15개 남습니다. 사과는 모두 몇 개인지 구하세요.

풀이

답 __________

4 〈●〉는 ●를 4로 나누었을 때의 나머지이고, {★}은 ★을 6으로 나누었을 때의 나머지입니다. 다음을 계산해 보세요.

$$\langle 39 \rangle + \{40\} + \langle 41 \rangle + \{42\} + \cdots\cdots + \langle 97 \rangle + \{98\}$$

풀이

답 __________

하이레벨

생각의 힘

High Level

고대 이집트의 곱셈과 나눗셈

이집트 사람들은 곱셈을 할 때, 오른쪽과 같은 표를 만들어 계산하였습니다. 두 칸으로 나눈 표에서 왼쪽 칸은 항상 1로 시작하고, 내려갈수록 2배가 됩니다. 오른쪽 칸은 곱해지는 수부터 시작해서 아래로 내려갈수록 2배가 됩니다.

1부터 내려갈수록 2배가 됩니다.

1	
2	
4	
8	
16	

곱해지는 수부터 내려갈수록 2배가 됩니다.

그럼 고대 이집트 사람들의 곱셈 방법으로 직접 계산해 볼까요?

23×12의 계산 방법

왼쪽 칸에서 합이 12인 두 수 4와 8을 찾아요.

1	23
2	46
4	(92)
8	(184)
16	368

$92+184$
$=276$

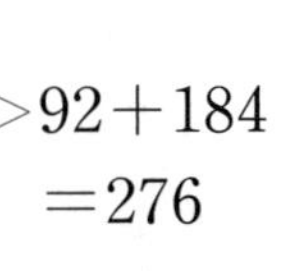

4와 8의 오른쪽 칸에 있는 짝을 찾아 더하면 23×12의 값과 같아요.

$23\times12=92+184=276$

이집트 사람들은 나눗셈을 할 때에도 다음과 같은 표를 사용하였습니다.

45÷9 의 계산 방법 (나머지가 없는 경우)

(1)	9
2	18
(4)	36
8	72
16	144

몫: $1+4=5$

① 합이 45(=9+36)인 두 수를 찾아요.
② 9와 36의 왼쪽 칸에 있는 짝을 찾아 더하면 몫이 돼요.

95÷9 의 계산 방법 (나머지가 있는 경우)

1	9
(2)	(18)
4	36
(8)	(72)
16	144

몫: $2+8=10$
나머지
: $95-90=5$

① 합이 95보다 작으면서 95에 가장 가까운 두 수(18, 72)를 찾아요.
② 18+72=90이 되고 5가 남아요.
③ 18과 72의 왼쪽 칸에 있는 짝을 찾아 더하면 몫이 되고, 나머지는 5예요.

3 원

단원의 흐름

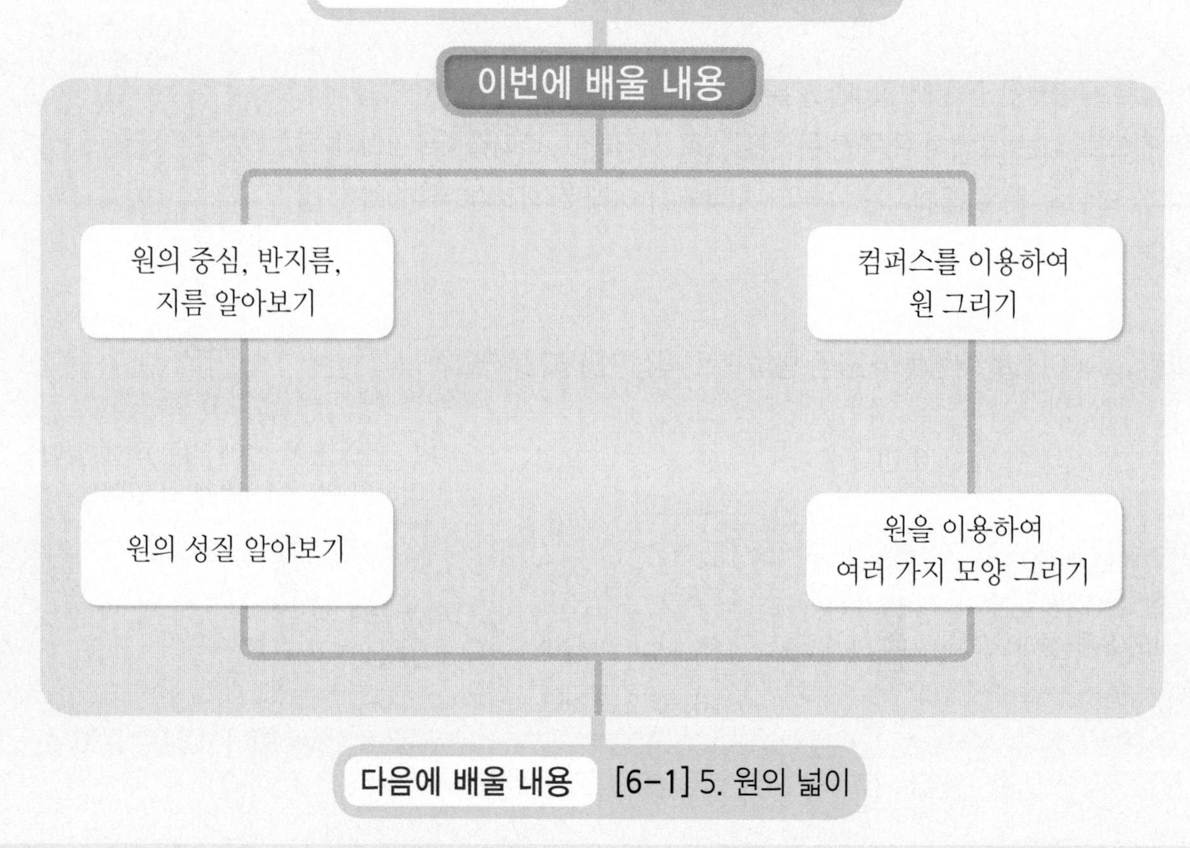

꼭! 알아야 할 대표 유형

- 유형 1 원의 중심의 수를 구하는 문제
- 유형 2 창의·융합형 문제
- 유형 3 원의 지름과 반지름 사이의 관계를 이용하는 문제
- 유형 4 원의 중심을 이어서 만든 도형을 알아보는 문제
- 유형 5 원의 지름 또는 반지름을 이용하여 선분의 길이를 구하는 문제
- 유형 6 원을 둘러싼 직사각형에 관한 문제

개념 Summary

교과서 개념 서머리

High Level

✤ 원의 중심, 반지름, 지름

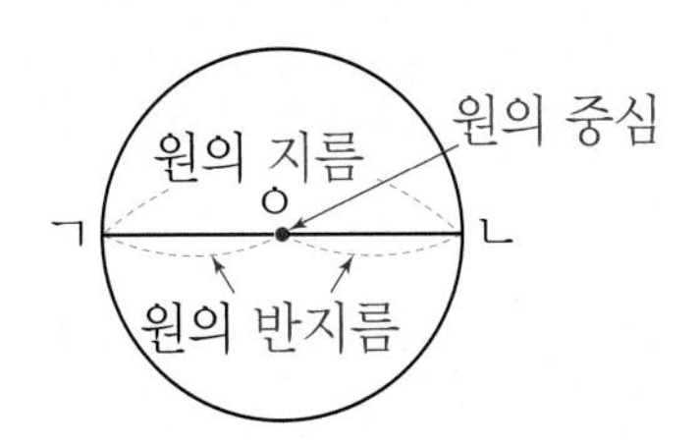

정의 • 원의 중심: 원을 그릴 때에 누름 못이 꽂혔던 점 ➔ 점 ㅇ

정의 • 원의 반지름: 원의 중심과 원 위의 한 점을 이은 선분 ➔ 선분 ㅇㄱ, 선분 ㅇㄴ

정의 • 원의 지름: 원 위의 두 점을 이은 선분 중 원의 중심을 지나는 선분 ➔ 선분 ㄱㄴ

✤ 원의 성질

• 원의 지름의 성질

① 원의 지름은 원을 둘로 똑같이 나눕니다.

② 원의 지름은 원 안에 그을 수 있는 가장 긴 선분입니다.

③ 한 원에서 원의 지름은 무수히 많이 그을 수 있습니다.

참고 원의 중심에서 원 위의 한 점까지의 길이는 모두 같습니다.

• 원의 지름과 반지름 사이의 관계

한 원에서 지름의 길이는 반지름의 길이의 2배입니다.

예시 ┌ 원의 반지름: 1 cm
└ 원의 지름: 2 cm

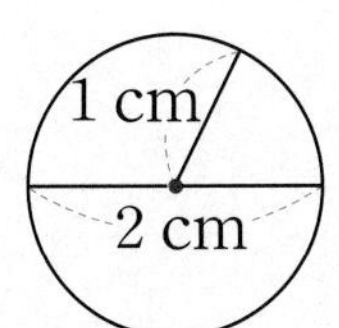

(지름)=(반지름)×2

✤ 컴퍼스를 이용하여 원 그리기

• 컴퍼스를 이용하여 주어진 원과 크기가 같은 원 그려 보기

예시 반지름이 2 cm인 원

2 cm

원의 중심이 되는 점 ㅇ을 정합니다.

ㅇ

➔ 컴퍼스를 원의 반지름만큼 벌립니다.

0 1 2 3

➔ 컴퍼스의 침을 점 ㅇ에 꽂고 원을 그립니다.

ㅇ

✤ 원을 이용하여 여러 가지 모양 그리기

• 원의 중심과 반지름의 규칙에 따라 원 그리기

예시

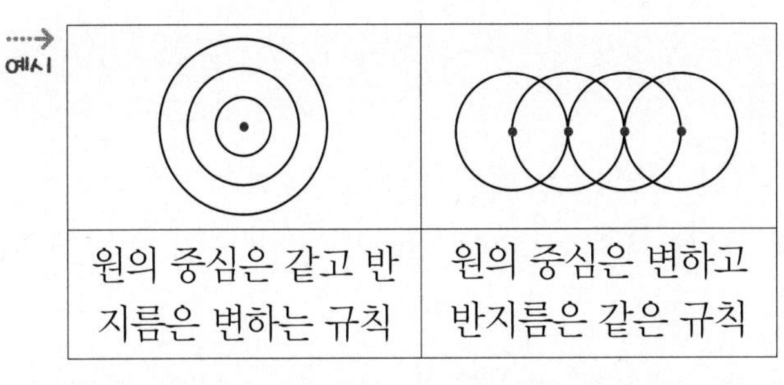

원의 중심은 같고 반지름은 변하는 규칙
원의 중심은 변하고 반지름은 같은 규칙

• 모양을 똑같이 그리고 방법 설명하기

예시

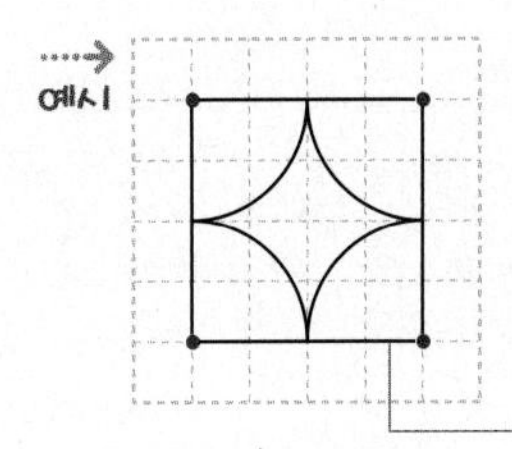

정사각형의 꼭짓점을 원의 중심으로 하는 각 원의 $\frac{1}{4}$ 만큼을 4개 그립니다.

(원의 지름)=(정사각형의 한 변)

1 원의 중심, 반지름, 지름

• 한 원에서
- 원의 중심: 1개
- 원의 반지름과 지름: 무수히 많습니다.
  - → 한 원에서 지름과 반지름의 길이는 모두 같습니다.

상위개념 원주(원둘레): 원의 둘레

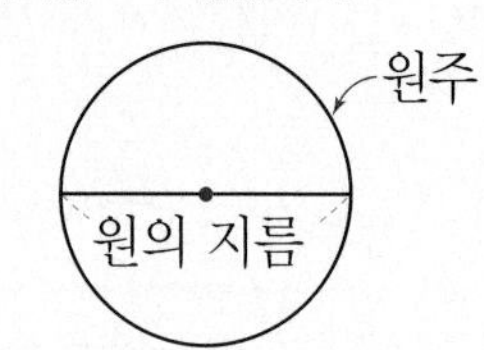

1 개념 플러스 문제

설명이 잘못된 것을 찾아 기호를 쓰세요.

㉠ 한 원에서 지름은 1개만 그을 수 있습니다.
㉡ 한 원에서 원의 중심은 1개입니다.
㉢ 한 원에서 반지름은 무수히 많습니다.

(　　　　　　　　　　)

2 원의 반지름과 지름

• 원의 반지름과 원의 크기
- 원의 반지름이 길수록 큰 원입니다.
- 원의 반지름이 짧을수록 작은 원입니다.

예시 가 나

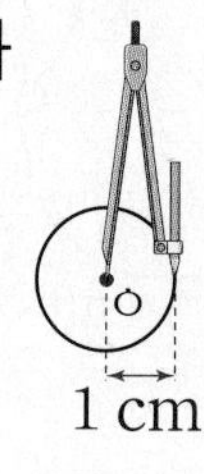

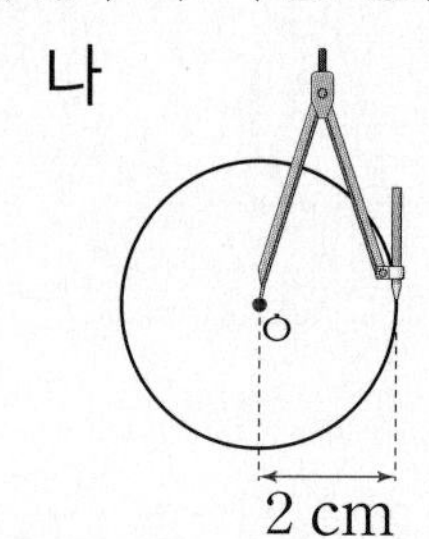

➔ 더 큰 원은 나입니다.

2 개념 플러스 문제

작은 원부터 차례로 기호를 쓰세요.

㉠ 반지름이 27 cm인 원
㉡ 반지름이 19 cm인 원
㉢ 반지름이 30 cm인 원

(　　　　　　　　　　)

3 원의 성질

• 원의 지름과 반지름 사이의 관계
① 한 원에서 지름의 길이는 반지름의 길이의 2배입니다.
② 한 원에서 반지름의 길이는 지름의 길이의 반입니다.

Check Point
(반지름)=(지름)÷2, (지름)=(반지름)×2

3 개념 플러스 문제

두 원의 지름의 합이 24 cm일 때, 큰 원의 지름은 몇 cm일까요?

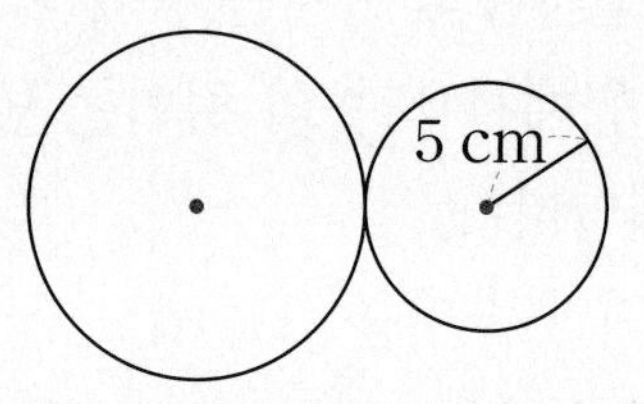

(1) 작은 원의 지름은 몇 cm일까요?

(　　　　　　　　　　)

(2) 큰 원의 지름은 몇 cm일까요?

(　　　　　　　　　　)

4 정사각형 안에 그린 가장 큰 원의 지름의 길이

• 정사각형 안에 그린 가장 큰 원의 지름 구하기
(정사각형의 한 변)=(원의 지름)

예시

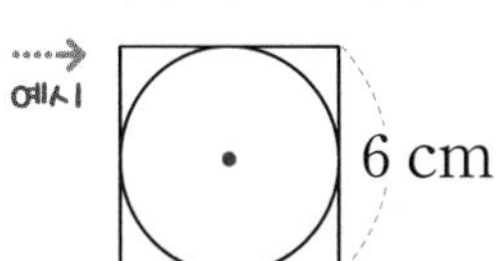

➔ (원의 지름)=(정사각형의 한 변)=6 cm

4 개념 플러스 문제

그림과 같이 정사각형 안에 가장 큰 원을 그렸습니다. 원의 지름은 몇 cm일까요?

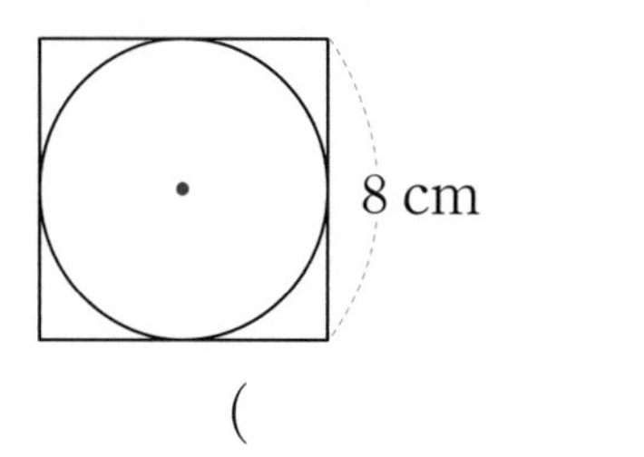

(   )

5 컴퍼스를 이용하여 원 그리기

컴퍼스를 이용하여 원을 그릴 때
(컴퍼스의 침과 연필심 사이의 길이)
=(원의 반지름)입니다.

예시 반지름이 6 cm인 원을 그리려면 컴퍼스를 6 cm 만큼 벌리고 원을 그려야 합니다.

Check Point

반지름이 ■ cm인 원 그리기
➔ 컴퍼스를 ■ cm만큼 벌린 후 원을 그립니다.

5 개념 플러스 문제

컴퍼스로 다음과 같은 원을 그리려고 합니다. 컴퍼스의 침과 연필심 사이의 길이가 몇 cm가 되도록 벌려서 그려야 할까요?

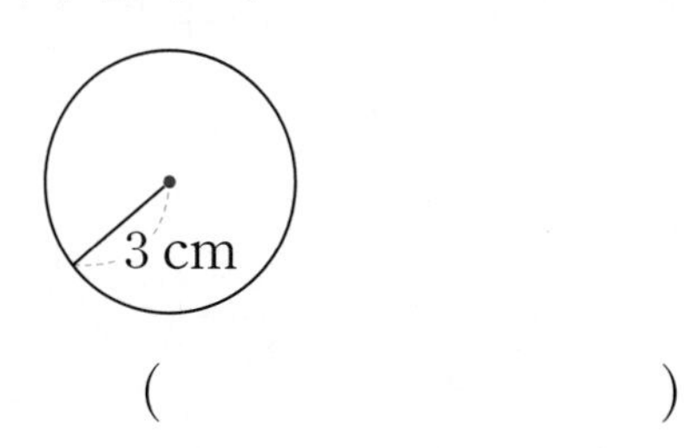

(   )

6 원을 이용하여 여러 가지 모양 그리기

• 원의 중심이 다른 ■개의 원을 이용하여 여러 가지 모양 그리기

예시 원의 중심이 다른 원 3개를 이용하여 그린 모양

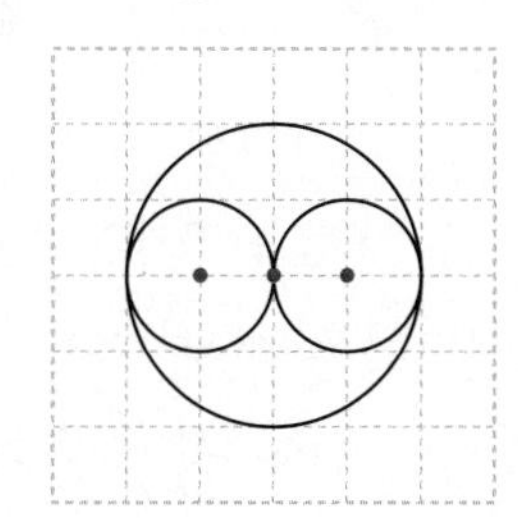

➔ 위 모양을 그릴 때 컴퍼스의 침을 꽂아야 할 곳은 모두 3군데입니다.

6 개념 플러스 문제

다음과 같은 모양을 그릴 때 컴퍼스의 침을 꽂아야 할 곳은 모두 몇 군데일까요?

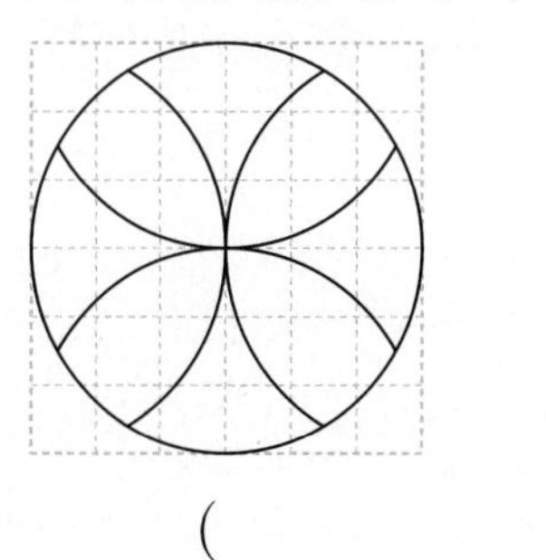

(   )

STEP 1 하이레벨 입문

High Level

유형 1 원의 중심, 반지름, 지름

1 원의 중심을 찾아 쓰세요.

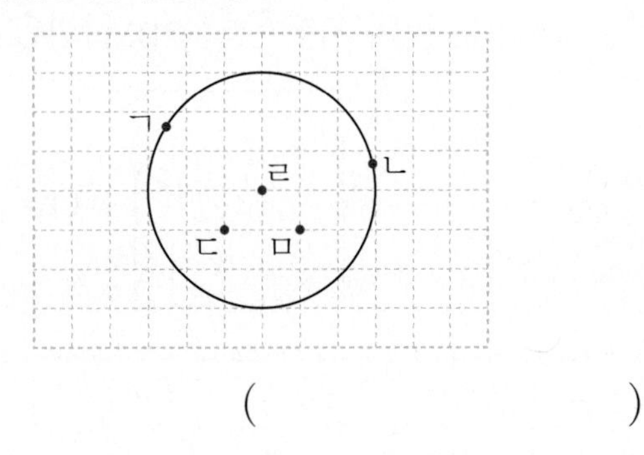

( )

2 원의 반지름을 나타내는 선분을 모두 찾아 쓰세요.

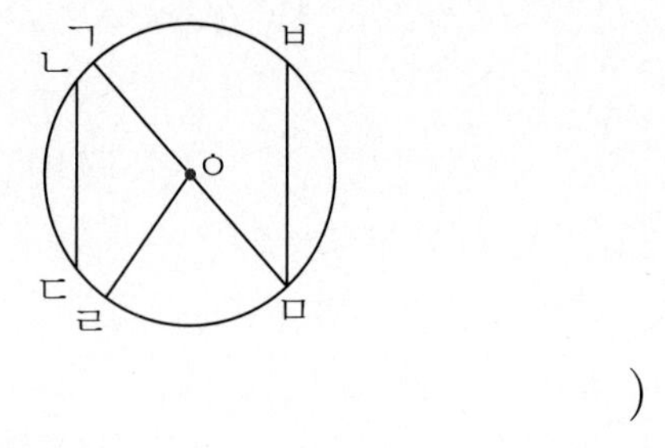

( )

3 원의 지름은 몇 cm일까요?

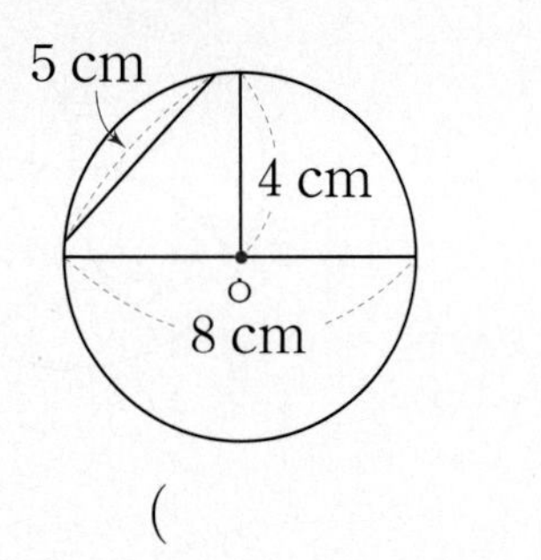

( )

4 원의 반지름을 3개 긋고 알맞은 말에 ○표 하세요.

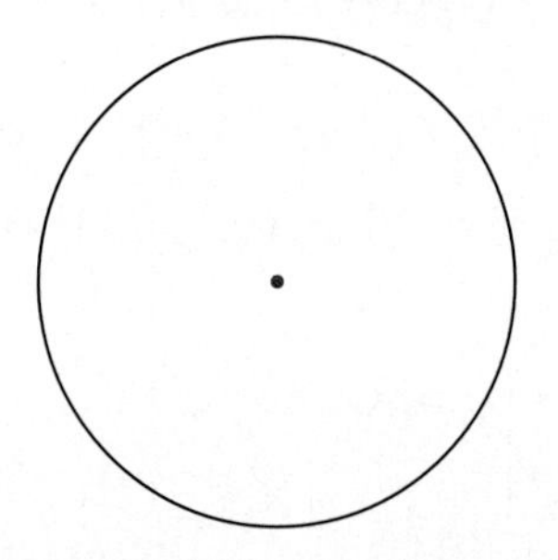

➜ 한 원에서 원의 반지름의 길이는 모두 (같습니다 , 다릅니다).

5 한 원에는 원의 중심이 몇 개 있을까요?

( )

융합형

6 주변에서 찾은 원 모양의 물건입니다. 승후와 유라가 찾은 것 중 잘못 말한 사람을 쓰세요.

승후: 원의 지름은 원의 중심과 원 위의 한 점을 이은 선분이야.
유라: 표시한 점이 원의 중심이야.

( )

유형 2 원의 성질

7 그림을 보고 길이가 가장 긴 선분을 찾아 쓰세요.

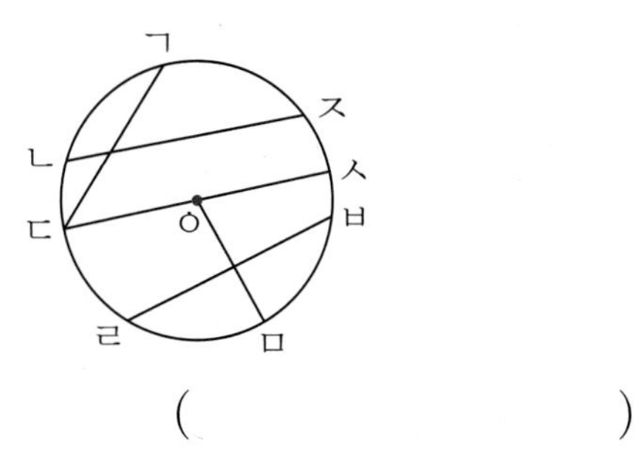

(　　　　　　　　　)

8 원의 반지름은 몇 cm일까요?

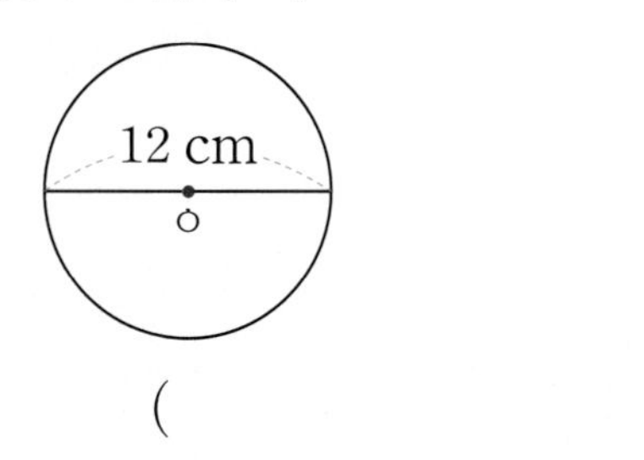

(　　　　　　　　　)

9 원의 지름의 성질에 대한 설명 중 잘못된 것을 찾아 기호를 쓰세요.

㉠ 지름은 원을 둘로 똑같이 나눕니다.
㉡ 두 지름이 만나는 점을 원의 중심이라고 합니다.
㉢ 한 원에서 지름은 가장 짧은 선분입니다.

(　　　　　　　　　)

10 선분의 길이를 재어 □ 안에 알맞은 수를 써넣으세요.

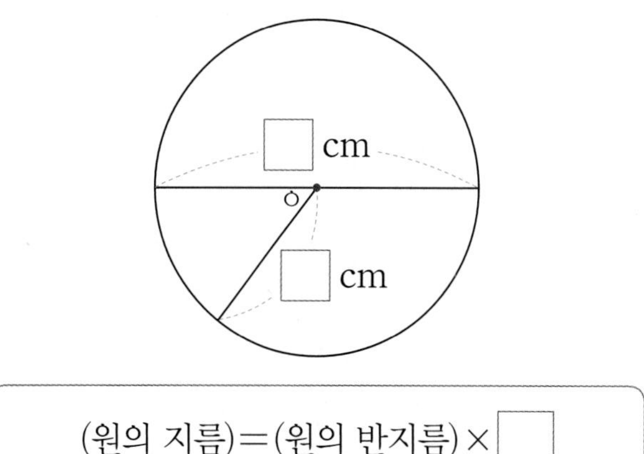

(원의 지름)=(원의 반지름)×□

11 더 큰 원을 찾아 ○표 하세요.

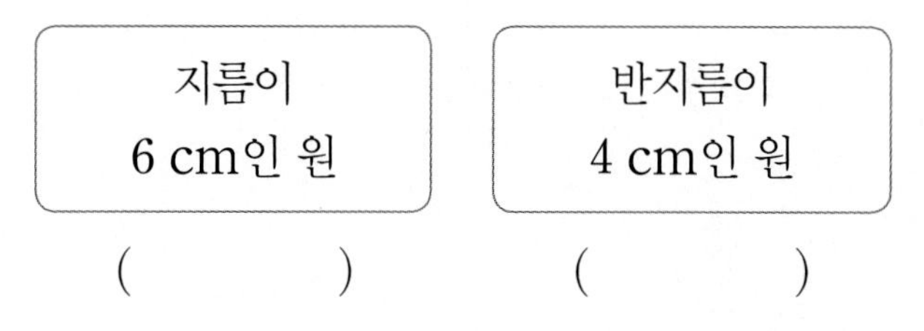

지름이 6 cm인 원	반지름이 4 cm인 원
(　　　)	(　　　)

12 점 ㄱ, 점 ㄴ은 원의 중심입니다. 선분 ㄱㄴ의 길이는 몇 cm일까요?

(　　　　　　　　　)

유형 3 컴퍼스를 이용하여 원 그리기

13 그림을 보고 원을 그리는 방법을 순서대로 쓴 것입니다. □ 안에 알맞은 말을 써넣으세요.

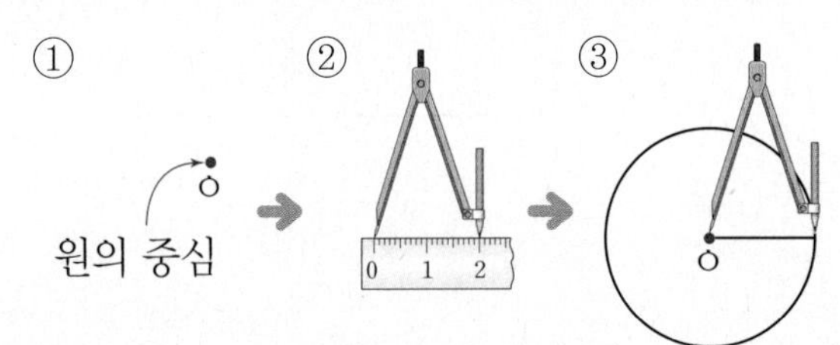

① 원의 □ 이/가 되는 점을 정합니다.

② 컴퍼스를 원의 □ 만큼 벌립니다.

③ 컴퍼스의 침을 원의 □ 에 꽂고 원을 그립니다.

14 점 ㅇ을 중심으로 하는 반지름이 1 cm 5 mm인 원을 그려 보세요.

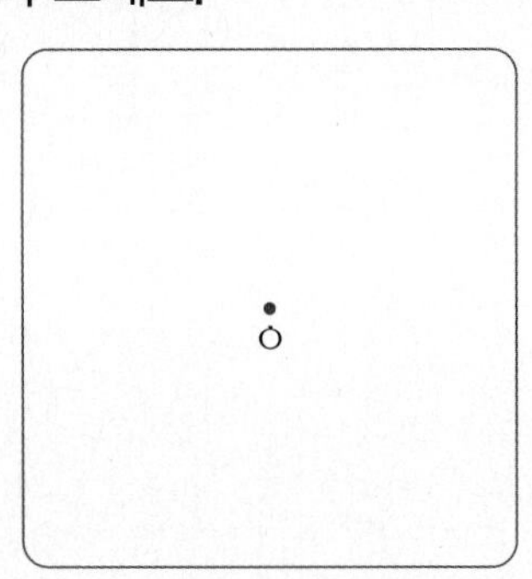

15 주어진 선분을 반지름으로 하는 원을 그려 보세요.

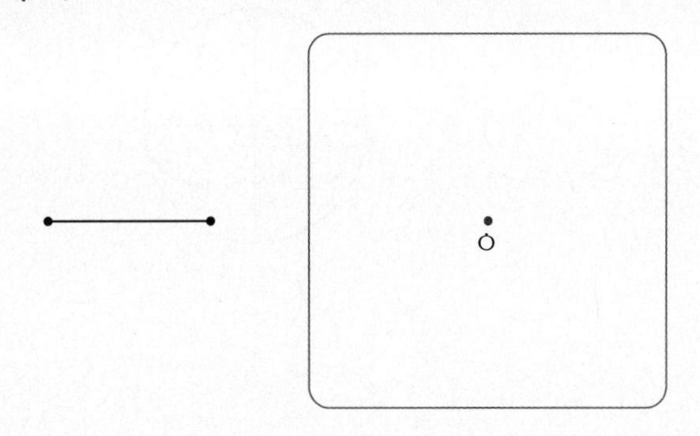

서술형

16 반지름이 3 cm인 원을 그리려고 합니다. 다음 그림과 같이 컴퍼스를 벌렸다면 잘못된 이유를 쓰세요.

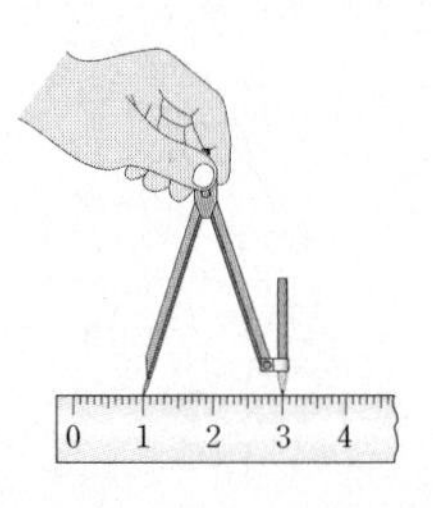

이유 ____________________

____

17 점 ㅇ을 중심으로 하는 반지름이 1 cm, 2 cm인 원을 각각 그려 보세요.

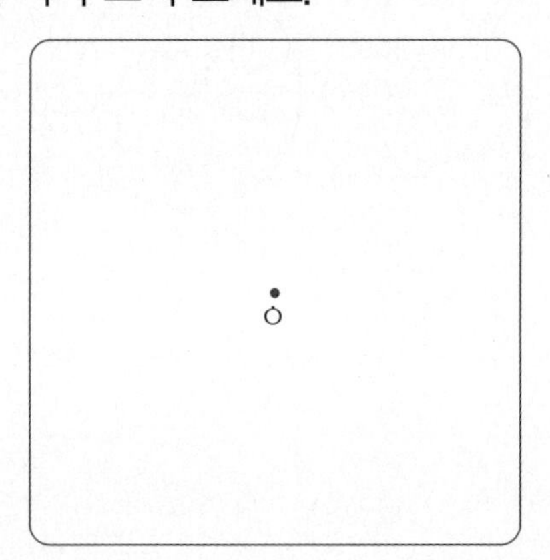

창의력

18 컴퍼스를 이용하여 왼쪽 시계와 크기가 같은 원을 그려 보세요.

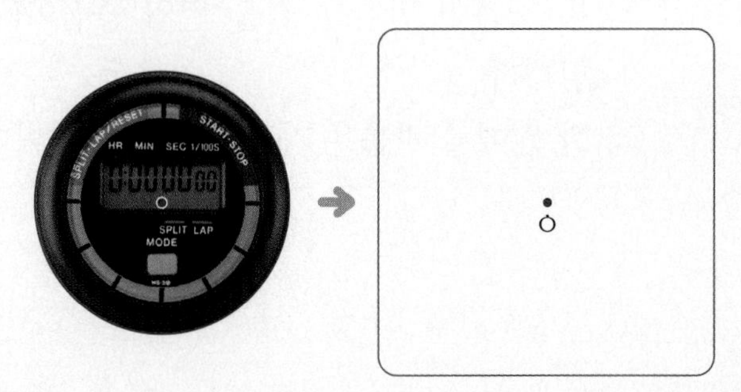

유형 4 원을 이용하여 여러 가지 모양 그리기

19 주어진 모양을 그리기 위하여 컴퍼스의 침을 꽂아야 할 곳을 모두 표시해 보세요.

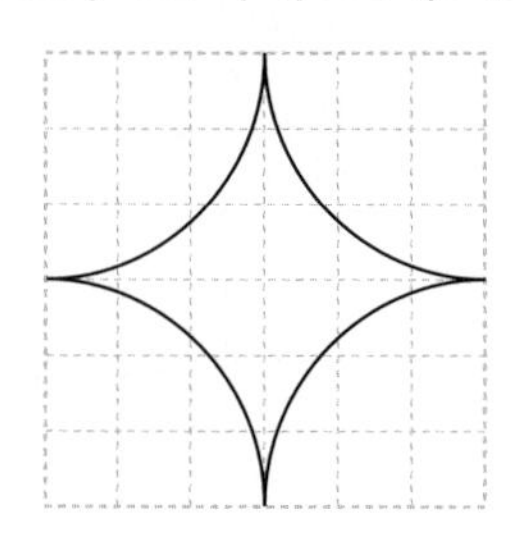

20 원의 중심을 옮기지 않고 반지름을 다르게 하여 그린 것은 어느 것일까요? ⋯⋯⋯⋯⋯ (　　　　)

① 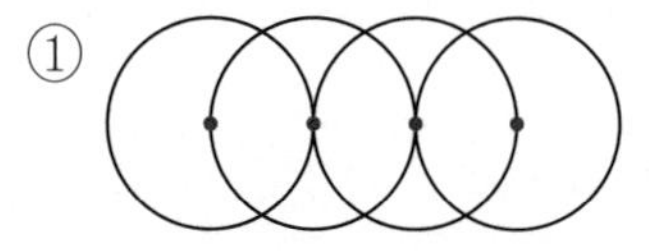
② 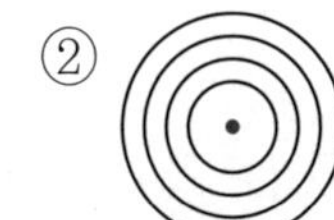
③ 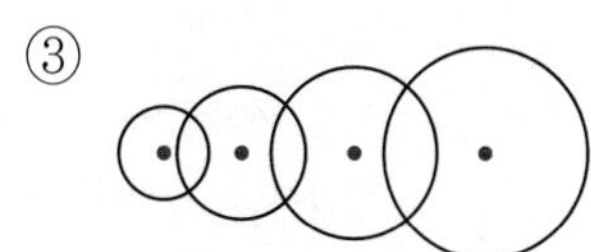
④ 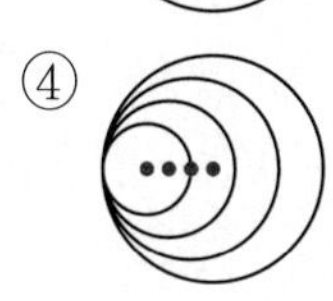

21 주어진 모양과 똑같이 그려 보세요.

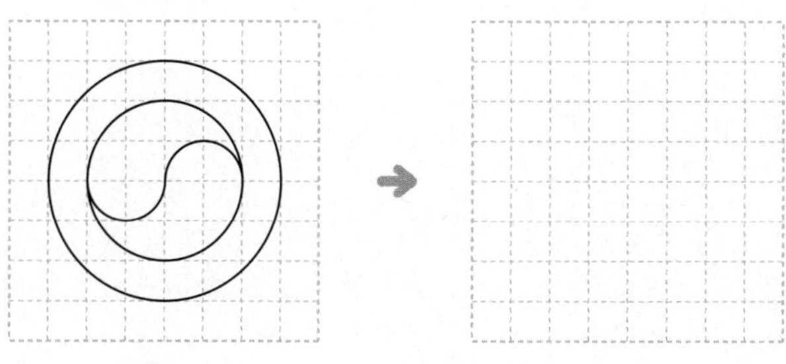

[22~23] 그림을 보고 물음에 답하세요.

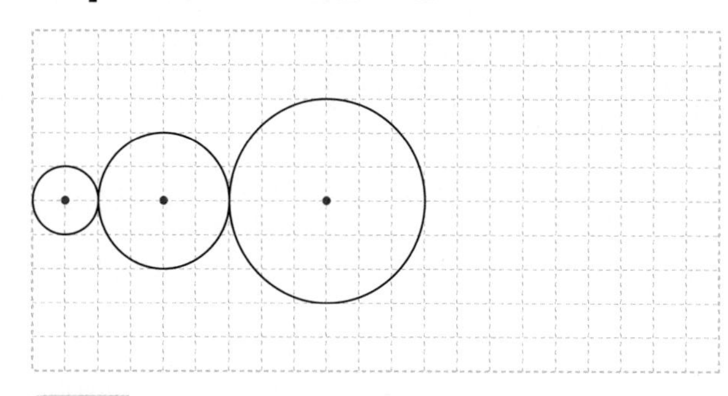

서술형

22 어떤 규칙이 있는지 설명해 보세요.

규칙 ______________________________

____

23 규칙에 따라 원을 1개 더 그려 보세요.

24 규칙에 따라 원을 그렸습니다. 가장 작은 원의 반지름이 1 cm이면 가장 큰 원의 반지름은 몇 cm일까요?

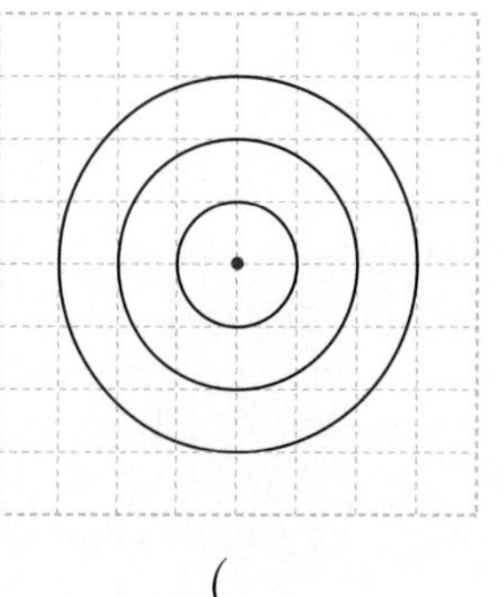

(　　　　　　　　)

STEP 2 하이레벨 탐구 High Level

대표 유형 1 원의 중심의 수를 구하는 문제

오른쪽 그림과 같이 겹친 원이 있는 모양을 그릴 때 원의 중심은 모두 몇 개일까요?

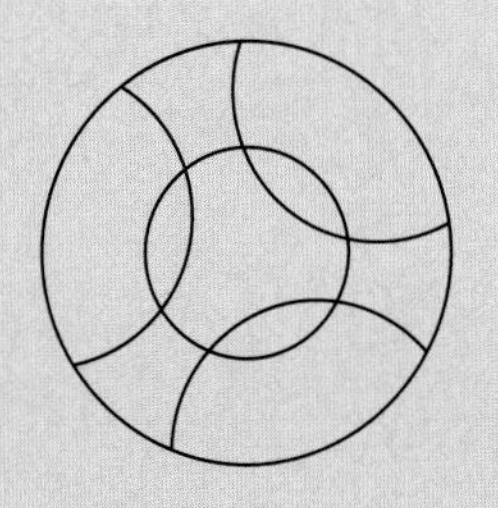

문제해결 Key

원의 중심이 같은 원이 2개 있으므로
(그린 모양에서 원의 중심의 수)
=(그림에 이용된 원의 수)
−(원의 중심이 겹쳐진 원의 수) +1

(1) 그림을 그리기 위해 이용된 원은 모두 몇 개일까요?

( )

(2) 원의 중심이 겹쳐진 원은 모두 몇 개일까요?

( )

(3) 찾을 수 있는 원의 중심은 모두 몇 개일까요?

( )

체크 1-1 오른쪽 그림과 같이 겹친 원이 있는 모양을 그릴 때 찾을 수 있는 원의 중심은 모두 몇 개일까요?

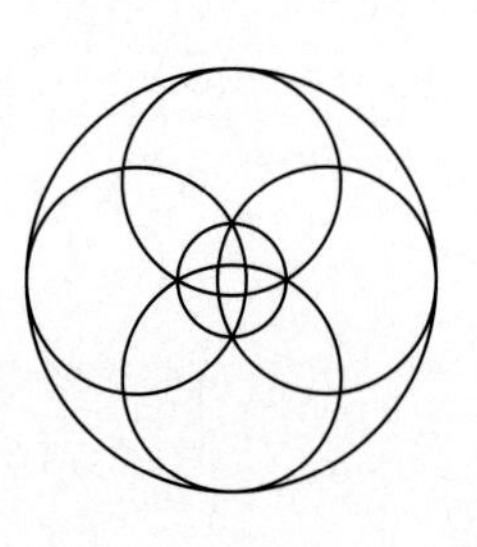

( )

체크 1-2 다음 그림에서 찾을 수 있는 원의 중심의 수의 합은 몇 개일까요?

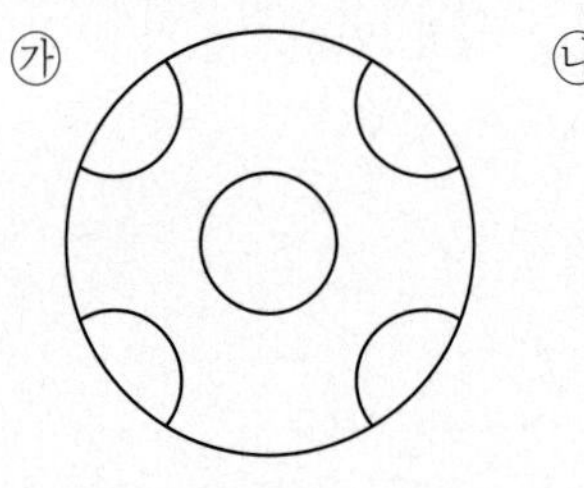

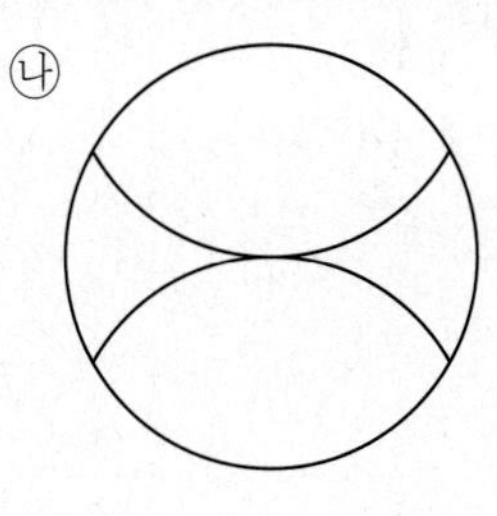

( )

3 단원

원

대표 유형 2 창의·융합형 문제

몸체를 손이나 채로 쳐서 또는 서로 부딪쳐서 소리를 내는 악기를 타악기라고 합니다. 여러 종류의 타악기들의 원의 지름 또는 반지름을 재어 보았더니 다음과 같았습니다. 크기가 작은 원부터 차례로 악기 이름을 쓰세요.

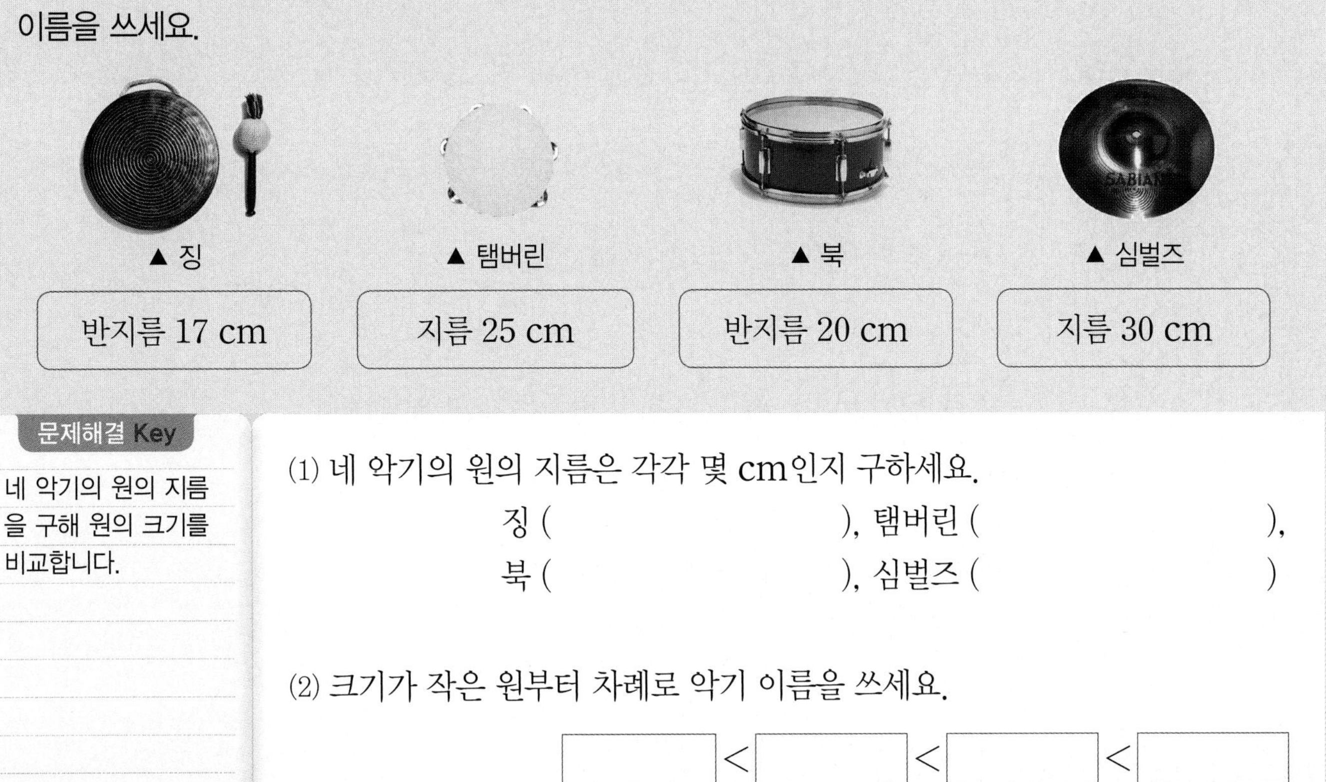

▲ 징	▲ 탬버린	▲ 북	▲ 심벌즈
반지름 17 cm	지름 25 cm	반지름 20 cm	지름 30 cm

문제해결 Key

네 악기의 원의 지름을 구해 원의 크기를 비교합니다.

(1) 네 악기의 원의 지름은 각각 몇 cm인지 구하세요.

징 ( ), 탬버린 ( ),

북 ( ), 심벌즈 ( )

(2) 크기가 작은 원부터 차례로 악기 이름을 쓰세요.

☐ < ☐ < ☐ < ☐

체크 2-1

20센트, 1유로, 2유로, 50센트짜리 동전의 길이와 그림을 나타낸 표입니다. 크기가 가장 작은 동전과 2유로인 동전의 지름의 차는 몇 mm인지 구하세요.

동전	20센트	1유로	2유로	50센트
길이	반지름 11 mm	지름 23 mm	반지름 13 mm	지름 24 mm

( )

대표 유형 3 원의 지름과 반지름 사이의 관계를 이용하는 문제

오른쪽 그림과 같이 큰 원 안에 크기가 같은 원 3개를 이어 붙여서 그렸습니다. 큰 원의 지름이 42 cm일 때, 작은 원의 반지름은 몇 cm일까요?

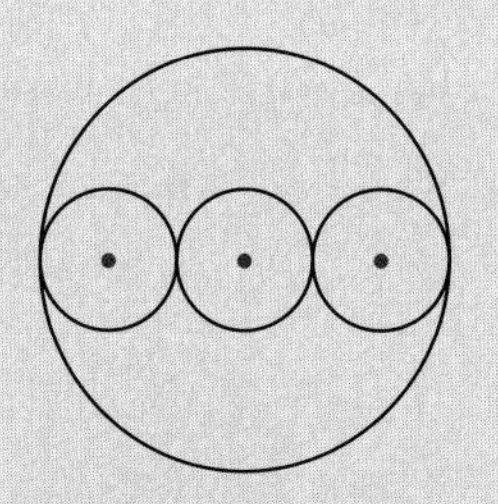

문제해결 Key

한 원에서 반지름의 길이는 지름의 길이의 반입니다.

(1) 큰 원의 반지름은 몇 cm일까요?

( )

(2) 큰 원의 반지름은 작은 원의 반지름의 몇 배일까요?

( )

(3) 작은 원의 반지름은 몇 cm일까요?

( )

체크 3-1 오른쪽 그림과 같이 큰 원 안에 크기가 같은 원 3개를 이어 붙여서 그렸습니다. 큰 원의 지름이 24 cm일 때, 작은 원의 반지름은 몇 cm일까요?

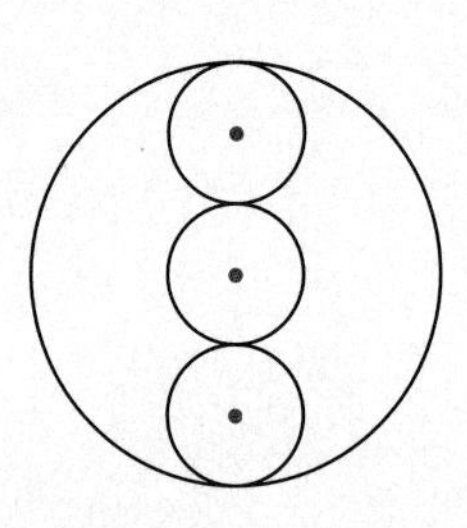

( )

체크 3-2 오른쪽 그림과 같이 큰 원 안에 크기가 같은 원 3개를 중심이 서로 지나도록 겹치게 그렸습니다. 큰 원의 지름이 20 cm일 때, 작은 원의 반지름은 몇 cm인지 풀이 과정을 쓰고 답을 구하세요. 5점

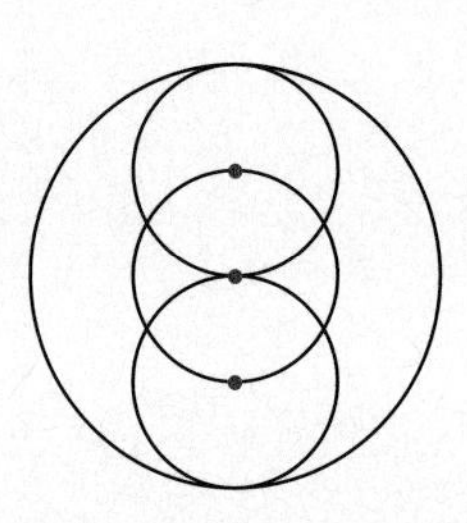

풀이

답

대표 유형 4 원의 중심을 이어서 만든 도형을 알아보는 문제

오른쪽 그림과 같이 크기가 같은 원 3개의 중심을 이어서 세 변의 길이가 같은 삼각형을 만들었습니다. 선분 ㄹㅁ의 길이가 12 cm일 때, 삼각형 ㄱㄴㄷ의 세 변의 길이의 합은 몇 cm일까요?

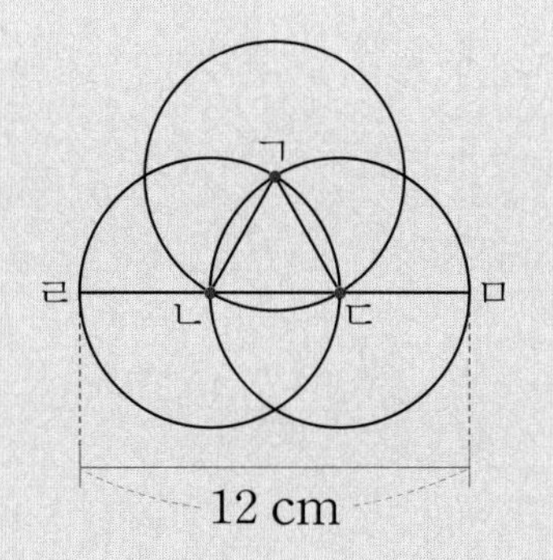

문제해결 Key

- (한 원의 반지름)
  =(선분 ㄹㄴ)
  =(선분 ㄴㄷ)
  =(선분 ㄷㅁ)
- (삼각형 ㄱㄴㄷ의 세 변의 길이의 합)
  =(선분 ㄱㄴ)
  +(선분 ㄴㄷ)
  +(선분 ㄷㄱ)

(1) 각 원의 반지름은 몇 cm일까요?

( )

(2) 삼각형 ㄱㄴㄷ의 한 변의 길이는 몇 cm일까요?

( )

(3) 삼각형 ㄱㄴㄷ의 세 변의 길이의 합은 몇 cm일까요?

( )

체크 4-1

오른쪽 그림과 같이 크기가 같은 원 3개의 중심을 이어서 세 변의 길이가 같은 삼각형을 만들었습니다. 선분 ㄹㅁ의 길이가 18 cm일 때, 삼각형 ㄱㄴㄷ의 세 변의 길이의 합은 몇 cm일까요?

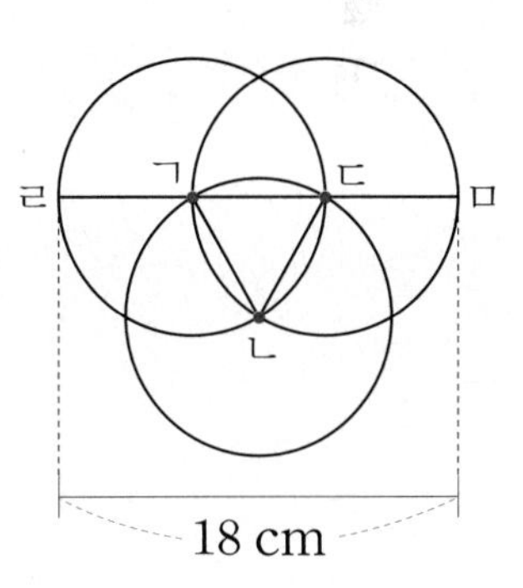

( )

체크 4-2

오른쪽 그림과 같이 크기가 같은 원 3개를 그린 다음 각 원의 중심을 이어서 삼각형을 만들었습니다. 이 삼각형 ㅅㅇㅈ의 세 변의 길이의 합이 27 cm일 때, 원의 지름은 몇 cm일까요?

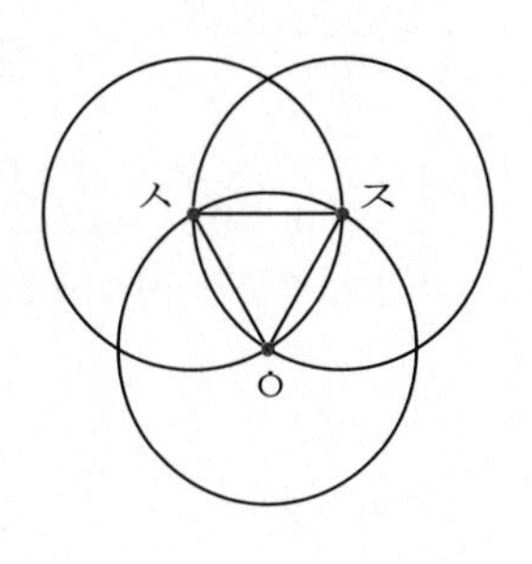

( )

대표 유형 5 원의 지름 또는 반지름을 이용하여 선분의 길이를 구하는 문제

오른쪽 그림에서 각 원의 중심을 이은 선분 ㄱㄴ의 길이는 몇 cm일까요?

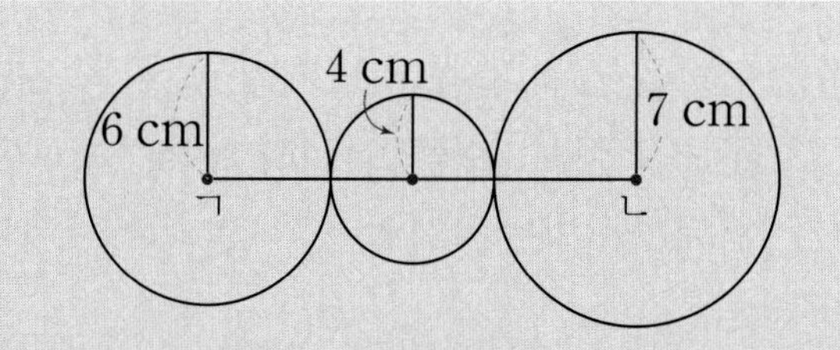

문제해결 Key

(선분 ㄱㄴ)
=(중간 크기의 원의 반지름)
+(가장 작은 원의 지름)
+(가장 큰 원의 반지름)

(1) 중간 크기의 원과 가장 큰 원의 반지름은 각각 몇 cm일까요?

( ), ( )

(2) 가장 작은 원의 지름은 몇 cm일까요?

( )

(3) 선분 ㄱㄴ의 길이는 몇 cm일까요?

( )

체크 5-1 오른쪽 그림에서 각 원의 중심을 이은 선분 ㄱㄴ의 길이는 몇 cm일까요?

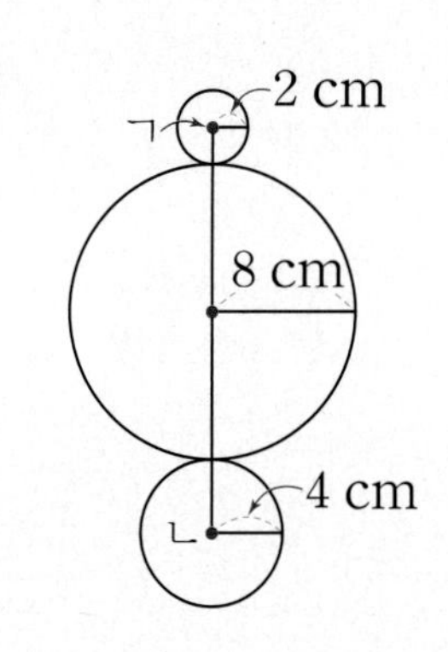

( )

체크 5-2 오른쪽 그림은 원 2개를 겹치게 그린 것입니다. 선분 ㄱㄴ의 길이는 몇 cm일까요?

ㄱ 2 cm ㄴ 7 cm 8 cm

( )

대표 유형 6 원을 둘러싼 직사각형에 관한 문제

직사각형 안에 크기가 같은 원 4개를 오른쪽 그림과 같이 서로 맞닿게 그렸습니다. 원의 반지름이 6 cm일 때, 직사각형의 네 변의 길이의 합은 몇 cm일까요?

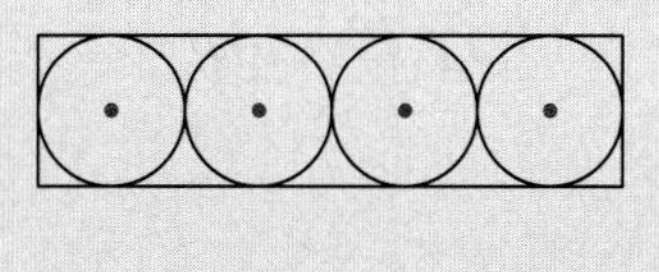

문제해결 Key

(직사각형의 가로)
=(원의 지름의 4배)
(직사각형의 네 변의 길이의 합)
=(가로)+(세로)
+(가로)+(세로)

(1) 원의 지름은 몇 cm일까요?

( )

(2) 직사각형의 가로와 세로는 각각 몇 cm인지 구하세요.

가로 ( ), 세로 ( )

(3) 직사각형의 네 변의 길이의 합은 몇 cm일까요?

( )

체크 6-1

정사각형 안에 크기가 같은 원 4개를 오른쪽 그림과 같이 서로 맞닿게 그렸습니다. 원의 반지름이 7 cm일 때, 정사각형 ㄱㄴㄷㄹ의 네 변의 길이의 합은 몇 cm일까요?

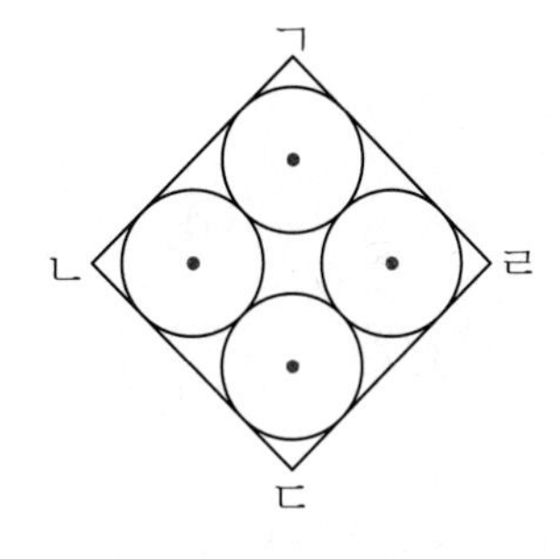

( )

체크 6-2

오른쪽은 직사각형 모양의 도화지에 붙임딱지 8장을 꼭 맞게 붙인 것입니다. 붙임딱지 한 장의 지름이 12 cm일 때, 도화지의 네 변의 길이의 합은 몇 cm인지 풀이 과정을 쓰고 답을 구하세요. (단, 각 붙임딱지는 모두 크기가 같은 원 모양입니다.) 5점

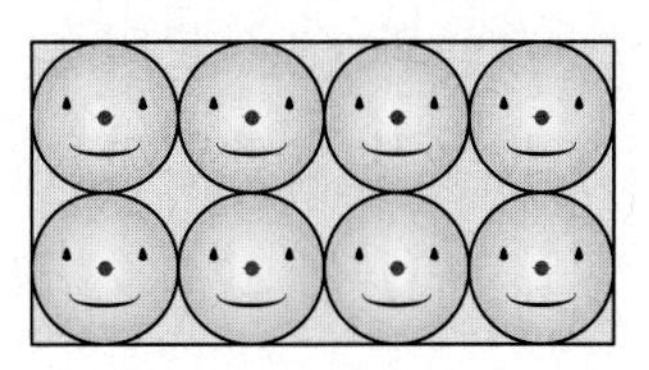

풀이

답

1 원 모양의 피자 가와 나가 있습니다. 가 피자의 반지름은 나 피자의 반지름의 2배입니다. 가 피자의 지름이 40 cm라면 나 피자의 반지름은 몇 cm일까요?

( )

◀ 원의 지름과 반지름 사이의 관계를 이용하는 문제

2 원 ㉠, ㉡, ㉢이 각각 다음과 같을 때 크기가 큰 원부터 차례로 기호를 쓰세요.

- 원 ㉠은 지름이 8 cm인 원
- 원 ㉡은 반지름이 원 ㉠의 반지름보다 5 cm 더 긴 원
- 원 ㉢은 반지름이 원 ㉠의 반지름의 2배인 원

( )

◀ 지름 또는 반지름이 주어진 원의 크기를 비교하는 문제

3 다음과 같은 모양을 그리기 위하여 컴퍼스의 침을 꽂아야 할 곳은 모두 몇 군데일까요?

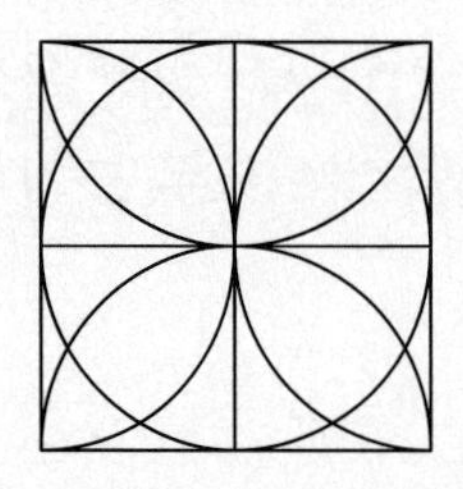

( )

◀ 컴퍼스로 원을 그릴 때 원의 중심을 이용하는 문제

4 그림과 같이 큰 원 안에 크기가 같은 원 4개를 이어 붙여서 그렸습니다. 그림에서 선분 ㄱㄴ의 길이가 48 cm일 때, 큰 원의 반지름과 작은 원의 반지름의 차는 몇 cm일까요?

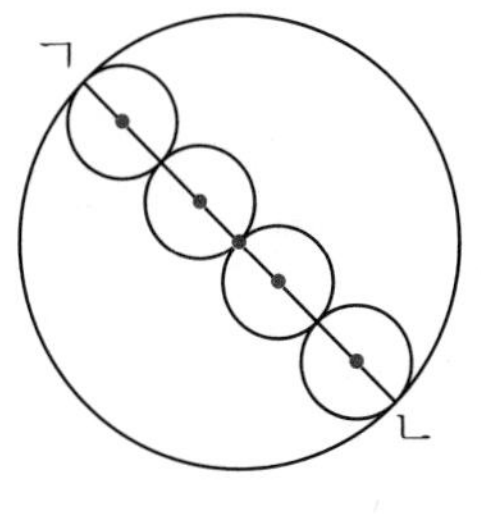

( )

◀ 원의 지름과 반지름 사이의 관계를 이용하는 문제

5 그림에서 각 원의 중심을 이은 선분 ㄱㄷ의 길이는 몇 cm일까요?

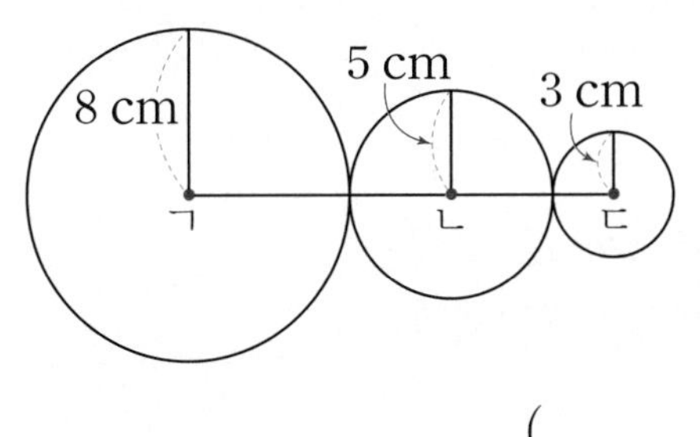

( )

◀ 원의 지름 또는 반지름을 이용하여 선분의 길이를 구하는 문제

코딩형

6 규칙에 따라 원을 그릴 때 그릴 수 있는 가장 작은 원의 반지름은 몇 cm일까요?

> **규칙**
> 시작하기: 가장 큰 원의 지름은 40 cm
> 추가하기: 원 안에 원의 중심은 같고 반지름이 6 cm만큼씩 작아지도록 원 그리기

( )

◀ 원을 이용하여 규칙에 따라 여러 가지 모양을 그려서 해결하는 문제

STEP 3 하이레벨 심화

1 정사각형 안에 점 ㅇ을 중심으로 하는 가장 큰 원을 그렸습니다. 정사각형 ㄱㄴㄷㄹ의 네 변의 길이의 합은 몇 cm일까요?

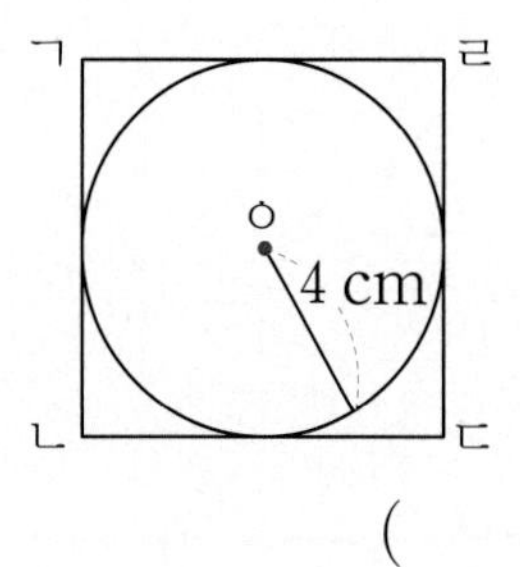

(　　　　　　　　)

풀이

2 반지름이 27 cm인 원 모양의 접시에 지름이 6 cm인 원 모양의 과자를 한 줄로 놓으려고 합니다. 겹치지 않고 접시를 벗어나지 않게 최대한 많이 놓으면 과자를 몇 개까지 놓을 수 있을까요?

(　　　　　　　　)

풀이

3 오른쪽 그림은 컴퍼스를 이용하여 만든 무늬입니다. 컴퍼스의 침을 꽂은 곳은 모두 몇 군데일까요?

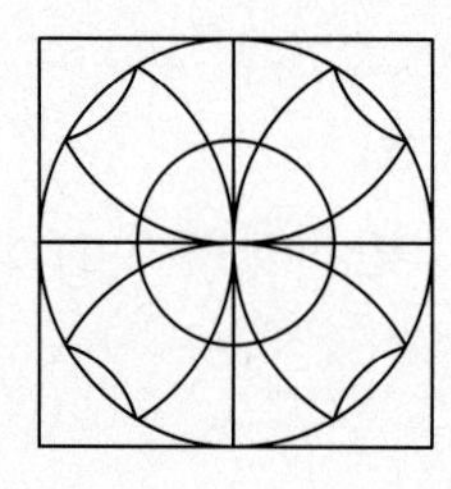

(　　　　　　　　)

풀이

4 가로가 24 cm, 세로가 3 cm인 직사각형 안에 될 수 있는 대로 큰 원을 겹치지 않게 그리려고 합니다. 원은 몇 개까지 그릴 수 있을까요?

( )

풀이

5 그림에서 가장 작은 원의 지름이 4 cm라고 할 때, 가장 큰 원의 반지름은 몇 cm일까요?

( )

풀이

6 직사각형 안에 다음과 같은 규칙으로 반지름이 1 cm인 원 18개를 꼭 맞게 그렸습니다. 직사각형의 가로는 몇 cm일까요?

( )

풀이

7 그림에서 각 점은 원의 중심입니다. 가장 작은 원의 반지름이 7 cm일 때, 선분 ㄱㄴ의 길이는 몇 cm일까요?

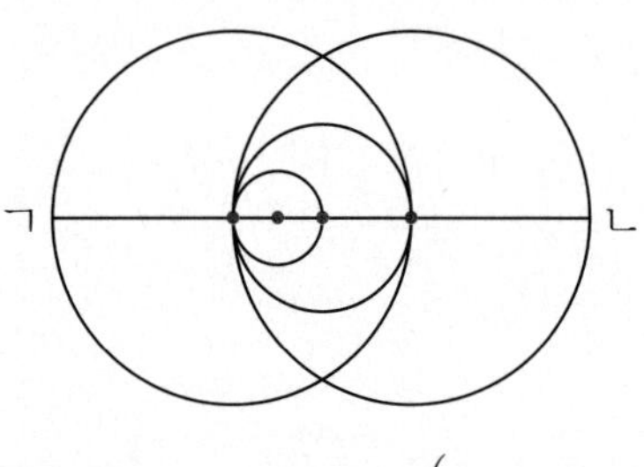

( )

풀이

8 다음은 반지름이 5 cm인 원 10개를 이용하여 그린 그림입니다. 빨간색 선의 길이의 합은 몇 cm일까요?

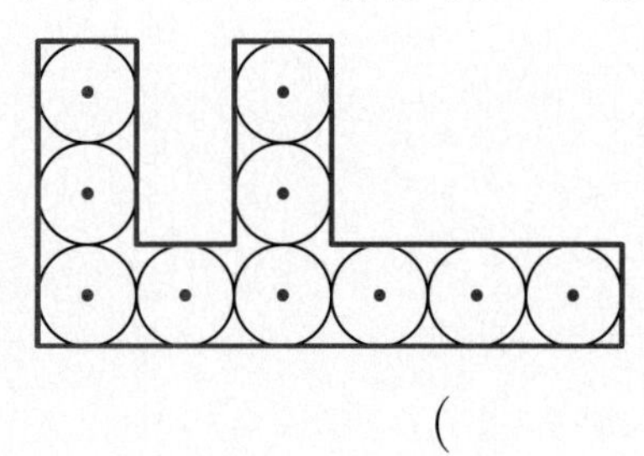

( )

풀이

9 그림에서 점 ㄴ, 점 ㄹ은 원의 중심입니다. 사각형 ㄱㄴㄷㄹ의 네 변의 길이의 합이 38 cm일 때, 큰 원의 반지름은 몇 cm일까요?

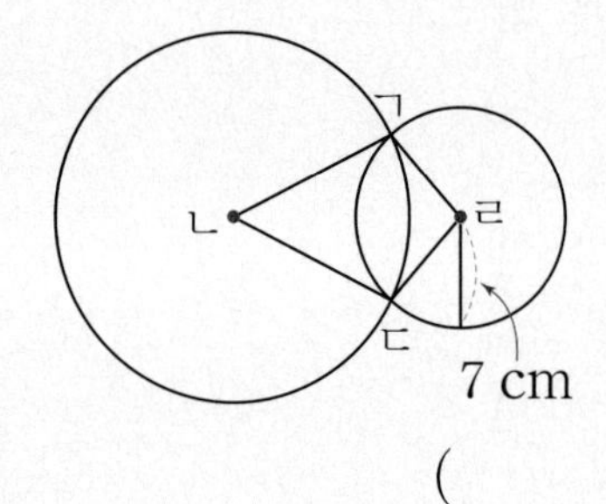

( )

풀이

10 직사각형 안에 크기가 같은 두 원의 일부를 그렸습니다. 꼭짓점 ㄴ, ㄷ이 그린 원의 중심이고, 직사각형의 세로가 18 cm일 때, 삼각형 ㄱㄴㄷ의 세 변의 길이의 합은 몇 cm일까요?

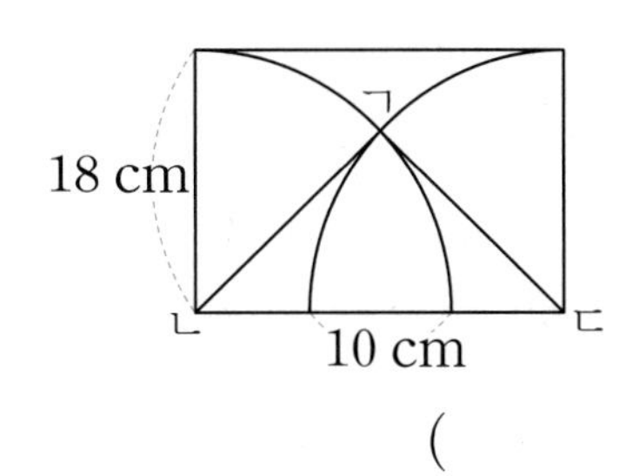

(　　　　　　　　)

풀이

11 그림과 같이 직사각형 안에 서로 원의 중심을 지나도록 원 4개를 겹치게 그렸습니다. 색칠한 사각형 3개의 모든 변의 길이의 합은 몇 cm일까요?

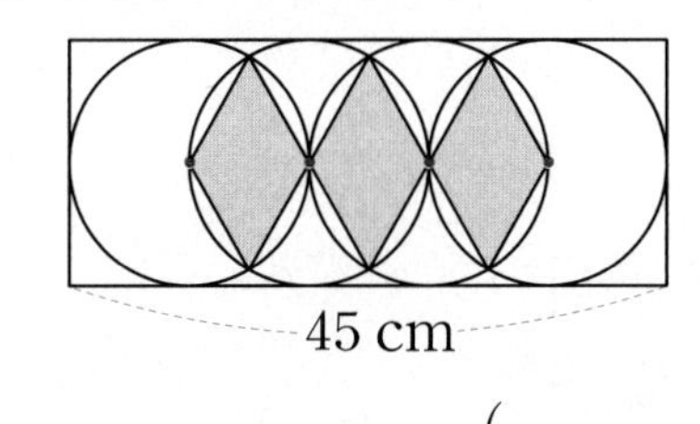

(　　　　　　　　)

풀이

경시문제 유형

12 그림에서 원 ㉮의 반지름은 원 ㉯의 반지름의 2배이고, 원 ㉰의 반지름은 원 ㉯의 반지름의 3배입니다. 삼각형 ㄱㄴㄷ의 세 변의 길이의 합이 48 cm일 때, 원 ㉯의 반지름은 몇 cm일까요?

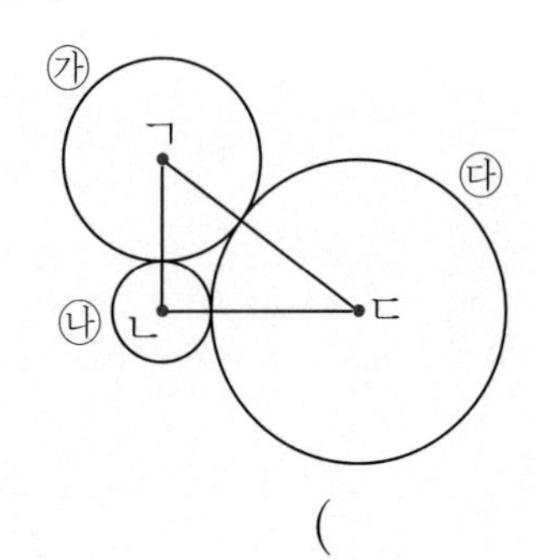

(　　　　　　　　)

풀이

13 다음은 직사각형 안에 크기가 다른 두 원을 번갈아 가며 겹치지 않게 그린 것입니다. 점 ㅁ, 점 ㅂ, 점 ㅅ, 점 ㅇ이 원의 중심일 때 선분 ㅁㅇ의 길이는 몇 cm일까요?

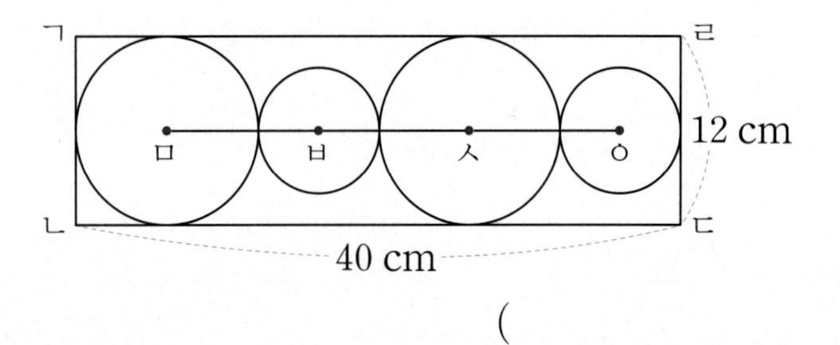

(   )

풀이

경시문제 유형

14 반지름이 2 cm인 원을 그림과 같이 그려서 바깥쪽 원의 중심을 이어 삼각형을 만들고 있습니다. 삼각형의 세 변의 길이의 합이 60 cm가 되게 하려면 원은 몇 개 필요할까요?

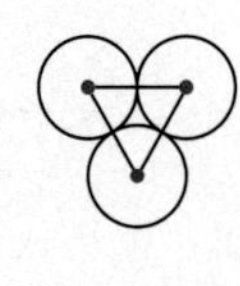
첫 번째

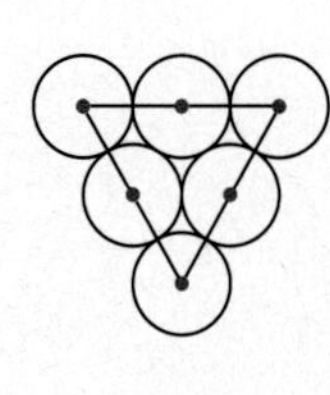
두 번째

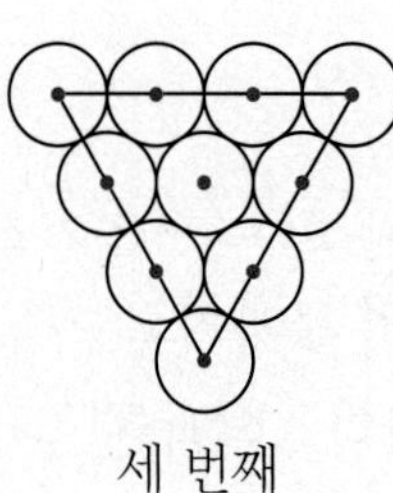
세 번째

……

(   )

풀이

경시대회 본선 기출문제

1 그림에서 가, 다, 마, 바와 나, 라는 각각 크기가 같은 원입니다. 색칠한 삼각형의 세 변의 길이의 합이 192 cm이고, 원 가가 원 나보다 반지름이 6 cm 더 길 때, 원 나의 반지름은 몇 cm인지 구하세요.

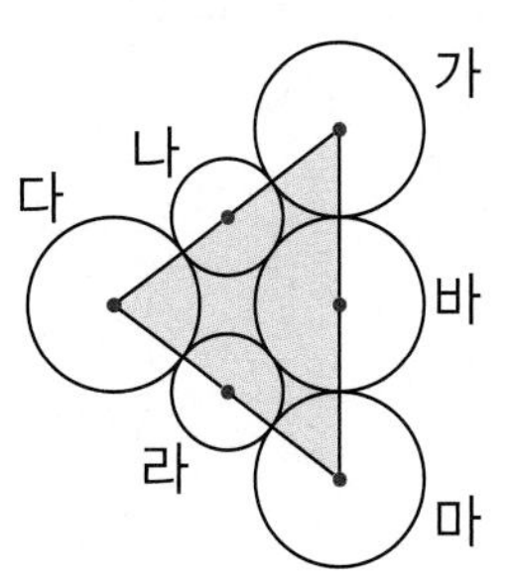

풀이

답 ____________

2 반지름이 25 cm이고 둘레가 157 cm인 원 6개를 오른쪽 그림과 같이 끈으로 한 바퀴 둘러 겹치지 않게 둘렀습니다. 매듭을 묶는 데 사용한 끈의 길이가 43 cm일 때, 원 6개를 두르는 데 사용한 끈의 전체 길이는 몇 cm인지 구하세요.

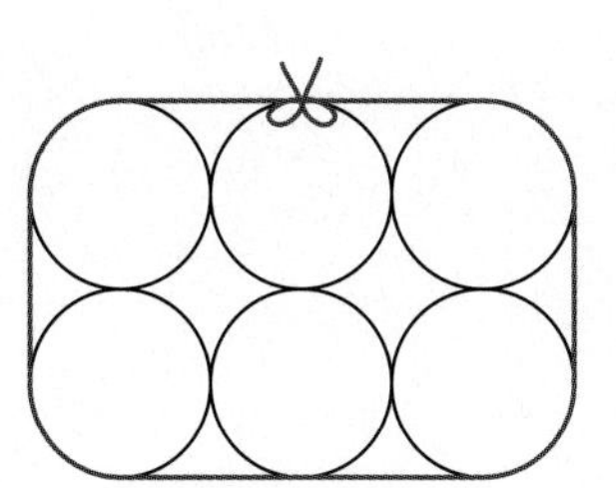

풀이

답 ____________

3 반지름이 15 cm, 10 cm인 원 가, 나가 있습니다. 그림과 같이 원 가에는 지름을 2 cm씩 늘려 가며 겹치지 않게 원을 그리고, 원 나에는 지름을 1 cm씩 줄여 가며 겹치지 않게 원을 그렸습니다. 원 가에 첫 번째로 그려 넣은 원과 원 나에 마지막으로 그려 넣은 원의 크기가 같을 때, 원 가에 그린 가장 큰 원의 반지름은 몇 cm인지 구하세요. (단, 원의 중심은 모두 한 직선 위에 있습니다.)

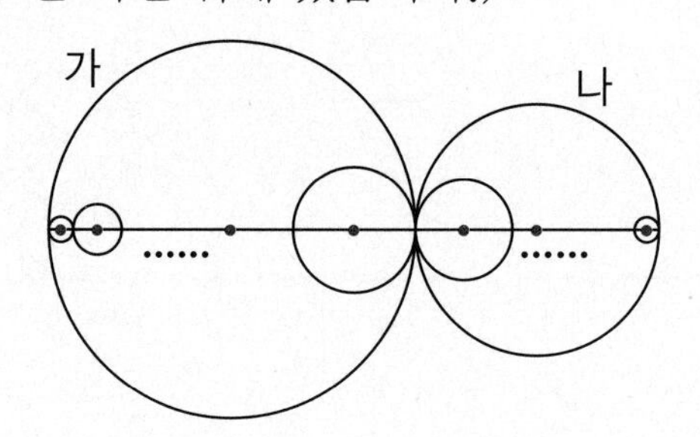

풀이

답 ____________

4 직사각형 ㄱㄴㄷㄹ에서 꼭짓점 ㄱ, ㄴ, ㄷ, ㄹ은 각각 원의 중심이고, 중심이 점 ㄱ인 원의 지름은 중심이 점 ㄹ인 원의 지름의 3배입니다. 선분 ㅅㅇ의 길이가 9 cm일 때, 삼각형 ㅅㄴㅇ의 세 변의 길이의 합은 몇 cm인지 구하세요.

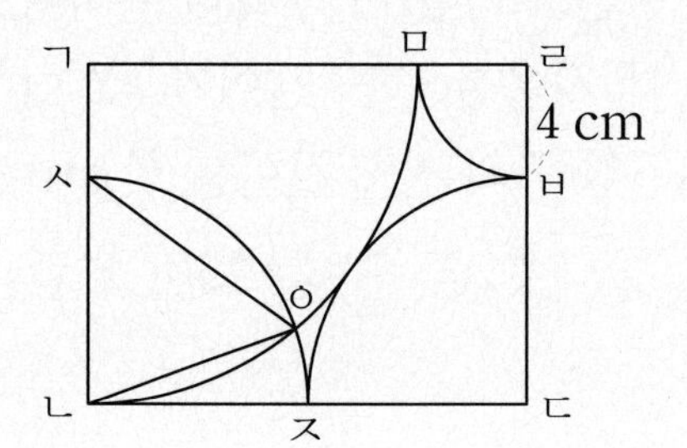

풀이

답 ____________

하이레벨

생각의 힘

High Level

생활 속에 숨어 있는 원 모양

바퀴는 왜 둥근 모양을 하고 있을까요?

바퀴의 중심에는 축이 있어서 이를 중심으로 바퀴가 돌아가며 굴러갑니다. 이때 원의 중심에서 땅에 이르는 거리가 항상 일정하기 때문에 튕기지 않고 부드럽게 굴러갈 수 있답니다.

맨홀 뚜껑 또한 바퀴처럼 원 모양인데 왜 그럴까요?

원으로 맨홀 뚜껑을 만들면 맨홀 뚜껑이 그 속으로 빠지지 않습니다. 원은 사방이 같은 모양으로, 구멍을 그보다 좁게 만들면 어느 방향으로도 빠지지 않게 됩니다. 또 맨홀 위로 사람이나 자동차가 지날 때, 맨홀이 조금 비뚤어져 튀어나오게 되더라도 모나지 않아 안전하답니다.

케이크는 기능보다는 다른 이유로 원 모양으로 만들게 되었답니다.

케이크는 아주 먼 옛날 고대인이 1년 중 특정일이 되면 신에게 제사를 지내며 바쳤던 음식입니다.
그 시대 사람들은 태양과 달을 무척 중요하게 여겨 케이크가 태양이나 달의 모양과 같은 원 모양이 된 것이랍니다.

4 분수

단원의 흐름

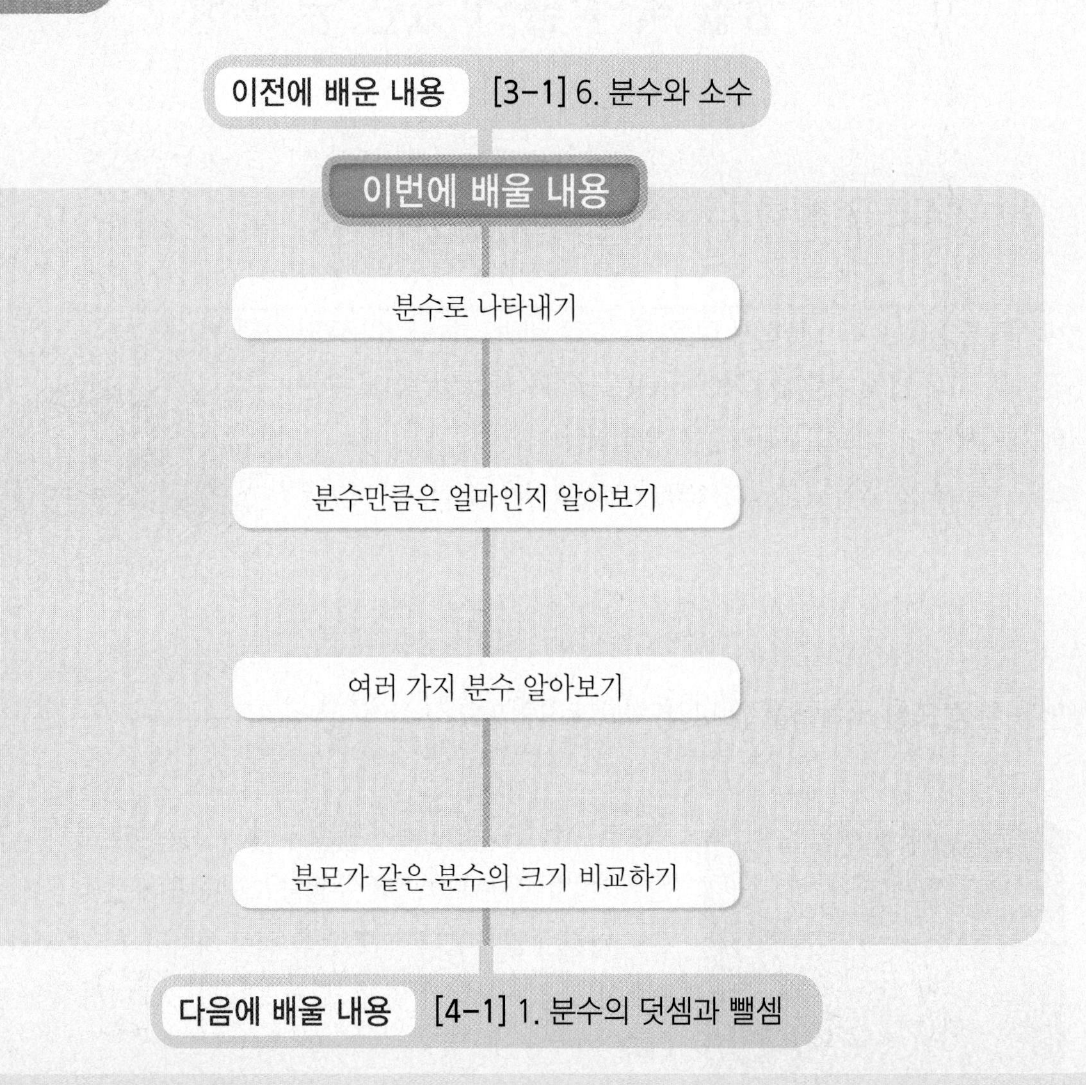

꼭! 알아야 할 대표 유형

- 유형 1 분수만큼 주고 남은 개수 구하는 문제
- 유형 2 >, <가 있는 식에서 □ 안에 알맞은 수를 구하는 문제
- 유형 3 수 카드로 분수를 만드는 문제
- 유형 4 조건을 만족하는 분수를 구하는 문제
- 유형 5 창의·융합형 문제
- 유형 6 분모, 분자의 합과 차를 이용하여 분수를 구하는 문제

개념 Summary

교과서 개념 서머리

High Level

✤ 분수로 나타내기

• 부분은 전체의 얼마인지 알아보기

예시 6개를 똑같이 나누고 부분은 전체의 얼마인지 알아보기

부분 (●● ●●)은 전체 (●● ●● ●●)를

똑같이 3부분으로 나눈 것 중의 2입니다.

• 부분은 전체의 얼마인지 분수로 나타내기

예시

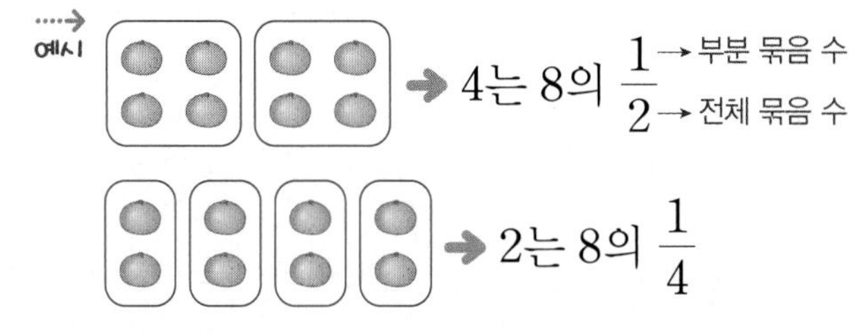

➔ 4는 8의 $\frac{1}{2}$ (1 → 부분 묶음 수, 2 → 전체 묶음 수)

➔ 2는 8의 $\frac{1}{4}$

✤ 분수만큼은 얼마인지 알아보기

예시 12의 $\frac{3}{4}$ 알아보기

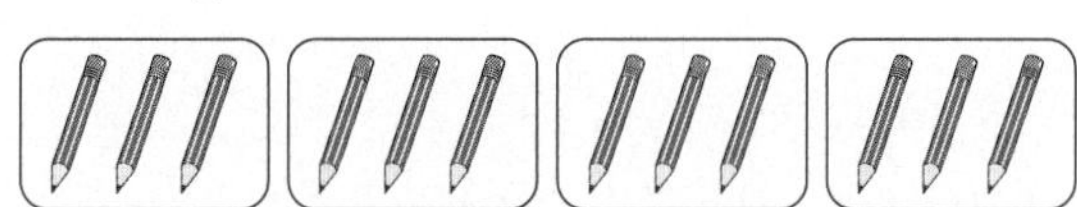

12의 $\frac{1}{4}$은 3 ➔ 12의 $\frac{3}{4}$은 9 (↳ 3의 3배)

예시 12 cm의 $\frac{2}{3}$ 알아보기

0 1 2 3 4 5 6 7 8 9 10 11 12(cm)

12 cm의 $\frac{1}{3}$은 4 cm

➔ 12 cm의 $\frac{2}{3}$는 8 cm (↳ 4 cm의 2배)

✤ 여러 가지 분수 알아보기

정의 **진분수**: 분자가 분모보다 작은 분수

가분수: 분자가 분모와 같거나 분모보다 큰 분수

자연수: 1, 2, 3과 같은 수

대분수: 자연수와 진분수로 이루어진 분수

1과 $\frac{2}{5}$ ➔ 쓰기 $1\frac{2}{5}$ 읽기 1과 5분의 2

• 대분수를 가분수로 나타내기

$1\frac{2}{5}$ ➔ 1은 $\frac{5}{5}$이므로 $1\frac{2}{5}=\frac{7}{5}$

• 가분수를 대분수로 나타내기

$\frac{6}{5}$ ➔ $\frac{5}{5}$는 1이므로 $\frac{6}{5}=1\frac{1}{5}$

✤ 분모가 같은 분수의 크기 비교하기

• 분모가 같은 가분수끼리 크기 비교

$\frac{8}{7}<\frac{9}{7}$ → 분자의 크기 비교

• 분모가 같은 대분수끼리 크기 비교

$1\frac{6}{7}<2\frac{4}{7}$ (1<2)

$3\frac{5}{7}>3\frac{2}{7}$ (5>2, 자연수의 크기가 같음.)

• 분모가 같은 가분수와 대분수의 크기 비교

대분수나 가분수로 통일하여 크기를 비교합니다.

$\frac{8}{7}$과 $1\frac{2}{7}$의 크기 비교

• 방법 1 $1\frac{2}{7}=\frac{9}{7}$, $\frac{8}{7}<\frac{9}{7}$이므로 $\frac{8}{7}<1\frac{2}{7}$

• 방법 2 $\frac{8}{7}=1\frac{1}{7}$, $1\frac{1}{7}<1\frac{2}{7}$이므로 $\frac{8}{7}<1\frac{2}{7}$

1 분수로 나타내기

예시 6은 18의 얼마인지 알아보기

●●● ●●● ●●●
●●● ●●● ●●●

18을 3씩 묶으면 6묶음이 됩니다.
6은 3씩 2묶음입니다.

➜ 6은 18의 $\frac{2}{6}$ → 6묶음 중의 2묶음

1 개념 플러스 문제

㉠, ㉡에 알맞은 분수를 각각 구하세요.

- 12를 2씩 묶으면 6은 12의 ㉠입니다.
- 12를 3씩 묶으면 6은 12의 ㉡입니다.

㉠ (   )
㉡ (   )

2 물건의 분수만큼은 얼마인지 알아보기

예시 10의 $\frac{2}{5}$ 알아보기

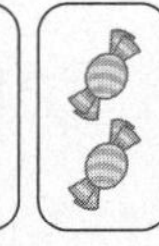

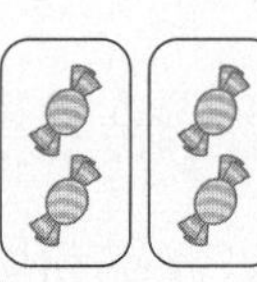

사탕 10개를 똑같이 5묶음으로 묶으면 한 묶음에는 사탕이 2개 있습니다.

➜ 10의 $\frac{1}{5}$은 2입니다.

➜ 10의 $\frac{3}{5}$은 6입니다. → $2\times3=6$

2 개념 플러스 문제

크기를 비교하여 ○ 안에 >, =, <를 알맞게 써넣으세요.

25의 $\frac{2}{5}$ ○ 48의 $\frac{1}{8}$

3 시간의 분수만큼은 얼마인지 알아보기

- 시간의 분수만큼은 얼마인지 알아보기

1시간=60분

1시간의 $\frac{1}{3}$

➜ 60분의 $\frac{1}{3}$: 20분

1시간의 $\frac{2}{3}$: 40분 (2배)

3 개념 플러스 문제

□ 안에 알맞은 수를 써넣으세요.

1시간의 $\frac{1}{6}$은 □분

1시간의 $\frac{2}{6}$는 □분

4 여러 가지 분수 알아보기

- 진분수의 분자가 될 수 있는 수 알아보기
  1부터 분모보다 1 작은 수까지 될 수 있습니다.

예시 $\frac{\square}{4}$가 진분수일 때 $\square=1, 2, 3$이 될 수 있습니다.

상위개념 **단위분수**: 분자가 1인 분수

기약분수: 분모와 분자의 공약수가 1뿐인 분수 (공약수 → 공통으로 나눌 수 있는 수)

$\frac{1}{2}, \frac{1}{3}, \frac{1}{4}$: 단위분수 / $\frac{2}{3}, \frac{3}{5}, \frac{5}{8}$: 기약분수

4 개념 플러스 문제

분모가 5인 진분수를 모두 쓰세요.

(　　　　　　　　　　)

5 대분수를 가분수로, 가분수를 대분수로 나타내기

- 대분수를 가분수로 나타내기

$2\frac{3}{5}$ → [$2=\frac{10}{5}$: $\frac{1}{5}$이 10개 / $\frac{3}{5}$: $\frac{1}{5}$이 3개] → $\frac{1}{5}$이 13개

→ $2\frac{3}{5}=\frac{13}{5}$

- 가분수를 대분수로 나타내기

$\frac{15}{7}$ → [$\frac{14}{7}=2$ / $\frac{1}{7}$] → 2와 $\frac{1}{7}$ → $\frac{15}{7}=2\frac{1}{7}$

5 개념 플러스 문제

대분수를 가분수로, 가분수를 대분수로 나타내어 보세요.

(1) $2\frac{5}{6}=\frac{\square}{6}$

(2) $\frac{16}{3}=\square\frac{\square}{3}$

6 가분수와 대분수의 크기 비교하기

- 세 분수의 크기 비교 방법
  가분수와 대분수가 섞여 있으면 가분수 또는 대분수 중 한 가지로 나타내어 크기를 비교합니다.

예시 $\frac{10}{3}, 3\frac{2}{3}, \frac{8}{3}$의 크기 비교하기

$3\frac{2}{3}=\frac{11}{3}$이므로 $\frac{11}{3}>\frac{10}{3}>\frac{8}{3}$입니다.

→ $3\frac{2}{3}>\frac{10}{3}>\frac{8}{3}$

6 개념 플러스 문제

세 분수 중 가장 큰 분수를 쓰세요.

$\frac{25}{4}$	$5\frac{1}{4}$	$\frac{17}{4}$

(　　　　　　　　　　)

4 단원 분수

유형 1 분수로 나타내기

1 그림을 보고 □ 안에 알맞은 수를 써넣으세요.

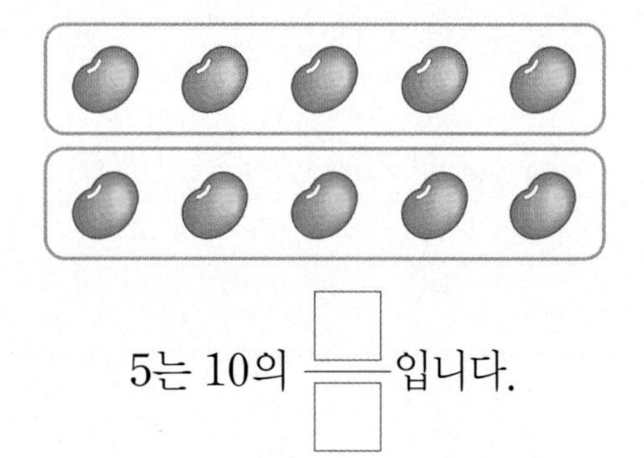

5는 10의 $\frac{\square}{\square}$입니다.

2 당근을 3개씩 묶고 □ 안에 알맞은 분수를 써넣으세요.

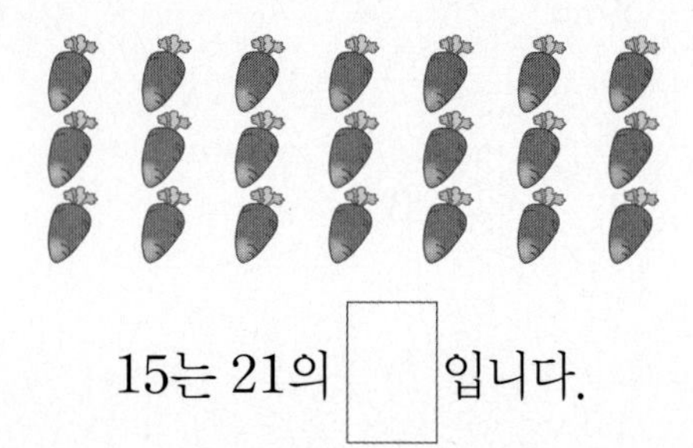

15는 21의 □입니다.

3 ㉠에 알맞은 분수를 구하세요.

32를 4씩 묶으면 20은 32의 ㉠입니다.

(　　　　　　　　)

4 □ 안의 수가 큰 것부터 차례로 기호를 쓰세요.

㉠ 10을 2씩 묶으면 6은 10의 $\frac{\square}{5}$입니다.

㉡ 36을 9씩 묶으면 18은 36의 $\frac{\square}{4}$입니다.

㉢ 48을 8씩 묶으면 40은 48의 $\frac{\square}{6}$입니다.

(　　　　　　　　)

5 세희는 음료수를 42병 샀습니다. 음료수를 7병씩 나누어 비닐 봉지에 담았습니다. 음료수 28병은 전체의 얼마인지 분수로 나타내어 보세요.

(　　　　　　　　)

유형 2 분수만큼은 얼마인지 알아보기

6 그림을 보고 □ 안에 알맞은 수를 써넣으세요.

(1) 8의 $\frac{1}{2}$은 □입니다.

(2) 8의 $\frac{3}{4}$은 □입니다.

7 □ 안에 알맞은 수를 써넣으세요.

(1) 27의 $\frac{1}{9}$은 □ 입니다.

(2) 25의 $\frac{2}{5}$는 □ 입니다.

8 딸기 16개 중에서 $\frac{1}{4}$을 먹었습니다. 남은 딸기는 몇 개일까요?

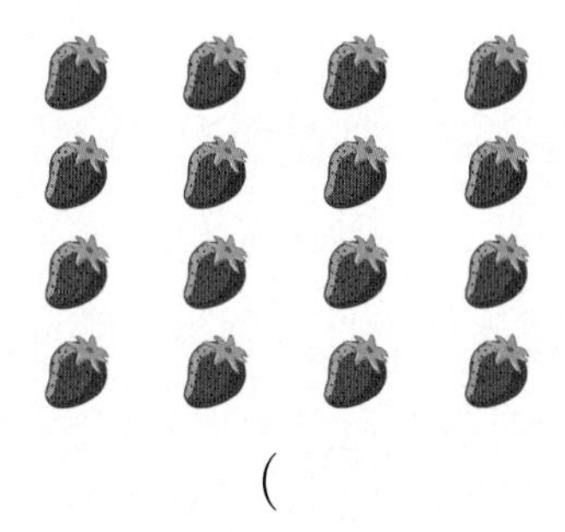

(　　　　　　)

9 15 cm의 $\frac{2}{5}$는 몇 cm일까요?

0 1 2 3 4 5 6 7 8 9 10 11 12 13 14 15(cm)

(　　　　　　)

10 시계를 보고 1시간의 $\frac{3}{4}$은 몇 분인지 구하세요.

(　　　　　　)

11 12의 $\frac{1}{4}$만큼 되는 곳과 12의 $\frac{2}{3}$만큼 되는 곳을 찾아 기호를 차례로 쓰세요.

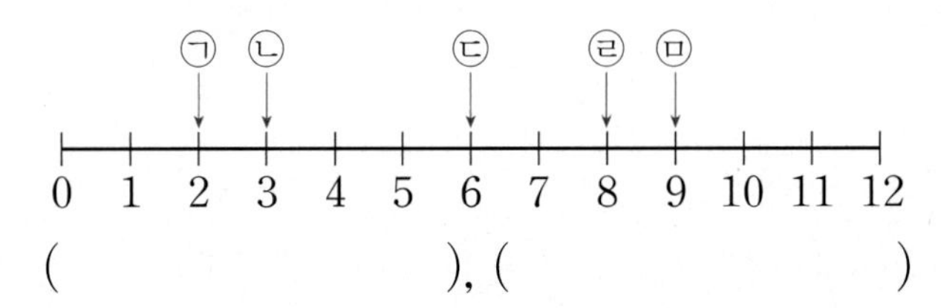

(　　　　　　), (　　　　　　)

12 영민이는 어제 하루 24시간 중에서 $\frac{3}{8}$만큼 잠을 잤습니다. 영민이가 어제 잠을 자지 않은 시간은 몇 시간일까요?

(　　　　　　)

4 단원

분수

유형 3 여러 가지 분수 알아보기

13 □ 안에 알맞은 분수를 써넣으세요.

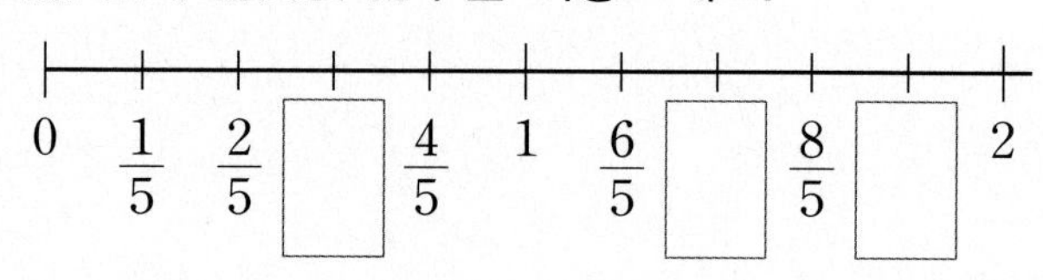

14 진분수를 모두 찾아 ○표 하세요.

$\frac{5}{3}$ $\frac{3}{4}$ $\frac{6}{6}$ $\frac{5}{8}$ $\frac{10}{7}$

15 관계있는 것끼리 선으로 이어 보세요.

$\frac{17}{10}$ •	• 진분수
$\frac{7}{9}$ •	• 가분수
10 •	• 자연수

16 자연수 1을 분모가 6인 가분수로 나타내어 보세요.

( )

17 보기 를 보고 대분수와 가분수로 나타내어 보세요.

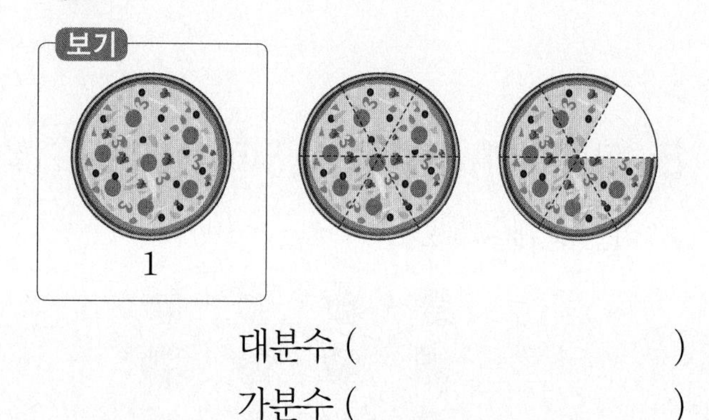

대분수 ( )

가분수 ( )

18 대분수는 가분수로, 가분수는 대분수로 나타내어 보세요.

(1) $1\frac{6}{8}=$ □ (2) $\frac{23}{7}=$ □

19 가분수는 모두 몇 개일까요?

$\frac{5}{8}$ $\frac{11}{5}$ $\frac{3}{4}$ $\frac{9}{9}$ $\frac{2}{6}$

( )

20 분모가 11인 가분수입니다. □ 안에 들어갈 수 있는 가장 작은 자연수를 구하세요.

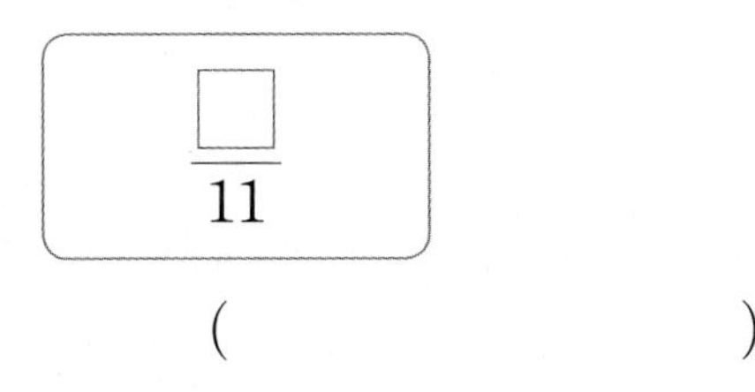

( )

21 수 카드 2장을 사용하여 가분수를 만들고, 대분수로 나타내어 보세요.

9 25

가분수 ( )
대분수 ( )

유형 4 분모가 같은 분수의 크기 비교하기

22 두 분수의 크기를 비교하여 ○ 안에 >, <를 알맞게 써넣으세요.

(1) $\frac{13}{10}$ ○ $\frac{16}{10}$

(2) $1\frac{3}{7}$ ○ $1\frac{1}{7}$

23 더 큰 분수에 ○표 하세요.

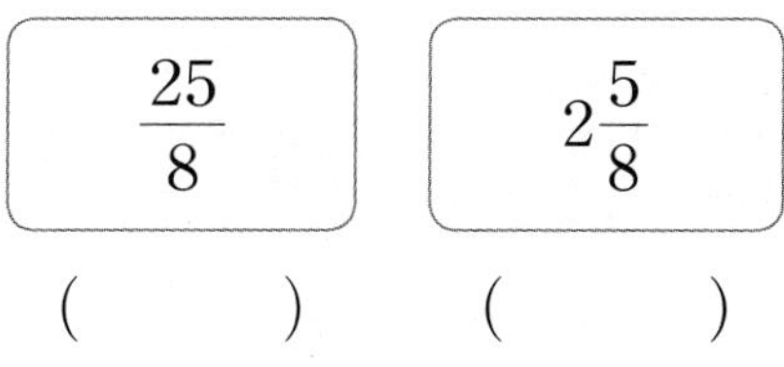

( ) ( )

24 두 분수의 크기를 비교하여 더 큰 분수를 □ 안에 써넣으세요.

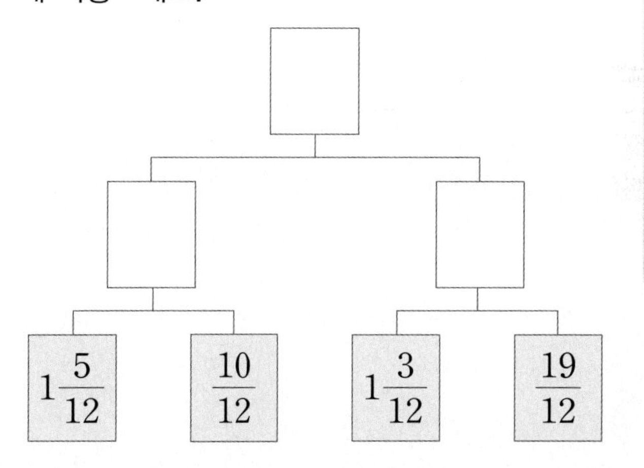

25 $\frac{24}{9}$보다 크고 $2\frac{8}{9}$보다 작은 분수를 찾아 쓰세요.

$2\frac{4}{9}$, $2\frac{6}{9}$, $\frac{25}{9}$

( )

하이레벨 탐구

High Level

대표 유형 1 분수만큼 주고 남은 개수 구하는 문제

수연이는 초콜릿 30개를 가지고 있습니다. 초콜릿 전체의 $\frac{2}{5}$를 동생에게 주었습니다. 수연이에게 남은 초콜릿은 몇 개일까요?

문제해결 Key

동생에게 준 초콜릿 수를 구하여 전체 초콜릿 수에서 뺍니다.

(1) 동생에게 준 초콜릿은 몇 개일까요?

( )

(2) 수연이에게 남은 초콜릿은 몇 개일까요?

( )

체크 1-1 서희는 색종이 42장을 가지고 있습니다. 색종이 전체의 $\frac{3}{7}$을 친구에게 주었습니다. 서희에게 남은 색종이는 몇 장일까요?

( )

체크 1-2 유찬이는 구슬 48개를 가지고 있습니다. 구슬 전체의 $\frac{1}{8}$은 친구에게 주고, 나머지의 $\frac{5}{6}$는 형에게 주었습니다. 유찬이에게 남은 구슬은 몇 개일까요?

( )

대표 유형 2 >, <가 있는 식에서 □ 안에 알맞은 수를 구하는 문제

□ 안에 알맞은 자연수를 구하세요.

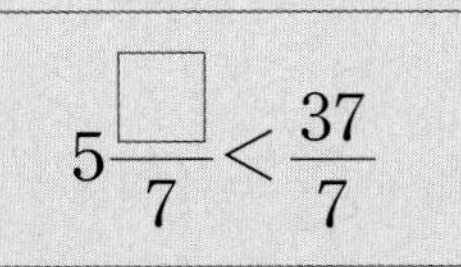

문제해결 Key

□가 없는 분수를 □가 있는 분수와 같이 대분수로 나타내어 크기를 비교합니다.

(1) $\frac{37}{7}$을 대분수로 나타내어 보세요.

(　　　　　　)

(2) □ 안에 알맞은 자연수를 구하세요.

(　　　　　　)

체크 2-1 □ 안에 알맞은 자연수를 구하세요.

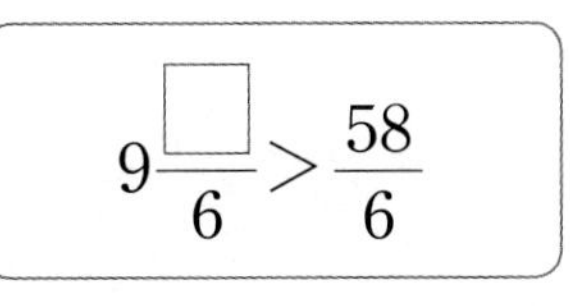

(　　　　　　)

체크 2-2 □ 안에 알맞은 자연수를 모두 구하세요.

$$4\frac{6}{8}<\frac{\square}{8}<5\frac{2}{8}$$

(　　　　　　)

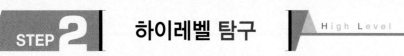

대표 유형 3 수 카드로 분수를 만드는 문제

3장의 수 카드 중 2장을 사용하여 만들 수 있는 진분수는 모두 몇 개일까요?

5 2 3

문제해결 Key

분모를 각각 5, 3으로 정하여 진분수를 모두 만들어 봅니다. 또는 분자를 각각 2, 3으로 정하여 진분수를 만들 수도 있습니다.

(1) 분모가 3인 진분수를 만들어 보세요.

( )

(2) 분모가 5인 진분수를 모두 만들어 보세요.

( )

(3) 만들 수 있는 진분수는 모두 몇 개일까요?

( )

체크 3-1 3장의 수 카드 중 2장을 사용하여 만들 수 있는 진분수를 모두 구하세요.

4 7 6

( )

체크 3-2 3장의 수 카드 중 2장을 사용하여 만들 수 있는 가분수를 모두 구하려고 합니다. 풀이 과정을 쓰고 답을 구하세요. 5점

9 8 5

풀이

답

대표 유형 4 조건을 만족하는 분수를 구하는 문제

다음 조건을 모두 만족하는 분수를 구하세요.

- 분모가 7인 가분수입니다.
- 분자를 분모로 나눈 몫은 3이고, 나머지는 5입니다.

문제해결 Key

분자를 분모로 나눈 몫과 나머지를 이용하여 분자를 구합니다.

(1) □ 안에 알맞은 수를 써넣으세요.

분모가 7인 가분수의 분자를 ■라 하면 가분수는 $\frac{■}{□}$입니다.

(2) 조건을 만족하는 분수의 분자 ■를 구하세요.

(　　　　　　　　)

(3) 조건을 모두 만족하는 분수를 구하세요.

(　　　　　　　　)

4 단원

분수

체크 4-1 다음 조건을 모두 만족하는 분수를 구하세요.

- 분모가 9인 가분수입니다.
- 분자를 분모로 나눈 몫은 4이고, 나머지는 7입니다.

(　　　　　　　　)

체크 4-2 어떤 가분수의 분자 31을 분모로 나누었더니 몫이 6이고, 나머지가 1이었습니다. 이 가분수를 구하세요.

(　　　　　　　　)

대표 유형 5 창의·융합형 문제

다음은 사진 인화용지 규격을 나타낸 것입니다. 반명함 사진의 가로가 여권 사진 가로의 $\frac{6}{7}$일 때 여권 사진의 가로는 몇 mm일까요?

(30 mm × 40 mm)
▲ 반명함 사진

(■ mm × 45 mm)
▲ 여권 사진

(50 mm × 70 mm)
▲ 명함 사진

문제해결 Key

주어진 반명함 사진의 가로가 ■의 $\frac{6}{7}$임을 이용하여 ■의 $\frac{1}{7}$을 알아본 후 ■를 구합니다.

(1) □ 안에 알맞은 수를 써넣으세요.

여권 사진의 가로가 ■ mm이므로 ■의 $\frac{6}{7}$은 □ mm입니다.

(2) ■의 $\frac{1}{7}$은 몇 mm일까요?

( )

(3) 여권 사진의 가로는 몇 mm일까요?

( )

체크 5-1

태극기를 그릴 때에는 정해진 규격에 따라 그려야 합니다. 태극기의 세로는 가로의 $\frac{2}{3}$입니다. 혜주가 태극기의 세로를 24 cm로 그렸다면 가로는 몇 cm로 그려야 하는지 풀이 과정을 쓰고 답을 구하세요. 5점

풀이

답

대표 유형 6 분모, 분자의 합과 차를 이용하여 분수를 구하는 문제

분모와 분자의 합이 19이고 차가 5인 진분수를 구하세요.

문제해결 Key

분모와 분자의 합이 19임을 이용하여 표를 만들어 보고 두 수의 차가 5인 경우를 찾아 진분수를 구합니다.

(1) 진분수의 분모와 분자의 합이 19가 되도록 표를 완성하세요.

분자	1	2	3	4	5				
분모	18	17	16						

(2) 위 (1)의 표에서 분모와 분자의 차가 5인 두 수를 찾아 쓰세요.

( ), ( )

(3) 구하려는 진분수를 쓰세요.

( )

체크 6-1 분모와 분자의 합이 21이고 차가 9인 진분수를 구하세요.

( )

체크 6-2 분모와 분자의 합이 45이고 차가 9인 가분수를 구하고 대분수로 나타내어 보세요.

가분수 ( )

대분수 ( )

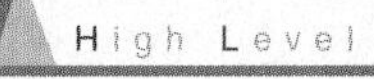

1 분모가 7인 분수 중에서 2보다 작은 가분수는 모두 몇 개일까요?

( )

◀ 분모를 알 때 어떤 수보다 작은 가분수를 찾는 문제

2 가영이는 블럭 88개를 가지고 있습니다. 블럭 전체의 $\frac{5}{8}$로 탑 모양을 만들고, 나머지의 $\frac{6}{11}$으로 꽃 모양을 만들었습니다. 남은 블럭은 몇 개일까요?

( )

◀ 분수만큼 사용하고 남은 개수를 구하는 문제

3 자연수 부분이 9이고, 분모와 분자의 합이 10인 대분수는 모두 몇 개일까요?

( )

◀ 조건에 맞는 대분수를 찾는 문제

4 4장의 수 카드 중 2장을 사용하여 만들 수 있는 가분수는 모두 몇 개일까요?

7	3	5	8

( )

◀ 수 카드로 분수를 만드는 문제

5 어느 미술관의 입장료는 어른이 2000원, 초등학생은 어른 입장료의 $\frac{3}{4}$입니다. 어른 1명, 초등학생 2명의 입장료는 모두 얼마일까요?

( )

◀ 분수만큼은 얼마인지 알아보는 문제

6 어느 가게에서 오전에 만든 햄버거의 $\frac{2}{3}$만큼을 오전에 팔았습니다. 오후에는 오후에 만든 햄버거 50개와 오전에 팔고 남은 햄버거를 모두 팔았습니다. 오전에 만든 햄버거의 수와 오후에 판 햄버거의 수가 같았다면 오전에 만든 햄버거는 몇 개일까요?

( )

◀ 분수만큼을 알아보고 활용하는 문제

STEP 3 하이레벨 심화

1 귤을 ㉮, ㉯, ㉰ 세 상자에 담아 무게를 재었더니 ㉮ 상자는 $\frac{42}{9}$ kg, ㉯ 상자는 $4\frac{3}{9}$ kg, ㉰ 상자는 $4\frac{7}{9}$ kg이었습니다. 무게가 가장 무거운 상자는 어느 상자일까요?

( )

풀이

2 학원을 가는 데 지후는 1시간의 $\frac{1}{3}$만큼이 걸리고, 석영이는 1시간의 $\frac{2}{4}$만큼이 걸립니다. 학원을 가는 데 누가 몇 분 더 많이 걸릴까요?

( ), ( )

풀이

3 자전거 보관소에 다음과 같이 두발자전거와 세발자전거가 있습니다. 두발자전거는 몇 대일까요?

- 전체 바퀴 수: 45개
- 세발자전거의 바퀴 수: 전체의 $\frac{3}{5}$

( )

풀이

4 분모가 11인 분수 중에서 $\frac{36}{11}$보다 크고 4보다 작은 대분수는 모두 몇 개일까요?

( )

풀이

융합형

5 박물관의 학생 입장료는 어른 입장료의 $\frac{2}{3}$입니다. 어른 1명과 학생 3명이 입장할 때 박물관에 내야 할 입장료는 모두 얼마일까요?

박물관 입장료

어른	학생
900원	

( )

풀이

6 ㉠이 될 수 있는 수 중에서 가장 큰 수를 구하세요. (단, ㉠은 자연수입니다.)

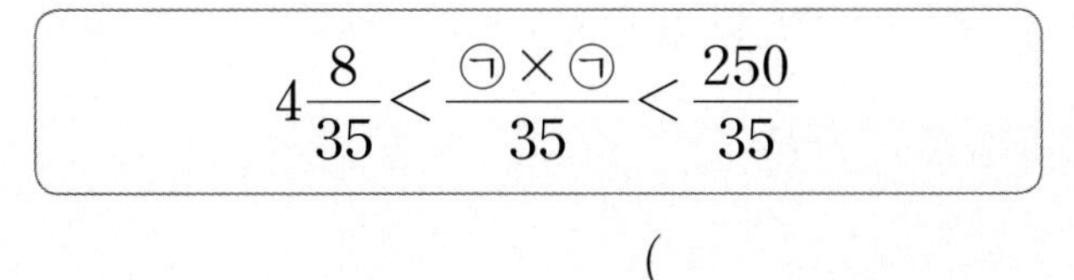

$$4\frac{8}{35} < \frac{㉠ \times ㉠}{35} < \frac{250}{35}$$

( )

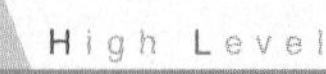

7 다음 조건을 모두 만족할 때, ㉡에 들어갈 수 있는 수를 모두 쓰세요. (단, ㉠, ㉡은 모두 자연수입니다.)

- ㉠$\frac{2}{7}=\frac{㉡}{7}$
- ㉠은 3보다 크고 9보다 작은 자연수입니다.

( )

풀이

8 수현이가 가지고 있던 끈의 $\frac{3}{10}$으로 인형을 포장하고, 남은 끈의 $\frac{2}{7}$로 상자를 묶었습니다. 남은 끈의 $\frac{3}{5}$으로 책을 묶었더니 16 cm가 남았습니다. 수현이가 처음에 가지고 있던 끈의 길이는 몇 cm일까요?

( )

풀이

9 ㉡이 될 수 있는 가분수 중 가장 큰 가분수와 가장 작은 가분수를 차례로 쓰세요.

- 어떤 가분수 ㉠의 분모와 분자의 합은 17이고 차는 5입니다.
- ㉡은 ㉠과 분모가 같으면서 ㉠보다 크고 3보다 작은 가분수입니다.

( ), ( )

풀이

코딩형

10 분수를 입력하면 다음 명령에 따라 계산하여 가분수가 나오는 프로그램이 있습니다. $\frac{1}{4}$을 넣었을 때 나오는 가분수를 구하세요.

명령
① 분자에 3을 곱하고, 분모에 2를 곱합니다.
② 진분수이면 ①을 다시 하고, 가분수이면 계산 결과로 나옵니다.

(　　　　　　　　)

풀이

경시문제 유형

11 세 개의 숫자 1, 2, 3을 한 번씩만 사용하여 $\frac{1}{2}$, $\frac{2}{13}$ 등과 같은 진분수를 만들 수 있습니다. 숫자 0, 1, 3, 5를 한 번씩만 사용하여 만들 수 있는 진분수는 모두 몇 개일까요? (단, 분모가 1이거나 분자가 0인 분수는 만들지 않습니다.)

(　　　　　　　　)

풀이

융합형

12 서윤이는 알뜰시장에서 가지고 있던 돈의 $\frac{2}{3}$로 문구용품을 사고, 남은 돈의 $\frac{1}{4}$을 돼지 저금통에 넣었더니 300원이 남았습니다. 서윤이가 처음에 가지고 있던 돈이 모두 100원짜리 동전이었다면 서윤이가 처음에 가지고 있던 동전은 모두 몇 개일까요?

(　　　　　　　　)

풀이

4 단원

분수

13 다음과 같이 가에서 공을 떨어뜨렸더니 두 번 바닥에 튀고 두 번째로 튀어 오른 공과 바닥 라 사이의 거리가 16 cm였습니다. 처음에 떨어뜨린 공과 바닥 나 사이의 거리는 몇 cm일까요? (단, 공은 떨어진 높이의 $\frac{2}{3}$만큼 튀어 오릅니다.)

( )

풀이

경시문제 유형

14 효민, 은정, 철준이가 구슬을 가지고 있습니다. 구슬을 효민이와 은정이는 같은 수만큼 가지고 있고, 효민이와 철준이가 은정이에게 구슬을 2개씩 주었더니 효민이가 가지고 있는 구슬 수는 은정이가 가지고 있는 구슬 수의 $\frac{4}{7}$가 되었습니다. 은정이가 처음에 가지고 있던 구슬은 몇 개일까요?

( )

풀이

토론 발표 브레인스토밍

High Level

1 영진이는 사탕을 49개 가지고 있습니다. 사탕 전체의 $\frac{3}{7}$을 형에게 주고, 남은 사탕의 $\frac{2}{4}$만큼을 누나에게 받았습니다. 지금 영진이가 가지고 있는 사탕을 혜경이와 똑같이 나누어 먹으려면 혜경이에게 몇 개를 주어야 하는지 구하세요.

풀이

 ____________

2 조건을 만족하는 가분수를 모두 대분수로 나타내어 보세요.

조건
- 1보다 크고 10보다 작은 분수 중에서 분모가 6인 가분수입니다.
- 분자를 7로 나누면 나머지가 2이고, 5로 나누면 나머지가 3입니다.

풀이

답 ____________

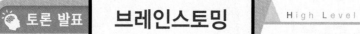

3 ■에는 5, 6, 7, 8이 들어갈 수 있습니다. 다음 식을 만족하는 가장 큰 ㉠과 가장 작은 ㉡의 값을 차례대로 구하세요.

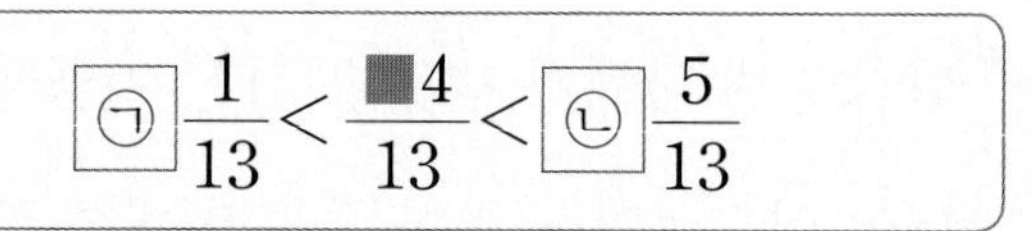

$$㉠\frac{1}{13} < \frac{■4}{13} < ㉡\frac{5}{13}$$

풀이

답 ㉠ ____________, ㉡ ____________

경시대회 본선 기출문제

4 만세, 유라, 승우, 예서 네 사람이 다음 순서대로 사탕을 나누어 가졌습니다. 처음에 있던 사탕은 몇 개인지 구하세요.

㉠ 만세는 처음에 있던 사탕의 $\frac{7}{12}$보다 3개 적게 가졌습니다.

㉡ 유라는 남은 사탕의 $\frac{1}{3}$보다 7개 많이 가졌습니다.

㉢ 승우는 남은 사탕의 $\frac{3}{7}$보다 2개 많이 가졌습니다.

㉣ 예서는 남은 사탕 18개를 가졌습니다.

풀이

답 ____________

하이레벨

생각의 힘

High Level

평화의 수, 분수

사과 4개를 친구 2명이 똑같이 나눠 먹으려면 어떻게 해야 할까요?
$4\div2=2$, 사과를 2개씩 나눠 먹으면 됩니다.

그런데 친구 1명이 더 오면 어떻게 나눠 먹어야 할까요?

친구 1명이 더 오면 사과 4개에 사람은 3명이 됩니다.
$4\div3=1\cdots1$, 3명이 사과를 1개씩 먹으면 사과가 1개 남습니다. 사과 1개를 3명이 어떻게 나눠 먹어야 할까요?

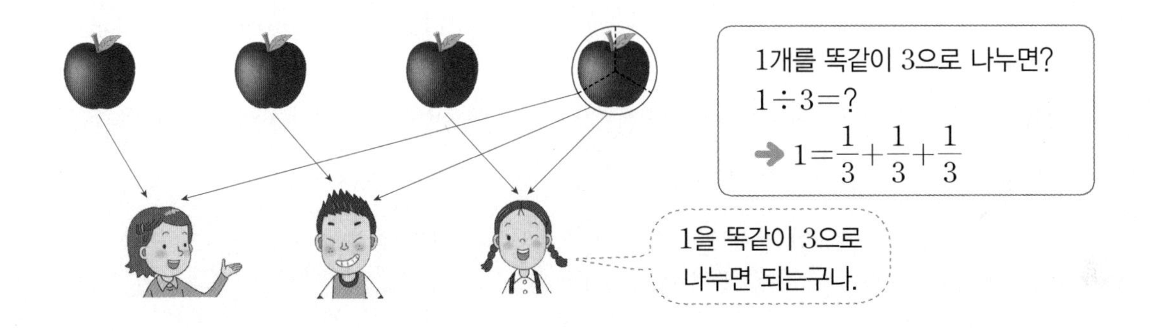

1개를 똑같이 3으로 나누면?
$1\div3=?$
➜ $1=\frac{1}{3}+\frac{1}{3}+\frac{1}{3}$
1을 똑같이 3으로 나누면 되는구나.

위의 그림처럼 사과 1개를 똑같이 3조각으로 나누어 1조각씩 더 나눠 먹을 수 있습니다.
즉, 한 사람이 사과를 1개와 $\frac{1}{3}$개씩, 즉 $1\frac{1}{3}$개씩 먹으면 되는 것이죠.

이와 같이 $\frac{(분자)}{(분모)}$는 (분자)÷(분모)로 쓸 수 있고, 이것은 나눗셈의 몫을 나타냅니다.
예를 들어 피자 1판을 4명이 똑같이 나눠 먹으려면 1명당 $1\div4=\frac{1}{4}$(판)씩 먹으면 된답니다.

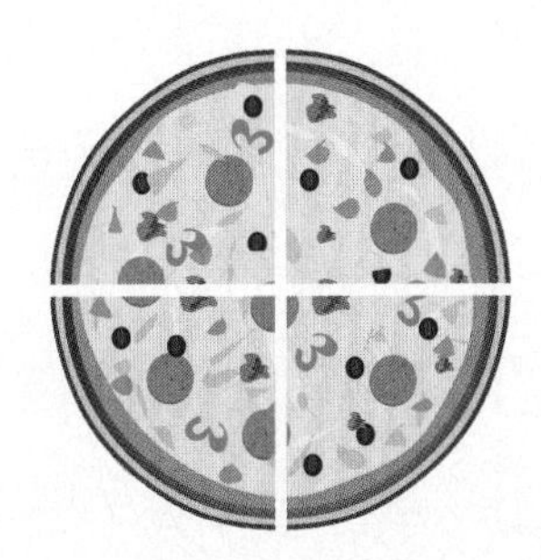

5 들이와 무게

단원의 흐름

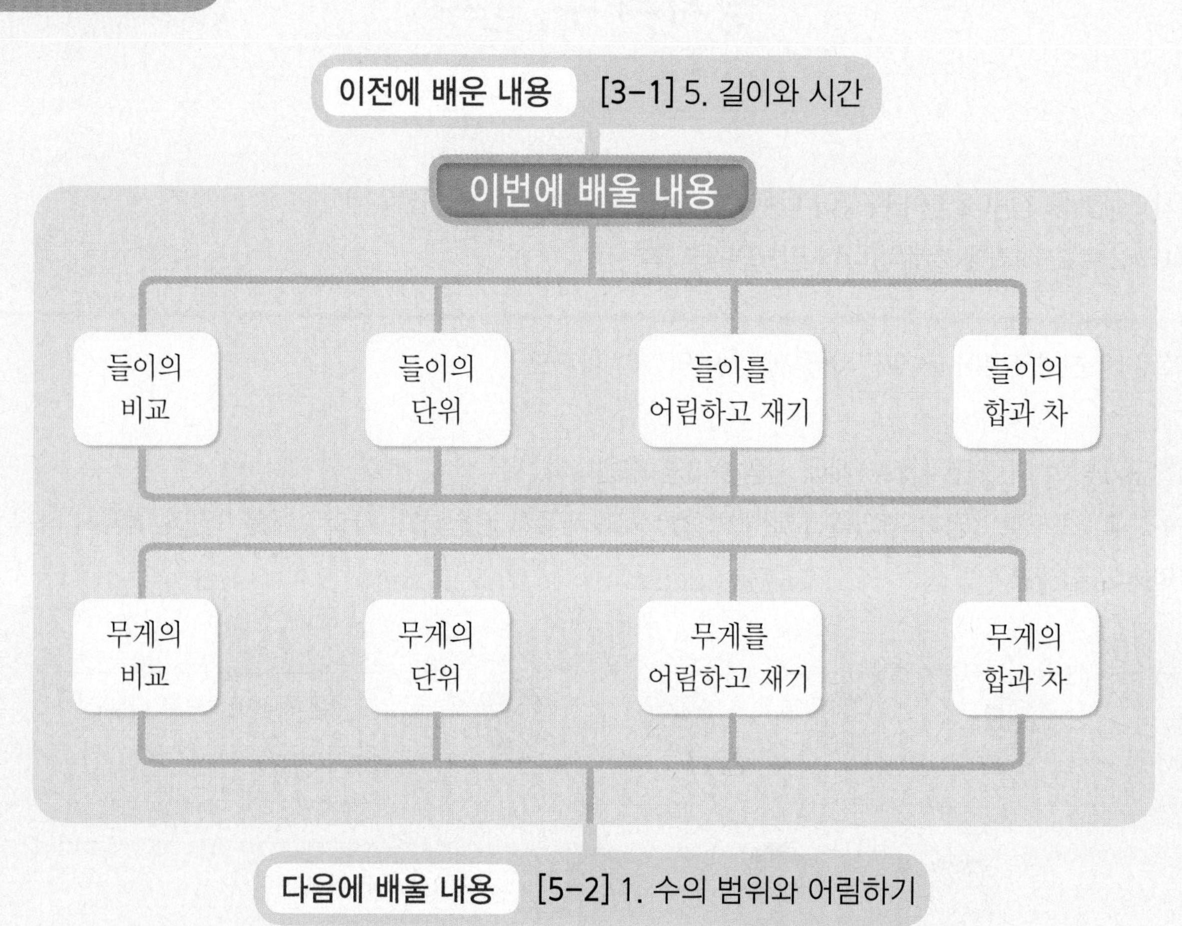

꼭! 알아야 할 대표 유형

유형 1 무게의 합과 차를 활용하는 문제

유형 2 들이의 합과 차를 활용하는 문제

유형 3 들이를 어림하는 문제

유형 4 무게를 가장 적절히 어림한 사람을 찾는 문제

유형 5 무게의 합에서 부분의 무게를 구하는 문제

유형 6 창의·융합형 문제

유형 7 저울의 수평을 이용하는 문제

유형 8 여러 그릇을 사용하여 물 담는 방법을 설명하는 문제

개념 Summary

교과서 개념 서머리

High Level

✤ 들이 비교하기

방법 1 한 그릇에 물을 가득 채운 후 다른 빈 그릇에 모두 옮겨 담아 비교하기

방법 2 비교하는 그릇들에 물을 가득 채운 후 모양과 크기가 같은 큰 그릇에 각각 옮겨 담아 비교하기

방법 3 비교하는 그릇에 물을 가득 채운 후 모양과 크기가 같은 작은 컵에 각각 옮겨 담아 비교하기

✤ 들이의 단위

• 리터, 밀리리터

1 리터	쓰기 1 L
1 밀리리터	쓰기 1 mL

1 L=1000 mL

• 1 L보다 300 mL 더 많은 들이

쓰기 1 L 300 mL

읽기 1 리터 300 밀리리터

✤ 들이를 어림하고 재기

들이를 어림하여 말할 때에는 약 □L 또는 약 □mL라고 합니다.

✤ 들이의 합과 차

• 들이의 합

$$\begin{array}{r} 1\text{ L } 300\text{ mL} \\ +\ 2\text{ L } 200\text{ mL} \\ \hline 3\text{ L } 500\text{ mL} \end{array}$$

• 들이의 차

$$\begin{array}{r} 5\text{ L } 700\text{ mL} \\ -\ 2\text{ L } 400\text{ mL} \\ \hline 3\text{ L } 300\text{ mL} \end{array}$$

→ L는 L끼리, mL는 mL끼리 더합니다.

✤ 무게 비교하기

방법 1 양손에 물체를 들고 비교하기

방법 2 윗접시저울의 양쪽에 물건을 놓고 비교하기

방법 3 여러 가지 작은 단위를 사용하여 윗접시저울에 올려 놓은 물건의 무게를 재어 비교하기

✤ 무게의 단위

• 킬로그램, 그램, 톤

1 킬로그램	쓰기 1 kg
1 그램	쓰기 1 g
1 톤	쓰기 1 t

1 kg=1000 g, 1 t=1000 kg

• 1 kg보다 400 g 더 무거운 무게

쓰기 1 kg 400 g

읽기 1 킬로그램 400 그램

✤ 무게를 어림하고 재기

무게를 어림하여 말할 때에는 약 □kg 또는 약 □g이라고 합니다.

✤ 무게의 합과 차

• 무게의 합

$$\begin{array}{r} 2\text{ kg } 100\text{ g} \\ +\ 3\text{ kg } 600\text{ g} \\ \hline 5\text{ kg } 700\text{ g} \end{array}$$

• 무게의 차

$$\begin{array}{r} 6\text{ kg } 900\text{ g} \\ -\ 1\text{ kg } 700\text{ g} \\ \hline 5\text{ kg } 200\text{ g} \end{array}$$

→ kg은 kg끼리, g은 g끼리 뺍니다.

Plus개념 하이레벨 개념

High Level

1 단위가 있는 들이 비교

① L부터 비교 ➔ 4 L > 3 L (4 > 3)

② L가 같으면 mL 비교
➔ 4 L 10 mL < 4 L 30 mL (10 < 30)

참고 단위가 다르면 단위를 통일하여 비교합니다.

예시 3700 mL > 3 L 70 mL
(3700 mL → 3 L 700 mL)

1 개념 플러스 문제

들이를 비교하여 ○ 안에 >, =, <를 알맞게 써넣으세요.

(1) 6 L ○ 5 L 700 mL

(2) 4 L 150 mL ○ 4 L 300 mL

2 들이를 어림하고 재기

• 들이를 어림하는 방법
비커(1 L), 우유갑(200 mL, 500 mL), 요구르트병(80 mL) 등에 적힌 들이를 이용합니다.

예시 빈 컵에 들이가 80 mL인 요구르트병에 물을 가득 담아 3번 부었더니 거의 가득 찼습니다.
➔ 빈 컵의 들이는 약 80+80+80=240 (mL)입니다.

2 개념 플러스 문제

들이가 400 mL인 컵에 물을 가득 담아 어떤 통에 3번 부었더니 거의 가득 찼습니다. 통의 들이는 약 몇 L 몇 mL일까요?

약 (　　　　　　)

3 들이의 합과 차

• 받아올림이 있는 들이의 합

(받아올림 1, 500+600=1100)

	1 L	500 mL
+	2 L	600 mL
	4 L	100 mL

• 받아내림이 있는 들이의 차

(6 → 5, 1000)

	6 L	800 mL
−	3 L	900 mL
	2 L	900 mL

Check Point

• 들이의 합과 차의 활용
- 더 많이 ~ / ~만큼 더 부었다 ➔ +
- 더 적게 ~ / ~만큼 사용했다 ➔ −

3 개념 플러스 문제

물이 5 L 600 mL 들어 있는 수조에 1 L 500 mL의 물을 더 부었습니다. 수조에 들어 있는 물의 양은 몇 L 몇 mL일까요?

(　　　　　　)

4 단위가 있는 무게 비교

① kg부터 비교 ➔ 1 kg<2 kg (1<2)

② kg이 같으면 g을 비교
➔ 3 kg 100 g>3 kg 10 g (100>10)

심화개념 큰 단위와 작은 단위

← 작은 단위 ——— 큰 단위 →

mL (밀리리터)	L (리터)	kL (킬로리터)
mg (밀리그램)	g (그램)	kg (킬로그램)

4 개념 플러스 문제

더 무거운 것을 찾아 기호를 쓰세요.

㉠ 7 kg 500 g
㉡ 7050 g

(　　　　　　)

5 무게 단위 사이의 관계

1 g의 1000배는 1 kg이고, 1 kg의 1000배는 1 t입니다.

1 g —1000배→ 1 kg —1000배→ 1 t

1000 g=1 kg, 1000 kg=1 t

5 개념 플러스 문제

사슴의 무게는 약 100 kg입니다. 1 t은 사슴 무게의 약 몇 배쯤 될까요?

(1) 1 t은 몇 kg일까요?

(　　　　　　)

(2) 1 t은 사슴 무게의 약 몇 배쯤 될까요?

약 (　　　　　　)

6 무게의 합과 차

• 받아올림이 있는 무게의 합

$$\begin{array}{r} \overset{1}{4}\text{ kg } 300\text{ g} \\ +\ 2\text{ kg } 800\text{ g} \\ \hline 7\text{ kg } 100\text{ g} \end{array}$$

(300+800=1100)

• 받아내림이 있는 무게의 차

$$\begin{array}{r} \overset{8}{\cancel{9}}\text{ kg } \overset{1000}{200}\text{ g} \\ -\ 3\text{ kg } 500\text{ g} \\ \hline 5\text{ kg } 700\text{ g} \end{array}$$

심화개념 Check Point

• 무게의 합과 차의 활용
- 더 많이 ~, ~만큼 더 무겁다 ➔ +
- 더 적게 ~, ~만큼 더 가볍다 ➔ −

6 개념 플러스 문제

윤지네 가족은 과수원에서 사과를 땄습니다. 아버지는 5 kg을 땄고 윤지는 아버지보다 1100 g 더 적게 땄습니다. 윤지가 딴 사과는 몇 kg 몇 g일까요?

(1) 1100 g은 몇 kg 몇 g일까요?

(　　　　　　)

(2) 윤지가 딴 사과는 몇 kg 몇 g일까요?

(　　　　　　)

STEP 1 하이레벨 입문

High Level

유형 1 들이 비교 / 들이의 단위 알아보기

1 □ 안에 알맞은 수를 써넣으세요.

(1) 4 L 700 mL= □ mL

(2) 2600 mL= □ L □ mL

2 그릇 가와 나에 물을 가득 채운 후 모양과 크기가 같은 컵에 각각 옮겨 담았습니다. 어느 그릇의 들이가 더 적을까요?

(　　　　　　)

3 들이가 더 많은 그릇을 찾아 쓰세요.

주전자	대접
1 L	950 mL

(　　　　　　)

4 다음 중 들이의 단위를 알맞게 사용한 사람의 이름을 쓰세요.

> 단비: 음료수 캔에 음료수가 약 250 L 들어 있습니다.
> 솔지: 물컵의 들이는 약 200 mL입니다.

(　　　　　　)

서술형

5 두 병의 들이를 비교하는 방법을 써 보세요.

물병　요구르트 병

방법 ______________________________

창의력

6 수조에 물을 가득 채우려면 플라스틱컵, 종이컵, 유리컵으로 다음과 같이 부어야 합니다. 들이가 가장 많은 컵을 쓰세요.

컵	플라스틱컵	종이컵	유리컵
부은 횟수(번)	11	13	10

(　　　　　　)

유형 2 들이를 어림하고 재기 / 들이의 합과 차

7 □ 안에 알맞은 수를 써넣으세요.

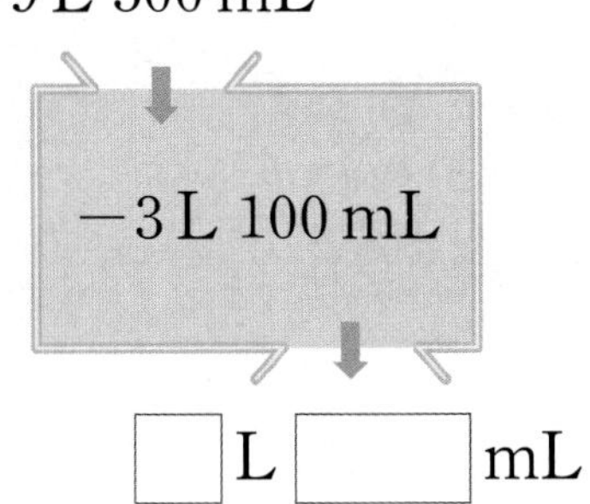

□ L □ mL

8 주전자에 물을 가득 채운 후 비커에 모두 옮겨 담았습니다. 주전자의 들이는 몇 L 몇 mL일까요?

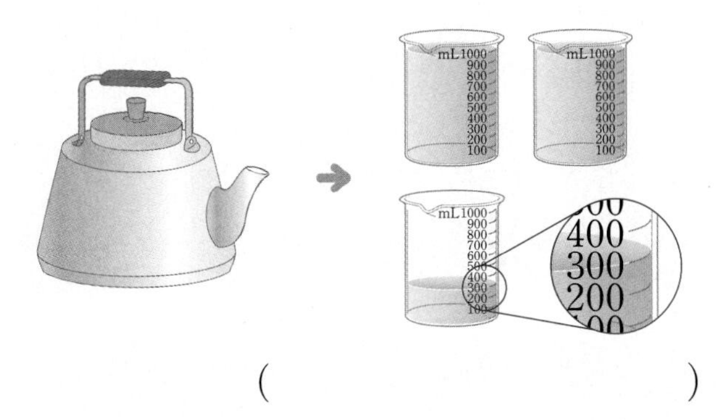

(　　　　　　　　)

9 두 그릇의 들이의 합은 몇 L 몇 mL일까요?

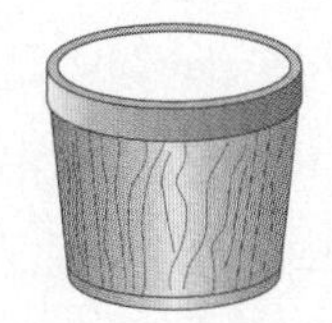
2 L 700 mL

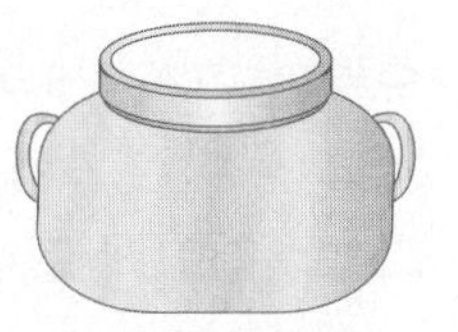
3 L 100 mL

(　　　　　　　　)

10 들이를 바르게 어림한 것을 찾아 선으로 이어 보세요.

종이컵 •	• 약 4 L
주사기 •	• 약 5 mL
세숫대야 •	• 약 100 mL

11 일주일 동안 우유를 지영이는 1 L 800 mL, 동생은 700 mL를 마셨습니다. 두 사람이 마신 우유는 모두 몇 L 몇 mL일까요?

식 ______________________

답 ______________________

12 들이가 500 mL인 물통에 물을 가득 채운 뒤 주전자에 3번 부었더니 가득 찼습니다. 주전자와 어항 중 어느 것의 들이가 더 많을까요?

주전자

어항

1 L 350 mL

(　　　　　　　　)

13 주스 1 L 중에서 혜원이가 250 mL를 마시고, 선채가 200 mL를 마셨습니다. 남은 주스의 양은 몇 mL일까요?

(　　　　　　　　)

유형 3 무게 비교 / 무게의 단위 알아보기

14 무게가 무거운 순서대로 기호를 써 보세요.

㉠ 동전 ㉡ 냉장고 ㉢ 수박

( )

15 윗접시저울과 구슬을 이용하여 과일의 무게를 알아본 것입니다. 가장 무거운 과일은 어느 것일까요?

과일	감	복숭아	키위
구슬	16개	18개	11개

( )

16 무게의 단위 사이의 관계를 잘못 나타낸 것을 찾아 기호를 쓰세요.

㉠ 1000 g = 1 t
㉡ 2 kg 60 g = 2060 g
㉢ 7707 g = 7 kg 707 g

( )

17 코코넛의 무게를 재었더니 2 kg이었습니다. 멜론은 코코넛보다 800 g 더 무겁습니다. 멜론의 무게는 몇 kg 몇 g일까요?

( )

18 막대자석과 U자석의 무게를 알아보았습니다. 어떤 자석이 공깃돌 몇 개만큼 더 무거운지 차례로 구하세요.

막대자석 공깃돌 8개
U자석 공깃돌 6개

( ), ( )

서술형

19 단위가 어색하거나 틀린 문장을 찾아 기호를 쓰고 바르게 고쳐 보세요.

㉠ 연필 한 자루의 무게는 약 10 g입니다.
㉡ 코끼리 한 마리의 무게는 약 10 kg입니다.

( )

➔

20 밤을 영수는 4 kg 800 g, 수진이는 2900 g 땄고 미라는 4 kg보다 500 g 더 많이 땄습니다. 밤을 가장 많이 딴 사람의 이름을 쓰세요.

( )

유형 4 무게를 어림하고 재기 / 무게의 합과 차

21 1 kg보다 가벼운 것을 모두 고르세요.
( )

① 지우개 ② 자동차
③ 교탁 ④ 달걀
⑤ 내 몸무게

22 빈칸에 두 무게의 합은 몇 kg 몇 g인지 써넣으세요.

8 kg 600 g	5 kg 300 g

23 파인애플의 무게를 어림하고 재었습니다. 무게를 가장 적절히 어림한 것을 찾아 기호를 쓰세요.

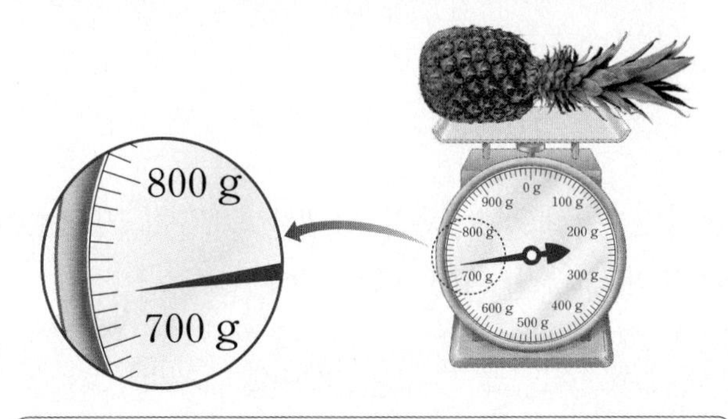

㉠ 약 70 g ㉡ 약 700 g ㉢ 약 7000 g

( )

24 진수와 경석이가 헌 종이를 모았습니다. 진수와 경석이가 모은 헌 종이의 무게는 모두 몇 kg 몇 g일까요?

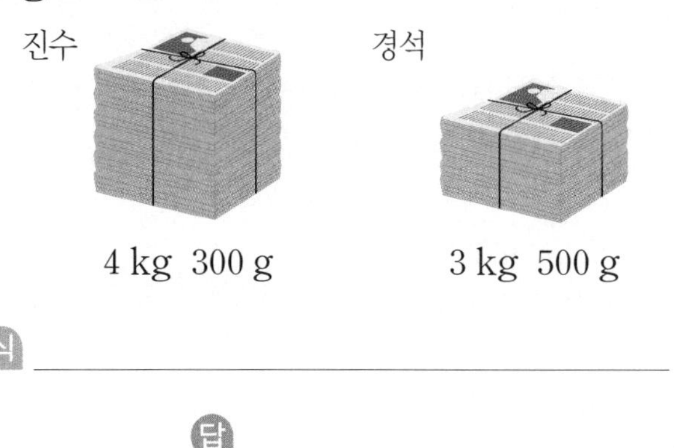

식

답

25 쌀 한 포대의 무게는 약 10 kg입니다. 1 t은 쌀 한 포대 무게의 약 몇 배쯤일까요?

약 ( )

26 소희의 몸무게는 32 kg 500 g이고 찬영이는 소희보다 2 kg 100 g 더 가볍습니다. 찬영이의 몸무게는 몇 kg 몇 g일까요?

식

답

27 무게가 더 무거운 것을 찾아 기호를 쓰세요.

㉠ 9 kg 700 g − 4 kg 200 g
㉡ 7 kg 300 g − 1 kg 900 g

( )

하이레벨 탐구

High Level

대표 유형 1 무게의 합과 차를 활용하는 문제

과수원에서 귤을 중기는 3 kg 700 g 땄고, 혜교는 중기보다 500 g 더 적게 땄습니다. 혜교가 딴 귤은 몇 kg 몇 g일까요?

문제해결 Key

적게 ~ 했습니다.
➔ 차
많이 ~ 했습니다.
➔ 합

(1) 혜교가 딴 귤의 무게를 구하려면 주어진 두 무게를 더해야 할지, 빼야 할지 알맞은 것에 ○표 하세요.

(덧셈 , 뺄셈)

(2) 혜교가 딴 귤은 몇 kg 몇 g일까요?

(   )

체크 1-1 밭에서 감자를 누나는 4 kg 600 g 캤고, 세진이는 누나보다 500 g 더 많이 캤습니다. 세진이가 캔 감자는 몇 kg 몇 g일까요?

(   )

체크 1-2 민지의 가방의 무게는 5 kg 100 g이고, 동생의 가방의 무게는 민지의 가방보다 400 g 더 가볍습니다. 동생의 가방의 무게는 몇 kg 몇 g일까요?

(   )

대표 유형 2 들이의 합과 차를 활용하는 문제

물통에 물이 3 L 500 mL 있었는데 현정이가 1 L를 마시고 1 L 400 mL를 채워 넣었습니다. 지금 물통에 들어 있는 물은 몇 L 몇 mL인지 구하세요.

문제해결 Key

마신 물 ➔ 차
채워 넣은 물 ➔ 합

(1) 현정이가 마시고 남은 물의 양은 몇 L 몇 mL일까요?

(　　　　　　　　)

(2) 지금 물통에 들어 있는 물의 양은 몇 L 몇 mL일까요?

(　　　　　　　　)

체크 2-1 우유가 2 L 700 mL 들어 있는 병에 우유 500 mL를 더 담고 250 mL를 마셨습니다. 지금 병에 들어 있는 우유는 몇 L 몇 mL인지 구하세요.

(　　　　　　　　)

체크 2-2 주스가 2 L 있습니다. 이 주스를 서윤이는 300 mL 마셨고, 동생은 800 mL 마셨다면 남은 주스는 몇 mL인지 구하세요.

(　　　　　　　　)

대표 유형 3 들이를 어림하는 문제

물을 가득 채운 1 L들이 비커로 3번, 500 mL들이 비커로 2번을 양동이에 부었더니 양동이가 거의 가득 찼습니다. 이 양동이의 들이는 약 몇 L일까요?

문제해결 Key

1 L들이로 ■번은 ■ L입니다.

(1) 1 L들이로 3번은 몇 L일까요?

( )

(2) □ 안에 알맞은 수를 써넣으세요.

500 mL들이로 2번은 □ mL이고, 1000 mL는 □ L입니다.

(3) 이 양동이의 들이는 약 몇 L일까요?

약 ( )

체크 3-1 물을 가득 채운 1 L들이 비커로 2번, 200 mL들이 비커로 5번을 주전자에 부었더니 주전자가 거의 가득 찼습니다. 이 주전자의 들이는 약 몇 L일까요?

약 ( )

체크 3-2 물을 가득 채운 1 L들이 물통으로 3번, 400 mL들이 컵으로 5번을 약수통에 부었더니 약수통이 거의 가득 찼습니다. 이 약수통의 들이는 약 몇 L일까요?

약 ( )

대표 유형 4 무게를 가장 적절히 어림한 사람을 찾는 문제

무게가 2 kg 500 g인 가방이 있습니다. 오른쪽은 현수, 보연, 지희가 어림한 가방의 무게입니다. 가장 적절히 어림한 사람의 이름을 쓰세요.

현수: 약 2 kg 780 g
보연: 약 3 kg
지희: 약 2 kg 370 g

문제해결 Key

어림한 무게와 실제 무게의 차가 가장 작을 때 가장 적절히 어림한 것입니다.

(1) 세 사람이 어림한 무게와 실제 무게의 차는 몇 g인지 각각 구하세요.

현수 ( ), 보연 ( ), 지희 ( )

(2) 가장 적절히 어림한 사람의 이름을 쓰세요.

( )

체크 4-1

상자 한 개에 과일을 각각 1 kg씩 담으려고 합니다. 다음은 세 상자에 1 kg을 어림하여 담은 실제 무게를 나타낸 표입니다. 가장 적절히 어림하여 담은 상자의 기호를 쓰세요.

상자	㉮	㉯	㉰
실제 무게	1 kg 30 g	990 g	992 g

( )

체크 4-2

다음은 무게가 3 kg인 사전을 친구들이 어림한 무게를 나타낸 표입니다. 가장 적절히 어림한 사람의 이름을 쓰세요.

이름	현선	지연	재희
어림한 무게	약 3 kg 100 g	약 2 kg 590 g	약 2 kg 650 g

( )

대표 유형 5 무게의 합에서 부분의 무게를 구하는 문제

사과 한 상자와 배 한 상자를 합치면 무게가 20 kg입니다. 배 한 상자의 무게가 사과 한 상자의 무게보다 4 kg이 더 무겁습니다. 사과 한 상자의 무게는 몇 kg일까요?

문제해결 Key
사과 한 상자의 무게를 □ kg이라 하여 사과 한 상자와 배 한 상자의 무게의 합을 구하는 식을 세웁니다.

(1) 사과 한 상자의 무게가 □ kg이라면 배 한 상자의 무게는 어떻게 나타낼 수 있는지 찾아 ○표 하세요.

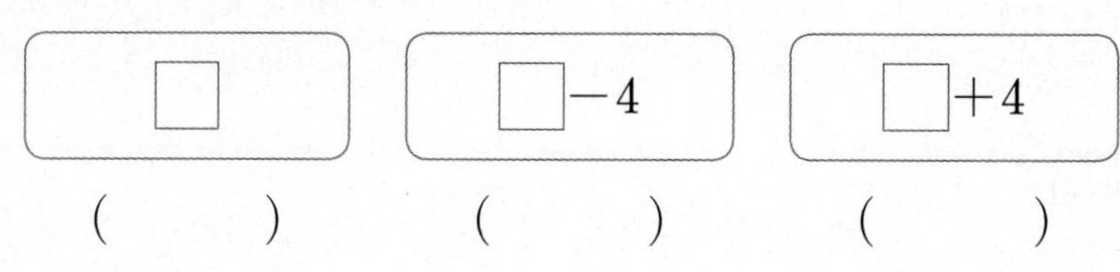

( ) ( ) ( )

(2) 사과 한 상자와 배 한 상자의 무게의 합을 구하는 식을 바르게 세운 것을 찾아 기호를 쓰세요.

㉠ □+4=20 ㉡ □+□+4=20 ㉢ □+□−4=20

( )

(3) 사과 한 상자의 무게는 몇 kg일까요?

( )

체크 5-1 예리와 슬기가 딴 키위를 합치면 무게가 10 kg입니다. 예리가 딴 키위의 무게는 슬기가 딴 키위의 무게보다 2 kg 더 무겁습니다. 예리가 딴 키위의 무게는 몇 kg일까요?

( )

체크 5-2 소민이와 광수가 캔 고구마를 합치면 무게가 15 kg입니다. 소민이가 캔 고구마의 무게는 광수가 캔 고구마의 무게보다 3 kg 더 무겁습니다. 소민이가 캔 고구마의 무게는 몇 kg일까요?

( )

대표 유형 6 창의 • 융합형 문제

옛날에 사용하던 들이의 단위에는 되, 홉 등이 있습니다. 1되는 약 1 L 800 mL이고 1홉은 약 180 mL입니다. 오늘 영지네 집에서 사용한 쌀과 보리가 다음과 같다면 영지네 집에서 사용한 쌀과 보리는 모두 약 몇 L 몇 mL인지 구하세요.

곡식	들이
쌀	2되
보리	5홉

문제해결 Key

오늘 사용한 쌀과 보리의 양을 L와 mL를 사용하여 나타냅니다.

(1) 사용한 쌀은 약 몇 L 몇 mL일까요?

약 (　　　　　　　　)

(2) 사용한 보리는 약 몇 mL일까요?

약 (　　　　　　　　)

(3) 사용한 쌀과 보리는 모두 약 몇 L 몇 mL일까요?

약 (　　　　　　　　)

체크 6-1

무게를 재는 단위에는 근, 관 등이 있습니다. 고기 한 근은 600 g이고, 채소 한 관은 3 kg 750 g입니다. 어머니께서 산 음식 재료가 다음과 같다면 어머니께서 산 음식 재료는 모두 몇 kg 몇 g인지 풀이 과정을 쓰고 답을 구하세요. 5점

음식 재료	무게
소고기	3근
감자	2관

풀이

답

대표 유형 7 저울의 수평을 이용하는 문제

오른쪽 그림과 같이 윗접시저울의 왼쪽에는 무게가 똑같은 사과 2개, 오른쪽에는 무게가 똑같은 밤 10개를 올려놓았더니 저울이 수평이 되었습니다. 사과 한 개의 무게가 400 g일 때 밤 한 개의 무게는 몇 g일까요?

문제해결 Key

윗접시저울의 양쪽에 각각 ㉠과 ㉡을 올린 저울이 수평이면 (㉠ 무게)=(㉡ 무게)입니다.

(1) 사과 2개의 무게는 몇 g일까요?

( )

(2) 밤 10개의 무게는 몇 g일까요?

( )

(3) 밤 1개의 무게는 몇 g일까요?

( )

체크 7-1 윗접시저울의 왼쪽에는 무게가 똑같은 오이 5개, 오른쪽에는 무게가 똑같은 애호박 3개를 올려놓았더니 저울이 수평이 되었습니다. 오이 한 개의 무게가 300 g일 때 애호박 한 개의 무게는 몇 g일까요?

( )

체크 7-2 윗접시저울의 왼쪽에는 한 개의 무게가 250 g인 사과 3개를 올려놓고, 오른쪽에는 무게가 똑같은 배 2개를 올려놓았더니 저울이 수평이 되었습니다. 배 1개의 무게는 몇 g일까요?

( )

대표 유형 8 여러 그릇을 사용하여 물 담는 방법을 설명하는 문제

들이가 900 mL인 그릇과 400 mL인 그릇을 사용하여 500 mL의 물을 담는 방법을 설명해 보세요.

문제해결 Key

물을 붓는 양과 덜어 내는 양의 차를 이용합니다.

(1) □ 안에 알맞은 기호를 써넣어 식을 완성해 보세요.

900 □ 400=500

(2) 500 mL의 물을 담는 방법을 설명해 보세요.

방법 ____________________

체크 8-1 들이가 600 mL인 그릇과 250 mL인 그릇을 사용하여 100 mL의 물을 담는 방법을 설명해 보세요. 5점

방법 ____________________

체크 8-2 들이가 700 mL인 그릇과 200 mL인 그릇을 사용하여 100 mL의 물을 담는 방법을 설명해 보세요. 5점

방법 ____________________

STEP 2 하이레벨 탐구 플러스

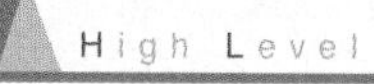

1 주오는 사과를 어제는 15 kg 300 g만큼 땄고, 오늘은 어제보다 14500 g을 더 많이 땄습니다. 주오가 어제와 오늘 딴 사과는 모두 몇 kg 몇 g일까요?

( )

◀ 무게의 합을 구하는 문제

2 다음은 무게가 3 kg인 물건의 무게를 어림한 것입니다. 가장 적절히 어림한 사람의 이름을 쓰세요.

이름	소연	채린	태호
어림한 무게	약 3 kg 200 g	약 2 kg 900 g	약 2 kg 730 g

( )

◀ 가장 적절히 어림한 무게를 구하는 문제

3 그림과 같이 윗접시저울이 있습니다. 같은 물건은 같은 무게를 나타낼 때 공깃돌과 귤의 무게의 합은 동전 50개의 무게와 같고, 공깃돌, 귤, 풀의 무게의 합은 동전 68개의 무게와 같습니다. 동전 1개의 무게가 5 g일 때 풀의 무게는 몇 g일까요? (단, 동전의 무게는 모두 같습니다.)

공깃돌, 귤 동전 50개

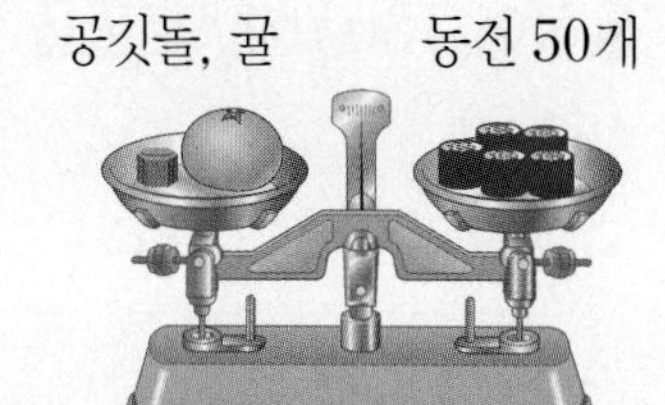

공깃돌, 귤, 풀 동전 68개

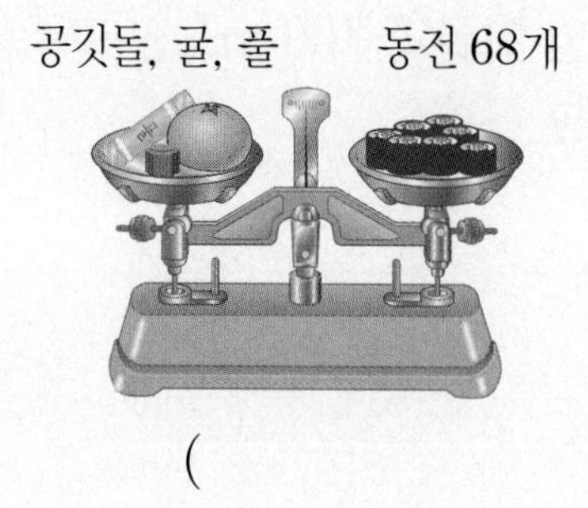

( )

◀ 물건 1개의 무게를 구하는 문제

4 실제 들이가 1 L인 물병의 들이를 가장 적절히 어림한 사람의 이름을 쓰세요.

태연: 물병에 500 mL 우유갑으로 1번, 250 mL 우유갑으로 1번 들어갈 것 같습니다.
유리: 물병은 1 L 주스병과 들이가 비슷하니까 들이는 약 800 mL입니다.
미영: 물병에 500 mL 우유갑으로 1번, 200 mL 우유갑으로 2번 들어갈 것 같습니다.

( )

◀ 들이를 가장 적절히 어림한 사람을 찾는 문제

5 우유를 매일 호동이는 400 mL, 재준이는 355 mL, 동엽이는 200 mL씩 마십니다. 호동, 재준, 동엽이가 2주일 동안 마시는 우유는 모두 몇 L 몇 mL일까요?

( )

◀ 세 사람이 2주일 동안 마시는 우유의 들이를 구하는 문제

창의 · 융합

6 다음과 같은 순서로 수조에 물을 부었습니다. 수조에 부은 물은 모두 몇 L 몇 mL일까요?

① 500 mL들이 그릇에 물을 가득 채워 수조에 4번 부었습니다.
② 500 mL들이 그릇에 물을 가득 채운 후 이 그릇의 물을 100 mL들이 그릇에 가득 차도록 1번 덜어 내고, 남은 물을 수조에 부었습니다.

( )

◀ 수조에 부은 물의 들이를 구하는 문제

STEP 3 | 하이레벨 심화 | High Level

1 주스 14 L 600 mL를 ㉮ 통과 ㉯ 통에 나누어 담으려고 합니다. ㉯ 통에 ㉮ 통보다 2400 mL 더 많이 담는다면 ㉯ 통에 담는 주스는 몇 L 몇 mL일까요?

(　　　　　　　　　)

풀이

2 세찬이네 집 체중계는 고장이 나서 실제 몸무게보다 100 g 더 무겁게 나옵니다. 세찬이가 이 체중계로 몸무게를 재었더니 32 kg 500 g이었습니다. 동생은 세찬이보다 3 kg 600 g이 더 가볍고, 형은 세찬이보다 4 kg 300 g이 더 무겁습니다. 세 사람의 실제 몸무게의 합은 몇 kg 몇 g일까요?

(　　　　　　　　　)

풀이

3 4초에 280 mL, 5초에 400 mL의 물이 나오는 수도가 각각 있습니다. 1초에 나오는 물의 양은 일정하고, 두 수도에서 동시에 물을 받을 때 1초 동안 받을 수 있는 물의 양은 몇 mL일까요?

(　　　　　　　　　)

풀이

4 4 L 500 mL의 물이 들어 있는 그릇에서 물을 300 mL들이의 컵에 가득 채워 3번, 500 mL들이의 컵에 가득 채워 4번 덜어 냈습니다. 그릇에 물이 2 L 600 mL 있도록 하려면 200 mL들이의 컵으로 물을 적어도 몇 번 부어야 할까요?

( )

풀이

5 무게가 100 g, 150 g, 200 g, 250 g인 추가 각각 한 개씩 있습니다. 추와 윗접시저울을 사용하여 무게를 잴 때 잴 수 없는 것을 찾아 기호를 쓰세요.

㉠ 300 g	㉡ 350 g
㉢ 600 g	㉣ 650 g

( )

풀이

코딩형

6 보기의 규칙에 따라 그릇에 있는 액체의 양을 조절하였습니다. 다음과 같은 〈과정〉을 3번 반복했을 때 그릇에 남은 액체의 양은 425 mL였습니다. 처음 그릇에 있던 액체의 양은 몇 mL인지 구하세요.

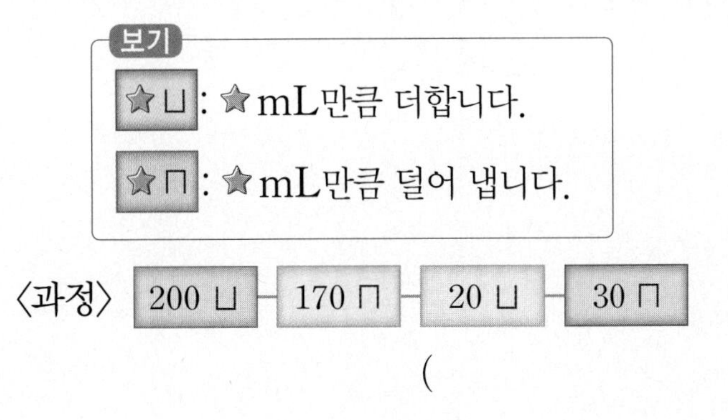

보기
★ ㅂ: ★mL만큼 더합니다.
★ ㄱ: ★mL만큼 덜어 냅니다.
〈과정〉
200 ㅂ
170 ㄱ
20 ㅂ
30 ㄱ

( )

풀이

경시문제 유형

7 다음을 보고 고구마 2개와 감자 1개의 무게의 합은 몇 g인지 구하세요. (단, 같은 종류끼리는 무게가 같습니다.)

㉠ (고구마 3개의 무게)+(감자 2개의 무게)=1550 g
㉡ (고구마 3개의 무게)−(감자 2개의 무게)=550 g

(　　　　　　　　)

풀이

8 오른쪽 그림에서 저울 2개의 무게는 서로 같고, 저울 옆에 쓰인 수는 그 저울이 나타내는 무게입니다. 저울 1개의 무게는 배 몇 개의 무게와 같을까요? (단, 배의 무게는 모두 같습니다.)

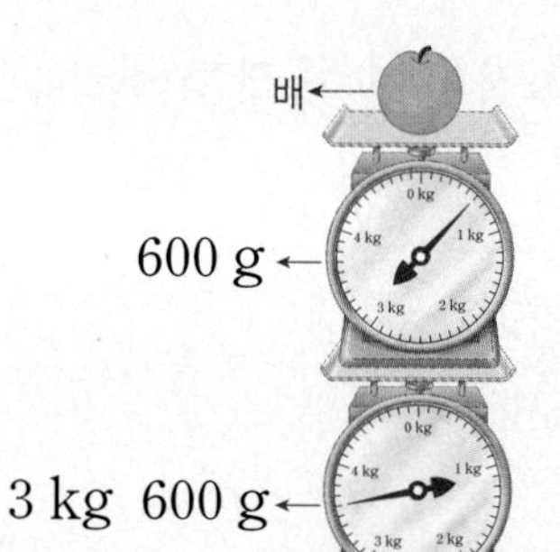

(　　　　　　　　)

풀이

9 들이가 300 mL인 컵과 800 mL인 컵이 각각 한 개씩 있습니다. 두 컵을 사용하여 들이가 2 L인 물통에 1 L의 물을 담는 방법을 설명해 보세요.

방법

풀이

10 ㉠, ㉡, ㉢이 보기를 모두 만족할 때 ㉠은 몇 kg 몇 g일까요?

보기
㉠+㉡=3 kg 300 g
㉠+㉢=2 kg 900 g
㉡+㉢=3 kg 400 g

( )

풀이

융합형

11 은지네 반 친구들은 요리시간에 떡볶이를 만들려고 합니다. 다음은 떡볶이 3인분을 만드는 데 필요한 재료입니다. 떡볶이 8인분을 만드는 데 필요한 재료는 모두 몇 kg 몇 g일까요?

떡: 450 g　어묵: 300 g　양파: 180 g

( )

풀이

12 들이가 5 L인 석유 난로가 있습니다. 이 난로에 가득 찬 석유는 20시간 만에 다 사용합니다. 석유는 1 L에 1290원이고 하루에 이 난로를 8시간 사용한다면 5일 동안 사용하는 석유의 양은 몇 L일까요? 또, 이때 사용한 석유의 가격은 얼마인지 차례로 쓰세요.

( ), ( )

풀이

13 다희네 가족은 물을 월요일에는 850 mL를, 화요일에는 1000 mL를, 수요일에는 2 L 350 mL를 마셨고, 목요일에는 남은 물의 절반을 마셨습니다. 마시고 남은 물이 900 mL일 때 월요일에 처음 있던 물은 몇 mL일까요?

( )

풀이

14 공 ㉮, ㉯, ㉰, ㉱와 윗접시저울을 사용하여 무게를 재었습니다. 그림과 같이 세 저울이 모두 수평이고, 각 공은 기호별로 무게가 같습니다. 공 1개씩의 무게는 50 g, 70 g, 100 g, 150 g 중 하나일 때 ㉯ 공 3개와 ㉰ 공 4개의 무게의 합은 몇 g일까요?

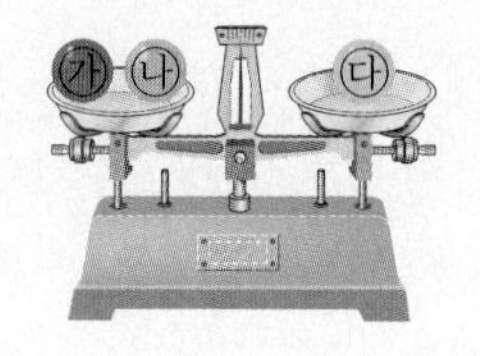

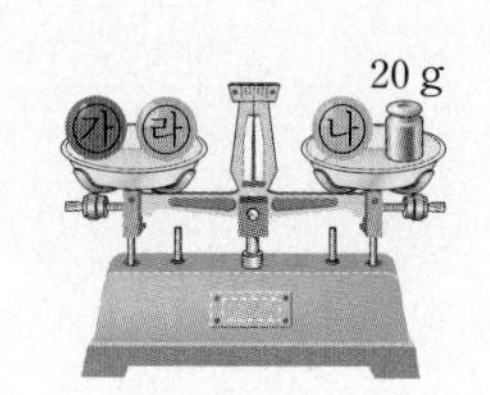

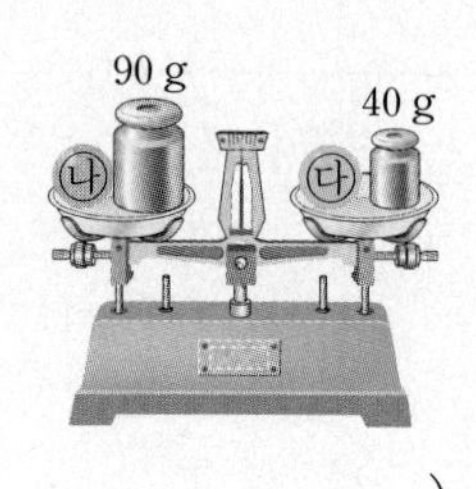

( )

풀이

경시문제 유형

15 무게가 1 kg, 2 kg, 5 kg인 추가 각각 한 개씩 있습니다. 윗접시저울과 이 추들을 사용하여 잴 수 있는 무게는 모두 몇 가지일까요? (단, 0 kg은 제외합니다.)

( )

풀이

1 1g, 10g, 25g, 50g, 100g의 추를 각각 8개씩 가지고 있습니다. 윗접시저울을 사용하여 692g의 무게를 재려고 할 때 추를 가장 적게 사용하려면 몇 개의 추가 필요한지 구하세요.

풀이

답 ______________

2 들이가 2L인 병에 주스가 가득 들어 있습니다. 이 주스를 가 컵에 부으면 5개의 컵에 가득 부울 수 있고, 나 컵에 부으면 8개의 컵에 가득 부을 수 있습니다. 주스를 진운이는 가 컵으로 하루에 2잔씩 마시고, 우영이는 나 컵으로 하루에 3잔씩 마십니다. 진운이와 우영이가 5일 동안 마시려면 들이가 2L인 병에 들어 있는 주스가 적어도 몇 병 필요한지 구하세요.

풀이

답 ______________

경시대회 본선 기출문제

3 물놀이용 튜브에 공기가 가득 들어 있습니다. 튜브에 들어 있는 공기의 절반을 펌프로 빼고 무게를 재었더니 860 g이었습니다. 다시 펌프로 튜브에 남아 있는 공기의 $\frac{3}{8}$을 빼고 무게를 재어 보았더니 770 g이 되었습니다. 처음 공기가 가득 들어 있던 튜브의 무게는 몇 kg 몇 g인지 구하세요.

풀이

답 ____________________

경시대회 본선 기출문제

4 가, 나, 다 세 종류의 컵에 물을 가득 채워 들이가 2 L 400 mL인 양동이에 부으려고 합니다. 아래와 같은 방법으로 각각 양동이에 물을 넘치지 않게 가득 채울 수 있다고 할 때 컵 다의 들이는 몇 mL인지 구하세요.

풀이

답 ____________________

하이레벨

생각의 힘

High Level

인류는 어떻게 무게를 쟀을까요?

옛날에는 주로 곡식의 낟알을 이용해서 무게를 쟀습니다. 쌀, 보리 같은 낟알을 영어로 그레인(grain)이라 하는데 그 단위를 고대 이집트와 인도, 유럽 등지에서 무게 단위의 기초로 삼았습니다.

$$1\ \text{gr} = 1\ \text{그레인} = \frac{648}{10000}\ \text{g}$$

고대 그리스인은 그레인보다 조금 더 무거운 것을 그라마(grama), 한 주먹 정도 되는 것의 무게를 드람(dram)으로 나타냈습니다.

그라마는 오늘날 그램(g)으로 사용하고 있어.

$$1\ \text{그라마} = 1\ \text{g} = 1\ \text{그램}$$

오늘날 우리가 사용하는 무게의 단위에는 킬로그램(kg), 그램(g), 톤(t) 등이 있습니다. 이 단위들로 인해 더 큰 무게를 잴 수 있게 되었습니다.

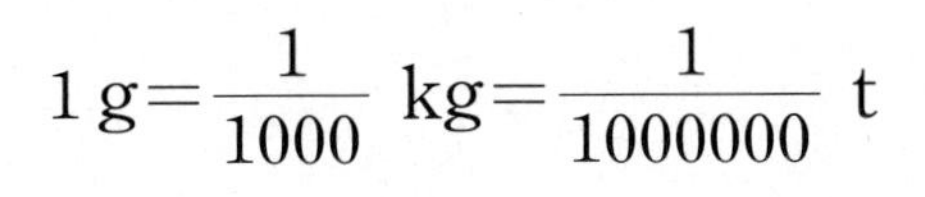

$$1\ \text{g} = \frac{1}{1000}\ \text{kg} = \frac{1}{1000000}\ \text{t}$$

1 kg은 1000 g이고, 1 t은 1000 kg이야.

6 자료의 정리

단원의 흐름

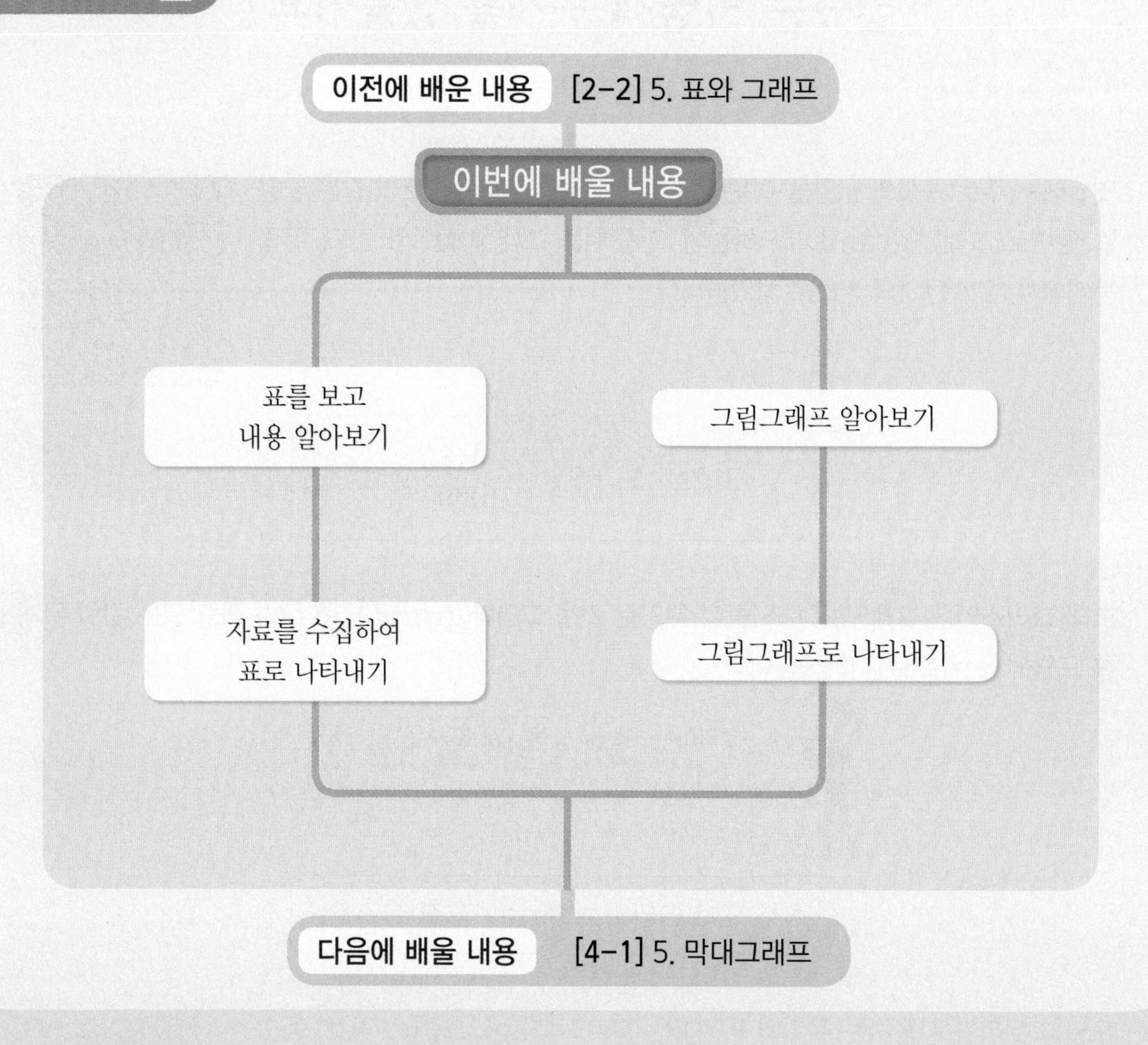

꼭! 알아야 할 대표 유형

- 유형 1 그림그래프를 보고 합 또는 차를 구하는 문제
- 유형 2 모르는 항목의 수를 구하여 그림그래프를 완성하는 문제
- 유형 3 그림그래프의 단위 그림을 다르게 나타내는 문제
- 유형 4 창의·융합형 문제

개념 Summary 교과서 개념 서머리

High Level

✤ 표를 보고 내용 알아보기

(1) 표를 보고 내용 알아보기

좋아하는 동물

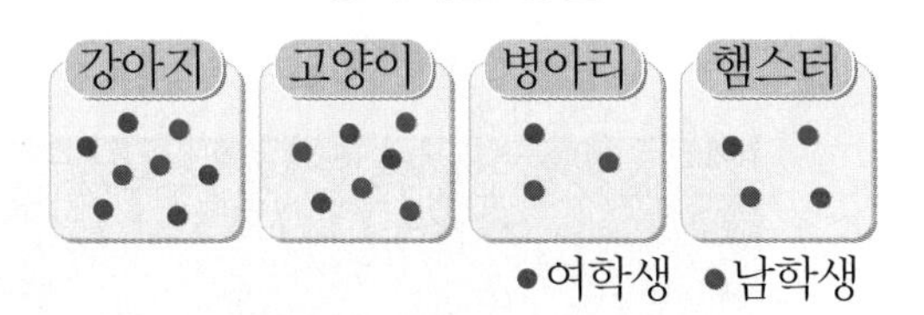

좋아하는 동물별 학생 수

동물	강아지	고양이	병아리	햄스터	합계
학생 수(명)	8	7	3	4	22

- 병아리를 좋아하는 학생은 3명입니다.
- 강아지를 좋아하는 학생 수는 햄스터를 좋아하는 학생 수의 2배입니다. (→ $8 \div 4 = 2$(배))
- 좋아하는 학생 수가 많은 동물부터 차례로 쓰면 강아지, 고양이, 햄스터, 병아리입니다.

(2) 위의 표를 다른 방법으로 나타내기

좋아하는 동물별 남녀 학생 수를 세어 나타내어 봐!

좋아하는 동물별 학생 수

동물	강아지	고양이	병아리	햄스터	합계
여학생 수(명)	5	3	1	2	11
남학생 수(명)	3	4	2	2	11

✤ 자료를 수집하여 표로 나타내기

조사할 내용 정하기 → 자료 수집의 방법을 정하고 자료 수집하기 → 수집한 자료를 정리하여 표로 나타내기

✤ 그림그래프 알아보기

그림그래프: 알고자 하는 수(조사한 수)를 그림으로 나타낸 그래프

좋아하는 과목별 학생 수

과목	학생 수
국어	☻
수학	☻ ☺
과학	☺ ☺ ☺ ☺ ☺ ☺
사회	☺ ☺ ☺

☻ 10명
☺ 1명

- ☻는 10명, ☺는 1명을 나타내는 그림입니다.
- 국어: ☻ 1개로 10명
  수학: ☻ 1개, ☺ 1개로 11명
  과학: ☺ 6개로 6명
  사회: ☺ 3개로 3명
- 가장 많은 학생이 좋아하는 과목: 수학
  가장 적은 학생이 좋아하는 과목: 사회

✤ 그림그래프로 나타내기

좋아하는 과목별 학생 수 → 그린 그림그래프에 알맞은 제목 붙이기

과목	학생 수
국어	☻
수학	☻ ☺
과학	☺ ☺ ☺ ☺ ☺ ☺
사회	☺ ☺ ☺

☻ 10명
☺ 1명

몇 가지의 어떤 그림으로 나타낼 것인지 정하기

조사한 수에 맞도록 그림 그리기

① 항목별로 잘 들어가 있는지
② 학생 수에 맞게 그림을 잘 나타내었는지 확인해요.

1 표를 보고 내용 알아보기

표로 나타내기

종류별 사탕 판매량

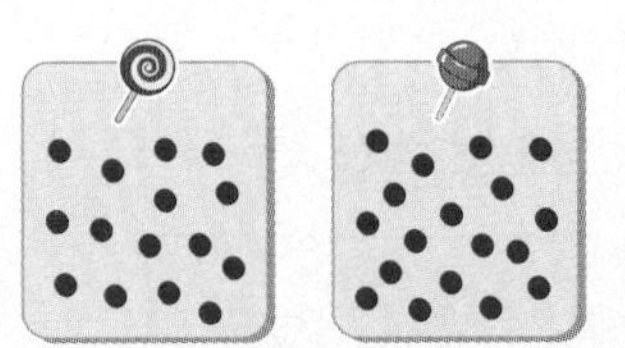

종류별 사탕 판매량

종류				합계
판매량(개)	15	18	25	58

각 항목별 수　　15+18+25

➜ ① 각 항목별 조사한 수를 알아보기 쉽습니다.
② 전체 합계를 알아보기 쉽습니다.

1 개념 플러스 문제

선영이네 반 회장 선거 투표 결과입니다. 표를 완성하고 투표한 학생은 모두 몇 명인지 구하세요.

회장 후보별 투표한 학생 수

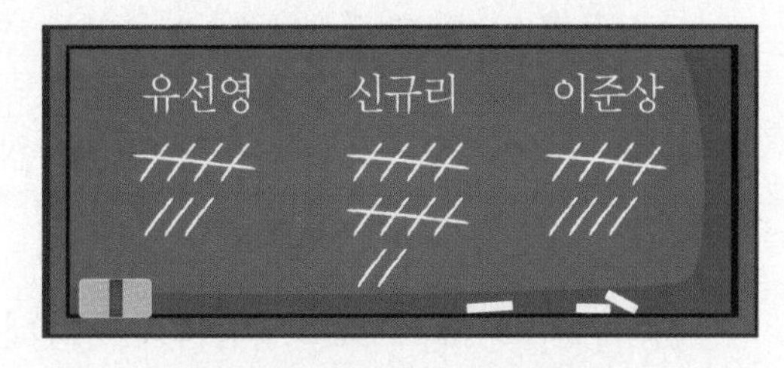

회장 후보별 투표한 학생 수

회장 후보	유선영	신규리	이준상	합계
학생 수(명)				

(　　　　　　　　　　)

2 자료를 수집하여 표로 나타내기

조사한 자료를 표로 나타내어 정리하기
조사한 하나의 자료를 여러 가지 표로 나타내어 볼 수 있습니다.

학생들이 좋아하는 계절

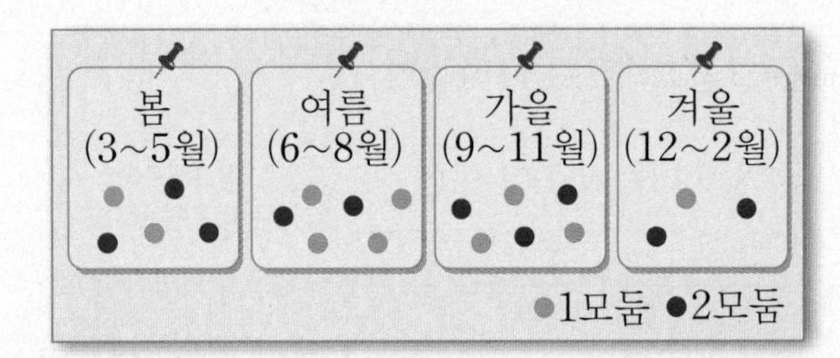

➜ 학생 수를 1모둠과 2모둠으로 나누어서 표로 나타냅니다.

좋아하는 계절별 학생 수

계절	봄	여름	가을	겨울	합계
1모둠(명)	2	4	3	1	10
2모둠(명)	3	2	3	2	10

2 개념 플러스 문제

조사한 내용을 보고 물음에 답하세요.

여행 가고 싶은 나라

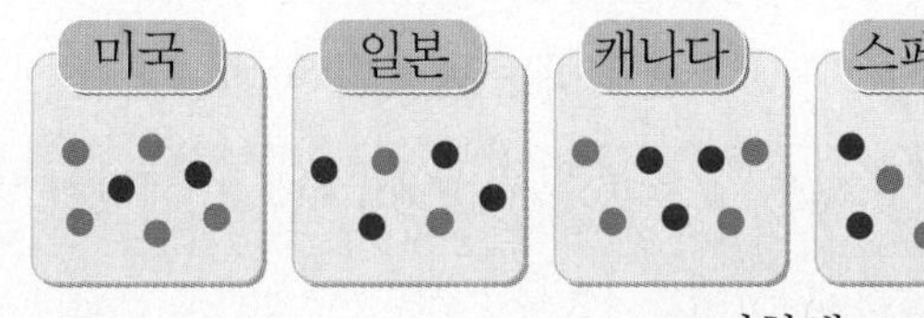

●여학생 ●남학생

여행 가고 싶은 나라별 학생 수

나라	미국	일본	캐나다	스페인	합계
여학생 수(명)	2	4		5	
남학생 수(명)	5		4	3	

(1) 표의 빈칸을 채워 보세요.

(2) 가장 많은 여학생들이 여행 가고 싶은 나라와 가장 많은 남학생들이 여행 가고 싶은 나라를 차례로 쓰세요.

(　　　　　　　　), (　　　　　　　　)

3 그림그래프 알아보기

그림그래프에서 수량의 크기 비교하기

① 큰 그림의 수부터 비교

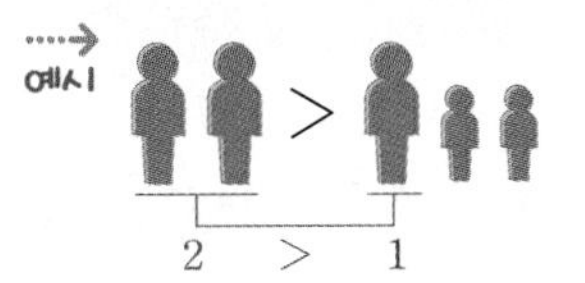

② 큰 그림의 수가 같을 때 작은 그림의 수 비교

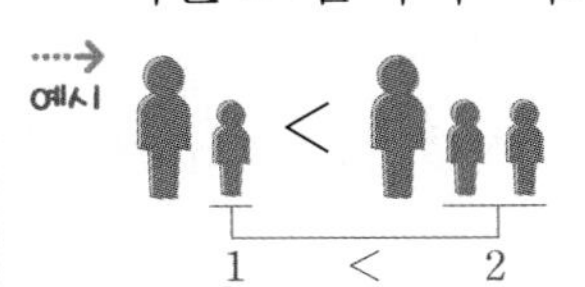

참고 그림의 크기에 따라 단위 수량이 달라집니다.

상위 개념 조사한 자료를 막대 모양으로 나타낸 그래프를 막대그래프라고 합니다.

좋아하는 과목별 학생 수

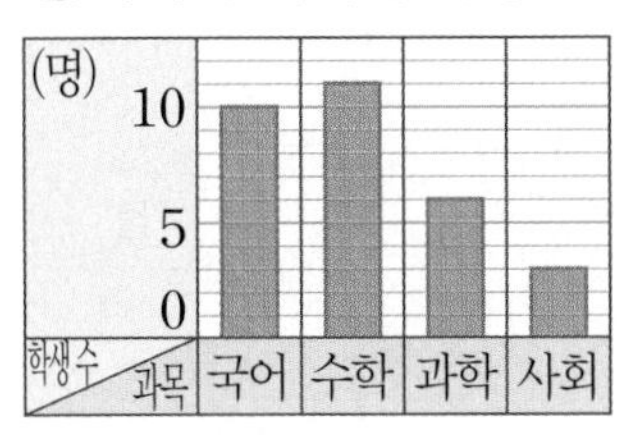

3 개념 플러스 문제

가장 많은 학생이 좋아하는 색깔은 어느 것일까요?

좋아하는 색깔별 학생 수

색깔	학생 수
빨간색	
파란색	
노란색	

10명
1명

(　　　　　　　　　　)

4 그림그래프로 나타내기

표와 그림그래프의 다른 점

표	그림그래프
각각의 자료를 비교하기 불편합니다.	수량의 합계를 알기 어렵습니다.

심화 개념 그림의 단위를 정할 때 수량이 너무 많아 그리기 불편하지 않도록 합니다.

예시 나무 수가 27그루일 때

① 10그루, 1그루로 나타내기
→ (2개, 7개)

② 10그루, 5그루, 1그루로 나타내기
→ (2개, 1개, 2개)

➜ 2개의 단위로 그릴 때보다 그림의 수가 줄어서 더 간단하게 나타낼 수 있습니다.

4 개념 플러스 문제

제과점별 팔린 빵의 수를 조사하여 표와 그림그래프로 나타낸 것입니다. 표와 그림그래프를 완성하세요.

팔린 빵의 수

제과점	촉촉	달콤	별미	맛나	합계
빵의 수(개)	200	120		430	830

팔린 빵의 수

제과점	빵의 수
촉촉	
달콤	◎○○
별미	
맛나	

◎ [　　] 개
○ [　　] 개

STEP 1 하이레벨 입문

High Level

유형 1 표를 보고 내용 알아보기

[1~4] 은수네 반 학생들이 좋아하는 운동별 학생 수를 조사하였습니다. 물음에 답하세요.

좋아하는 운동

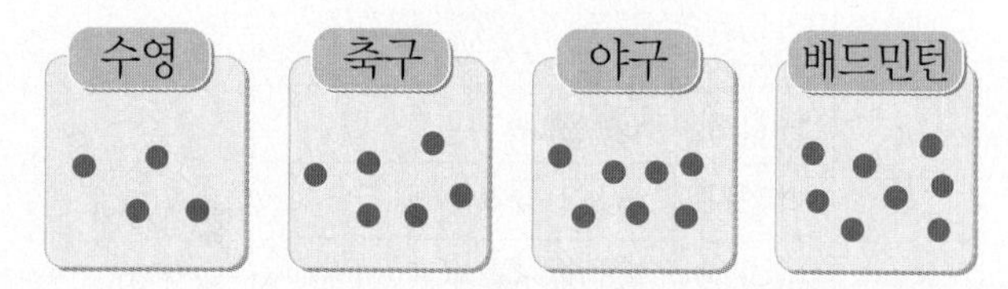

1 조사한 자료를 보고 표로 나타내어 보세요.

좋아하는 운동별 학생 수

운동	수영	축구	야구	배드민턴	합계
학생 수(명)	4				

2 조사한 학생은 모두 몇 명일까요?

( )

3 좋아하는 학생 수가 많은 운동부터 차례로 써넣으세요.

☐, ☐, ☐, 수영

4 배드민턴을 좋아하는 학생 수는 수영을 좋아하는 학생 수의 몇 배일까요?

( )

[5~7] 지후네 반 학생들이 가고 싶은 도시별 학생 수를 조사하였습니다. 물음에 답하세요.

가고 싶은 도시

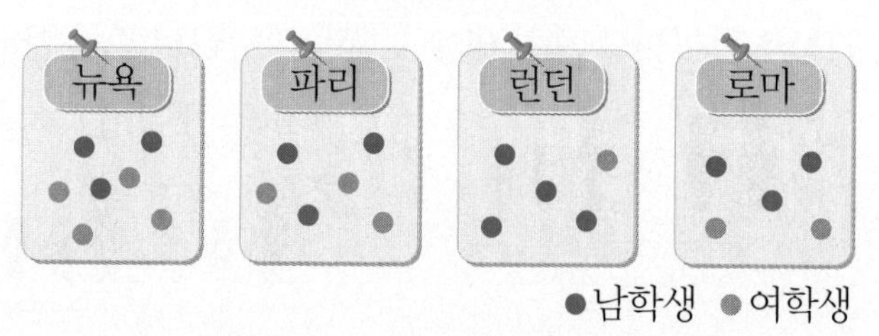

●남학생 ●여학생

5 조사한 자료를 남학생과 여학생으로 나누어 표를 만들었습니다. 표를 완성해 보세요.

가고 싶은 도시별 학생 수

도시	뉴욕	파리	런던	로마	합계
남학생 수(명)					
여학생 수(명)					

6 위 **5**의 표에서 가장 많은 남학생이 가고 싶은 도시는 어디일까요?

( )

7 위 **5**의 표에서 알 수 있는 내용이 아닌 것을 찾아 기호를 쓰세요.

㉠ 파리에 가고 싶은 학생은 여학생 수와 남학생 수가 같습니다.
㉡ 로마에 가고 싶은 학생은 남학생 수보다 여학생 수가 더 많습니다.

( )

유형 2 자료를 수집하여 표로 나타내기

[8~10] 준상이네 반 학생들이 태어난 계절을 조사하였습니다. 물음에 답하세요.

8 관계있는 것끼리 선으로 이어 보세요.

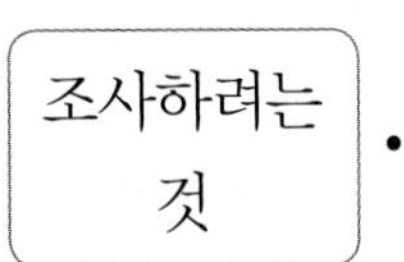

자료 수집 대상 •

• 준상이네 반 학생

• 준상이네 반 학생들이 태어난 계절

9 조사한 결과를 표로 정리하여 나타낼 때 주의할 점이 아닌 것을 찾아 기호를 쓰세요.

㉠ 조사한 항목의 수에 맞게 칸을 나눕니다.
㉡ 조사 내용에 알맞은 제목을 정합니다.
㉢ 가장 많은 학생 수를 합계로 정합니다.

( )

10 조사한 것을 표로 나타내어 보세요.

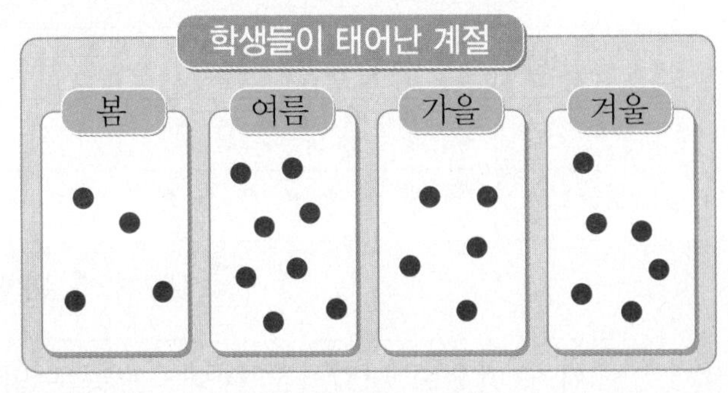

태어난 계절별 학생 수

계절	봄	여름	가을	겨울	합계
학생 수(명)					

[11~13] 일주일 동안 어느 음식점에서 방문한 손님들을 대상으로 좋아하는 음식을 조사한 것입니다. 물음에 답하세요.

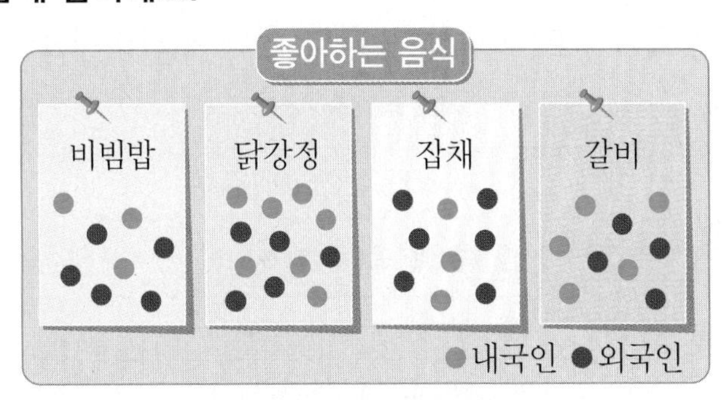

11 자료를 보고 표를 완성해 보세요.

음식	비빔밥	닭강정	잡채	갈비	합계
내국인 수(명)					
외국인 수(명)					

12 내국인과 외국인을 합쳐 가장 많은 사람들이 좋아하는 음식은 무엇일까요?

( )

13 내국인이 가장 좋아하는 음식과 외국인이 가장 좋아하는 음식을 각각 쓰세요.

내국인 ( )
외국인 ( )

6 단원 자료의 정리

유형 3 그림그래프 알아보기

[14~16] 수지네 모둠 학생들이 모은 붙임딱지 수를 그림그래프로 나타내었습니다. 물음에 답하세요.

모은 붙임딱지 수

이름	모은 붙임딱지 수
수지	●●●●•••
은주	●●●•••••
민찬	●●●●●●••
정현	●●•

●10장 •1장

14 그림 ●와 •는 각각 몇 장을 나타낼까요?

● (　　　　　　)
• (　　　　　　)

15 수지와 민찬이가 모은 붙임딱지 수를 각각 쓰세요.

수지 (　　　　　　)
민찬 (　　　　　　)

16 가장 적은 붙임딱지를 모은 학생은 누구이고, 몇 장을 모았을까요?

(　　　　　　), (　　　　　　)

[17~18] 소미네 반 학생들이 모둠별로 하루 동안 마신 우유의 양을 조사하여 나타낸 그림그래프입니다. 물음에 답하세요.

모둠별 하루 동안 마신 우유

모둠	우유의 양
㉮	●•••
㉯	••••
㉰	●•
㉱	•••••

●10 L •1 L

17 우유를 가장 많이 마신 모둠을 구하세요.

(　　　　　　)

18 ㉰ 모둠과 ㉱ 모둠에서 하루 동안 마신 우유의 양의 차는 몇 L일까요?

(　　　　　　)

19 □ 안에 알맞은 날짜를 써넣으세요.

날짜별 아이스크림 판매량

날짜	판매량
6일	●••••••
7일	●●●••••
8일	●•••••••

●100개 •10개

날씨가 더우면 사람들은 아이스크림을 많이 사 먹습니다.
따라서 아이스크림이 가장 많이 팔린 □일에 가장 더웠을 것입니다.

유형 4 그림그래프로 나타내기

[20~21] 마을별 편의점 수를 조사하여 나타낸 표입니다. 물음에 답하세요.

마을별 편의점 수

마을	가	나	다	라	합계
편의점 수(개)	14	9		22	50

20 다 마을의 편의점은 몇 개일까요?

( )

21 표를 보고 그림그래프를 완성하세요.

마을별 편의점 수

마을	편의점 수
가	◎○○○○
나	
다	
라	

◎10개 ○1개

22 마을별 심은 나무 수를 조사하여 나타낸 그림그래프입니다. 나무 수를 100그루, 10그루로 2가지로 정해 그림그래프를 다시 나타낼 때 로 나타내어야 할 그림의 수가 가장 많은 마을을 쓰세요.

마을별 심은 나무 수

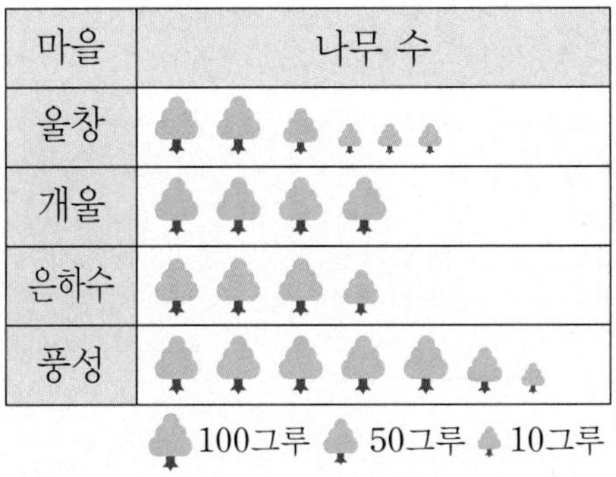

마을	나무 수
울창	(100그루 2개, 50그루 1개, 10그루 3개)
개울	(100그루 2개, 50그루 2개)
은하수	(100그루 2개, 50그루 1개, 10그루 1개)
풍성	(100그루 2개, 50그루 3개, 10그루 2개)

100그루 50그루 10그루

( )

[23~24] 민우네 학교 3학년 학생들이 반별로 모은 책의 수를 조사하여 나타낸 표입니다. 물음에 답하세요.

반별로 모은 책의 수

반	1	2	3	4	합계
책의 수(권)	40	33	26	18	117

23 위 표를 보고 나타낸 그림그래프입니다. 그림그래프에서 잘못된 부분을 말한 사람은 누구일까요?

반별로 모은 책의 수

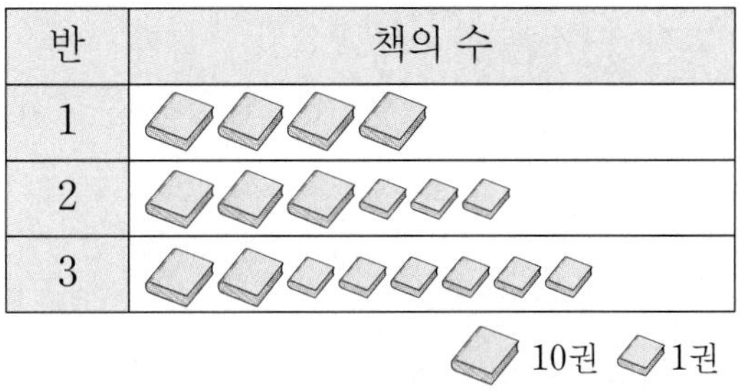

반	책의 수
1	(10권 4개)
2	(10권 3개, 1권 3개)
3	(10권 2개, 1권 6개)

10권 1권

민우: 그림그래프에 4반이 없어!
애라: 1반의 10권과 1권 그림이 바뀌었어.

( )

24 그림그래프를 바르게 완성하세요.

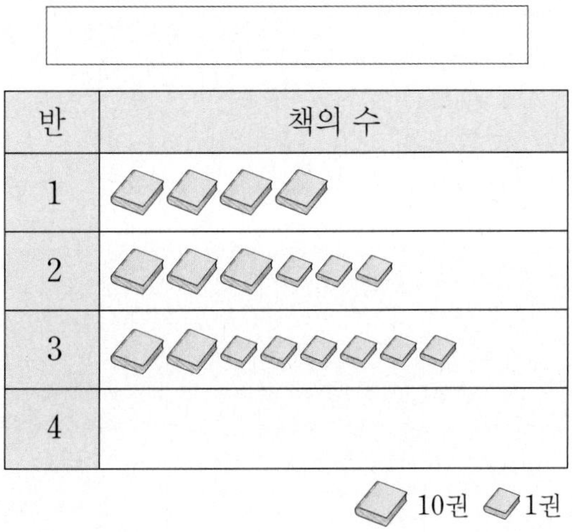

반	책의 수
1	(10권 4개)
2	(10권 3개, 1권 3개)
3	(10권 2개, 1권 6개)
4	

10권 1권

6 단원 자료의 정리

하이레벨 탐구

High Level

대표 유형 1 그림그래프를 보고 합 또는 차를 구하는 문제

오른쪽은 혜리네 반 학생들이 좋아하는 겨울 스포츠를 조사하여 나타낸 그림그래프입니다. 가장 많은 학생이 좋아하는 겨울 스포츠와 가장 적은 학생이 좋아하는 겨울 스포츠의 학생 수의 합을 구하세요.

좋아하는 겨울 스포츠별 학생 수

겨울 스포츠	학생 수
스케이트	☻☻
스키	☻☺☺☺☺☺☺
스노보드	☻☺☺
눈썰매	☺☺☺☺☺☺☺

☻ 10명
☺ 1명

문제해결 Key

큰 그림의 수를 비교
↓
작은 그림의 수를 비교

(1) 가장 많은 학생이 좋아하는 겨울 스포츠는 무엇이고, 몇 명인지 차례로 쓰세요.

( ), ( )

(2) 가장 적은 학생이 좋아하는 겨울 스포츠는 무엇이고, 몇 명인지 차례로 쓰세요.

( ), ( )

(3) 위 (1)과 (2)에서 구한 학생 수의 합은 몇 명인지 구하세요.

( )

체크 1-1

한주네 반 학생들이 좋아하는 과일을 조사하여 나타낸 그림그래프입니다. 가장 많은 학생이 좋아하는 과일과 두 번째로 적은 학생이 좋아하는 과일의 학생 수의 합은 몇 명인지 구하세요.

좋아하는 과일별 학생 수

과일	학생 수
사과	☻☺☺☺☺☺☺
귤	☻☻☺☺☺☺☺☺
딸기	☻☺☺
포도	☺☺☺

☻ 10명 ☺ 1명

( )

대표 유형 2 모르는 항목의 수를 구하여 그림그래프를 완성하는 문제

오른쪽은 각 대리점별 휴대폰 판매량을 조사하여 나타낸 그림그래프입니다. 전체 휴대폰 판매량이 1260대일 때, 오른쪽 그림그래프를 완성하세요.

휴대폰 판매량

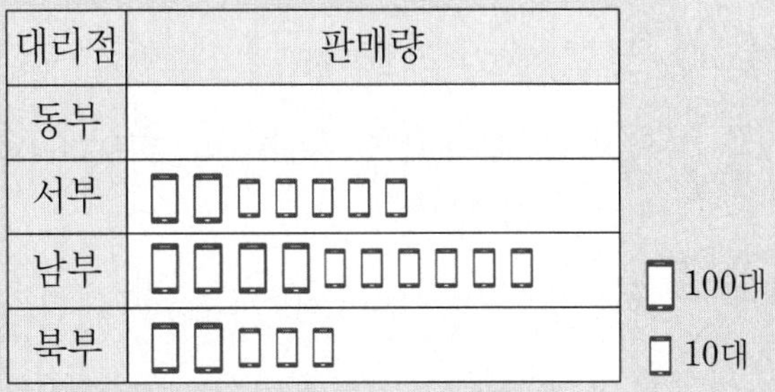
대리점
판매량
동부
서부
남부
북부
100대
10대

문제해결 Key

(전체 휴대폰 판매량)
=(동부)+(서부)
+(남부)+(북부)

(1) 서부, 남부, 북부 대리점의 휴대폰 판매량은 각각 몇 대인지 차례로 쓰세요.

( ), ( ), ( )

(2) 동부 대리점의 휴대폰 판매량은 몇 대인지 구하세요.

( )

(3) 위 그림그래프를 완성하세요.

6 단원 자료의 정리

체크 2-1 성빈이네 학교 3학년 학생들이 좋아하는 간식별 학생 수를 조사하여 나타낸 그림그래프입니다. 좋아하는 간식이 햄버거인 학생 수는 과자인 학생 수보다 10명 더 많습니다. 조사한 학생이 105명일 때, 그림그래프를 그리는 풀이 과정을 쓰고 그림그래프를 완성하세요. 5점

좋아하는 간식별 학생 수

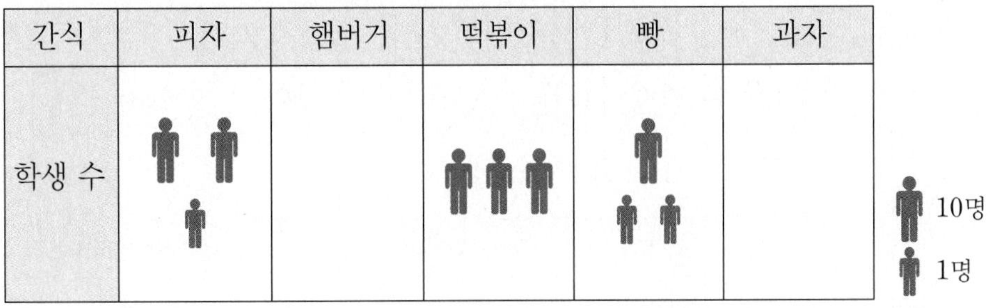
간식
피자
햄버거
떡볶이
빵
과자
학생 수
10명
1명

풀이

대표 유형 3 그림그래프의 단위 그림을 다르게 나타내는 문제

유빈이네 학교 학생들이 주말에 가고 싶은 장소를 조사하여 나타낸 표와 그림그래프입니다. 나타낸 그림그래프를 보고 10명, 5명, 1명 단위로 하여 박물관과 운동 경기장에 가고 싶은 학생 수를 나타내어 보세요.

가고 싶은 장소별 학생 수

장소	놀이공원	박물관	운동 경기장	영화관	합계
학생 수(명)	54	28	15	43	140

가고 싶은 장소별 학생 수

장소	학생 수
놀이공원	◎◎◎◎◎○○○○
박물관	
운동 경기장	
영화관	◎◎◎◎○○○

◎10명 ○1명

문제해결 Key

그림을 2가지 방법으로 나타내기

방법 1: ◎ 10명 ○ 1명

↓

방법 2: ◎ 10명, △ 5명, ○ 1명

(1) 조사한 표를 보고 ◎는 10명, ○는 1명으로 나타내려고 합니다. 그림그래프를 완성하세요.

(2) 조사한 표를 보고 ◎는 10명, △는 5명, ○는 1명으로 나타내려고 합니다. 박물관과 운동 경기장에 가고 싶은 학생 수를 그림으로 나타내어 보세요.

박물관 ☐, 운동 경기장 ☐

체크 3-1 지안이네 학교 3학년 학생들이 가입한 동아리별 학생 수를 조사하여 나타낸 표와 그림그래프입니다. 두 개의 그림그래프를 완성하세요.

가입 동아리별 학생 수

동아리	게임	합주	합창	댄스	합계
학생 수(명)	25	12	40	28	105

가입 동아리별 학생 수

동아리	학생 수
게임	
합주	
합창	
댄스	

◎10명 ○1명

가입 동아리별 학생 수

동아리	학생 수
게임	
합주	
합창	
댄스	

◎10명 ●5명 ○1명

대표 유형 4 창의 · 융합형 문제

동계올림픽에서 역대 대회별로 획득한 메달 수를 나타낸 신문 기사와 그림그래프입니다. 2018년과 2010년에 획득한 메달 수의 차를 구하세요.

○○스포츠

2018년 동계올림픽 개최 성공적으로 마쳐……

2014년은 2010년보다 메달 수가 6개 적은 다소 부진한 성적을 보였으나 2018년 동계올림픽 메달 수는 2014년보다 9개 늘어난 17개로 집계되었습니다. 하지만 성적보다는 올림픽 참가와 그 과정의 노력에 의미를 두는 올림픽 정신을 다시 한 번 되새겨 봐야겠습니다.

역대 대회별 우리나라 메달 수

연도	메달 수
2006년	● ●
2010년	
2014년	
2018년	● ▲ ● ●

● 10개 ▲ 5개 ● 1개

문제해결 Key

기사를 보고 2014년과 2010년의 메달 수를 유추할 수 있습니다.

(1) 2014년에 획득한 메달 수는 몇 개일까요?

(　　　　　)

(2) 2010년에 획득한 메달 수는 몇 개일까요?

(　　　　　)

(3) 2018년과 2010년에 획득한 메달 수의 차를 구하세요.

(　　　　　)

체크 4-1

최고 초등학교 학생 135명이 전통놀이를 하였습니다. 술래잡기를 한 학생은 말타기를 한 학생보다 15명 더 많을 때, 가장 많은 학생들이 한 전통놀이와 가장 적은 학생들이 한 전통놀이의 학생 수의 차는 몇 명일까요?

전통놀이별 학생 수

전통놀이	학생 수
술래잡기	
고무줄놀이	☺ ☺ ☺ ☺ ☺ ☺
말뚝박기	☺ ☺ ☺ ☺ ☺
말타기	

☺ 10명 ☺ 5명 ☺ 1명

(　　　　　)

STEP 2 # 하이레벨 탐구 플러스

High Level

1 상우네 반 학생들이 좋아하는 색깔을 조사하여 나타낸 그림그래프입니다. 가장 많은 학생들이 좋아하는 색깔과 두 번째로 적은 학생들이 좋아하는 색깔의 학생 수의 차를 구하세요.

◀ 가장 많은 항목과 두 번째로 적은 항목 수의 차를 구하는 문제

좋아하는 색깔별 학생 수

색깔	학생 수
빨간색	
주황색	
노란색	
초록색	
보라색	

10명
1명

( )

2 마을별 약국 수를 조사하여 나타낸 표입니다. 가 마을의 약국 수는 라 마을의 약국 수의 몇 배일까요?

◀ 표를 보고 몇 배인지 구하는 문제

마을별 약국 수

마을	가	나	다	라	합계
약국 수(개)	15	24	19		63

( )

3 마을별 기르는 소의 수를 조사하여 나타낸 그림그래프입니다. 네 마을의 소의 수가 모두 700마리일 때, 희망 마을에서 기르는 소는 몇 마리일까요?

◀ 합계를 이용하여 모르는 항목의 수를 구하는 문제

마을별 기르는 소의 수

마을	소의 수
튼튼	
희망	
소망	
다함	

100마리
10마리

( )

4 유라네 학교 3학년 학생들이 가고 싶은 산을 조사하여 나타낸 표와 그림그래프입니다. 표와 그림그래프를 각각 완성하세요.

◀ 표와 그림그래프를 완성하는 문제

가고 싶은 산별 학생 수

산	한라산	설악산	지리산	금강산	합계
학생 수(명)	15				70

가고 싶은 산별 학생 수

산	학생 수
한라산	
설악산	
지리산	◎ ○ ○
금강산	◎ ◎ ○ ○ ○

◎ 10명
○ 1명

5 학생들이 모은 클립 수를 조사하여 나타낸 그림그래프입니다. 학생들이 모은 클립은 모두 87개이고, 윤하가 모은 클립 수는 준수가 모은 클립 수의 2배라고 할 때, 윤하가 모은 클립은 몇 개일까요?

◀ 문제의 조건을 이용하여 모르는 항목의 수를 구하는 문제

학생들이 모은 클립 수

이름	우진	준수	재준	윤하
클립 수				

10개 1개

( )

6 어느 아파트의 동별 가구 수를 조사하여 나타낸 그림그래프입니다. 한 가구당 쓰레기 봉투를 5장씩 준다면 쓰레기 봉투를 모두 몇 장 준비해야 할까요?

◀ 그림그래프를 이용하여 필요한 개수를 구하는 문제

동별 가구 수

동	가구 수
1	
2	
3	
4	

10가구 1가구

( )

6 단원

자료의 정리

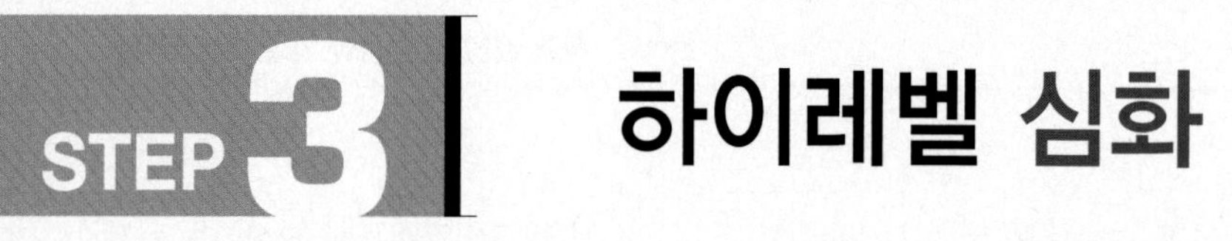

1 영훈이네 반 학생 27명이 좋아하는 타악기를 한 가지씩 조사하여 나타낸 그림그래프입니다. 실로폰을 좋아하는 학생이 북을 좋아하는 학생보다 많았고, 악기별로 좋아하는 학생 수가 서로 달랐습니다. 실로폰을 좋아하는 학생은 몇 명일까요?

풀이

좋아하는 타악기별 학생 수

타악기	심벌즈	북	캐스터네츠	실로폰	트라이앵글	탬버린
학생 수	◉ •••		•••		◉	••••

◉ 5명 • 1명

(　　　　　　　　)

2 수지네 반 학생 30명이 좋아하는 색깔을 1가지씩 조사한 자료와 표입니다. 조사한 자료의 일부분이 찢어져 보이지 않습니다. 파란색을 좋아하는 학생 수와 초록색을 좋아하는 학생 수가 같다고 할 때, ㉠에 알맞은 수를 구하세요.

풀이

학생들이 좋아하는 색깔

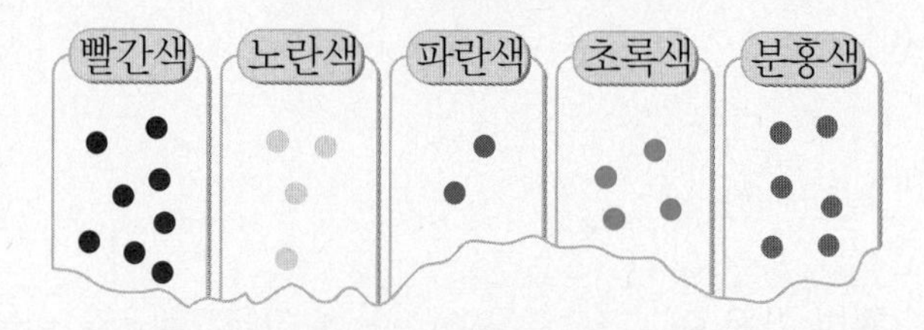

좋아하는 색깔별 학생 수

색깔	빨간색	노란색	파란색	초록색	분홍색	합계
학생 수(명)	10		㉠		8	30

(　　　　　　　　)

3 오른쪽은 마을별 수박 생산량을 조사하여 나타낸 그림그래프입니다. 수박 생산량은 나 마을이 30개, 다 마을이 21개일 때, 생산량이 가장 많은 마을의 수박 생산량은 몇 개일까요?

마을별 수박 생산량

마을	생산량
가	
나	
다	
라	

□개 □개

(　　　　　　)

풀이

4 어느 마을의 문구점별로 판 장난감 수를 조사하여 나타낸 그림그래프입니다. 전체 문구점에서 모두 110개를 팔았을 때, 판 장난감의 수가 가장 많은 문구점과 가장 적은 문구점의 장난감 수의 차는 몇 개일까요? (단, 명랑 문구점에서 판 장난감은 24개입니다.)

문구점별 판 장난감 수

문구점	바른	명랑	아름	기쁨	태양
판 장난감 수					

□개 □개

(　　　　　　)

풀이

5 어느 지역의 소아과별 영유아 수를 조사하여 나타낸 그림그래프입니다. 다음 조건을 만족하는 그림그래프를 완성하세요.

- (전체 영유아 수)=72명
- (다 소아과의 영유아 수)+6=(나 소아과의 영유아 수)

소아과별 영유아 수

소아과	가	나	다	라
영유아 수	◎ ○○○ ○○○			◎

◎10명 ○1명

풀이

6 단원 자료의 정리

6 마을별 고등어 섭취량을 조사하여 나타낸 그림그래프입니다. 고등어 한 손은 2마리와 같다는 것을 이용하여 큰 그림을 10손, 작은 그림을 1손으로 하여 다시 그리려고 합니다. 다 마을의 고등어 섭취량은 큰 그림 몇 개, 작은 그림 몇 개로 나타내야 할까요?

고등어 섭취량

마을	섭취량
가	
나	
다	
라	

5마리
1마리

큰 그림 (　　　　　　　　), 작은 그림 (　　　　　　　)

풀이

7 마을별 초등학생 수를 조사하여 나타낸 표와 그림그래프입니다. ㉰ 마을의 학생 수가 ㉲ 마을의 학생 수의 $\frac{3}{5}$일 때, 강을 중심으로 서쪽과 동쪽의 초등학생 수가 같아지도록 하려고 합니다. 어느 쪽 마을 초등학생 몇 명이 반대쪽 마을로 이사를 가면 될지 구하세요.

마을별 초등학생 수

마을	㉮	㉯	㉰	㉱	㉲	합계
학생 수(명)	20	28		12		100

마을별 초등학생 수

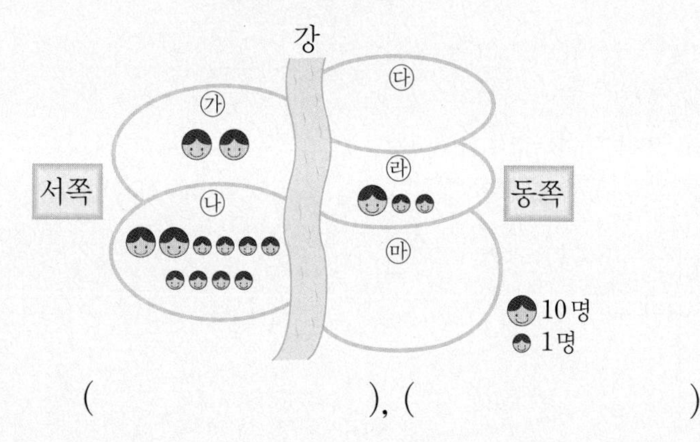

(　　　　　　　　), (　　　　　　　　)

풀이

8 어느 초등학교 학생 100명이 한 민속놀이를 조사하여 나타낸 그림그래프입니다. 공기놀이를 한 학생은 윷놀이를 한 학생보다 12명 더 많을 때, 가장 많은 학생들이 한 민속놀이와 가장 적은 학생들이 한 민속놀이의 학생 수의 차는 몇 명일까요?

민속놀이별 학생 수

민속놀이	학생 수
공기놀이	
투호놀이	☺(10명) ☺(10명) ☺(10명) ☺(1명) ☺(1명)
제기차기	☺(10명) ☺(10명) ☺(5명) ☺(1명)
윷놀이	

☺10명 ☺5명 ☺1명

( )

풀이

9 마을별 닭의 수를 조사하여 나타낸 그림그래프입니다. 도로의 남쪽에 있는 마을의 닭의 수가 북쪽에 있는 마을의 닭의 수보다 20마리 더 적고, 나 마을 닭의 수는 가 마을 닭의 수의 $\frac{2}{3}$입니다. 그림그래프를 완성하세요.

마을별 닭의 수

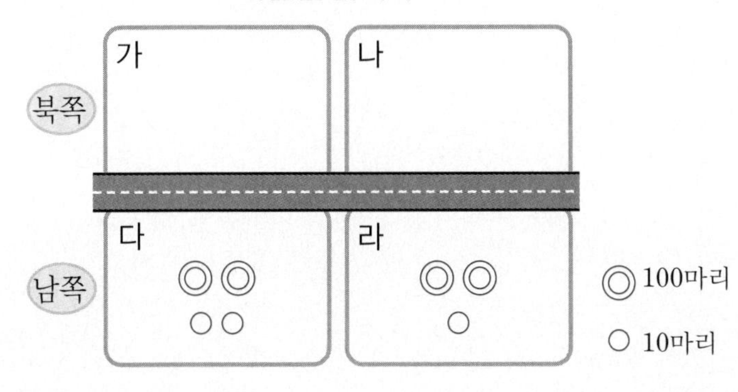

풀이

6 단원 자료의 정리

10 서윤이네 모둠 학생들이 가지고 있는 지우개의 수를 조사하여 나타낸 그림그래프입니다. 5명이 가지고 있는 지우개가 모두 53개일 때, ㉠과 ㉡에 알맞은 자연수의 곱을 구하세요. (단, ㉠이 ㉡보다 큽니다.)

지우개의 수

이름	지우개의 수
서윤	 큰 그림 1개, 작은 그림 2개
준혁	 큰 그림 2개, 작은 그림 2개
수아	 큰 그림 1개, 작은 그림 1개
연우	 큰 그림 2개, 작은 그림 1개
채민	 큰 그림 1개, 작은 그림 3개

큰 그림 ㉠개
작은 그림 ㉡개

(　　　　　　　　)

풀이

경시문제 유형

11 종현이가 주사위를 던져서 나온 눈의 수만큼 말이 움직이는 게임을 하고 결과를 정리한 표와 그림그래프입니다. 주사위를 모두 27번 던져서 게임판 위의 말이 100칸을 움직였을 때 5의 눈은 몇 번 나왔는지 구하세요.

눈별 나온 횟수

눈	1	2	3	4	5	6
횟수(회)	5			4		

눈별 나온 횟수

눈	횟수
1	
2	
3	 큰 그림 1개, 작은 그림 1개
4	
5	
6	작은 그림 4개

큰 그림 5번
작은 그림 1번

(　　　　　　　　)

풀이

브레인스토밍

1 마을별 학생 수를 조사하여 나타낸 표와 그림그래프입니다. 그림그래프에서 그림 (큰 그림)과 (작은 그림)은 각각 몇 명을 나타내는지 구하세요.

마을별 학생 수

마을	땅끝	바람	소리	합계
남학생 수(명)	24	9	12	45
여학생 수(명)	18	27	21	66

마을별 학생 수

마을	학생 수
땅끝	큰 그림 7개
바람	큰 그림 6개
소리	큰 그림 4개, 작은 그림 3개

(큰 그림) □명
(작은 그림) □명

풀이

답 (큰 그림): ______, (작은 그림): ______

경시대회 본선 기출문제

2 지수네 학교 학생 259명이 좋아하는 음료수를 종류별로 조사하여 나타낸 그림그래프의 일부분입니다. 가려진 부분의 학생 수 중 $\frac{1}{3}$은 주스를 좋아하고, 3명은 우유, 4명은 콜라, 나머지는 사이다를 좋아합니다. 지수네 학교 학생 중 사이다를 좋아하는 학생은 모두 몇 명인지 구하세요.

좋아하는 음료수별 학생 수

음료수	학생 수
우유	큰 그림 5개, 작은 그림 6개 (일부 가려짐)
주스	큰 그림 4개, 작은 그림 2개 (일부 가려짐)
콜라	큰 그림 4개, 작은 그림 5개 (일부 가려짐)
사이다	큰 그림 6개, 작은 그림 4개 (일부 가려짐)
이온 음료	큰 그림 2개, 작은 그림 4개
요구르트	큰 그림 1개, 작은 그림 3개

(큰 그림) 10명
(작은 그림) 1명

풀이

답 ______

3 3학년 학생들이 좋아하는 동물을 조사하여 나타낸 그림그래프입니다. 사자를 좋아하는 학생이 28명일 때, 조사한 3학년 학생은 모두 몇 명인지 구하세요.

좋아하는 동물별 학생 수

동물	학생 수
사자	
호랑이	
기린	
얼룩말	

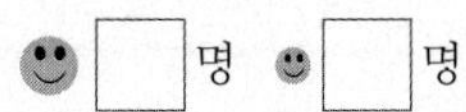

풀이

답 ____________

4 현정이와 친구들이 가지고 있는 사탕의 수를 조사하여 나타낸 그림그래프입니다. 전체 사탕을 한 봉지에 8개씩 담으면 15봉지가 되고, 4개가 남습니다. 성미가 가지고 있는 막대사탕이 알사탕보다 5개 더 많다고 할 때, 성미가 가지고 있는 알사탕과 막대사탕은 각각 몇 개인지 차례대로 구하세요.

가지고 있는 알사탕 수

이름	알사탕 수
현정	
성미	
진수	

10개 1개

가지고 있는 막대사탕 수

이름	막대사탕 수
현정	
성미	
진수	

10개 1개

풀이

답 ____________

하이레벨

생각의 힘

High Level

자료들을 보기 좋게 정리할까요?

예를 들어, 일주일간 동물원에 다녀간 어린이들이 몇 명인지 조사했다고 해 볼까요?
월요일은 30명, 화요일은 29명……, 일요일은 100명,
이렇게 글로 나열하면 자료를 확인하기 힘들지만 자료를 표나 그래프를 통해서 보기 편하게 만들 수 있답니다. 실제 생활에서는 어떤 그래프가 많이 쓰일까요? 다양한 그래프를 만나 봅시다.

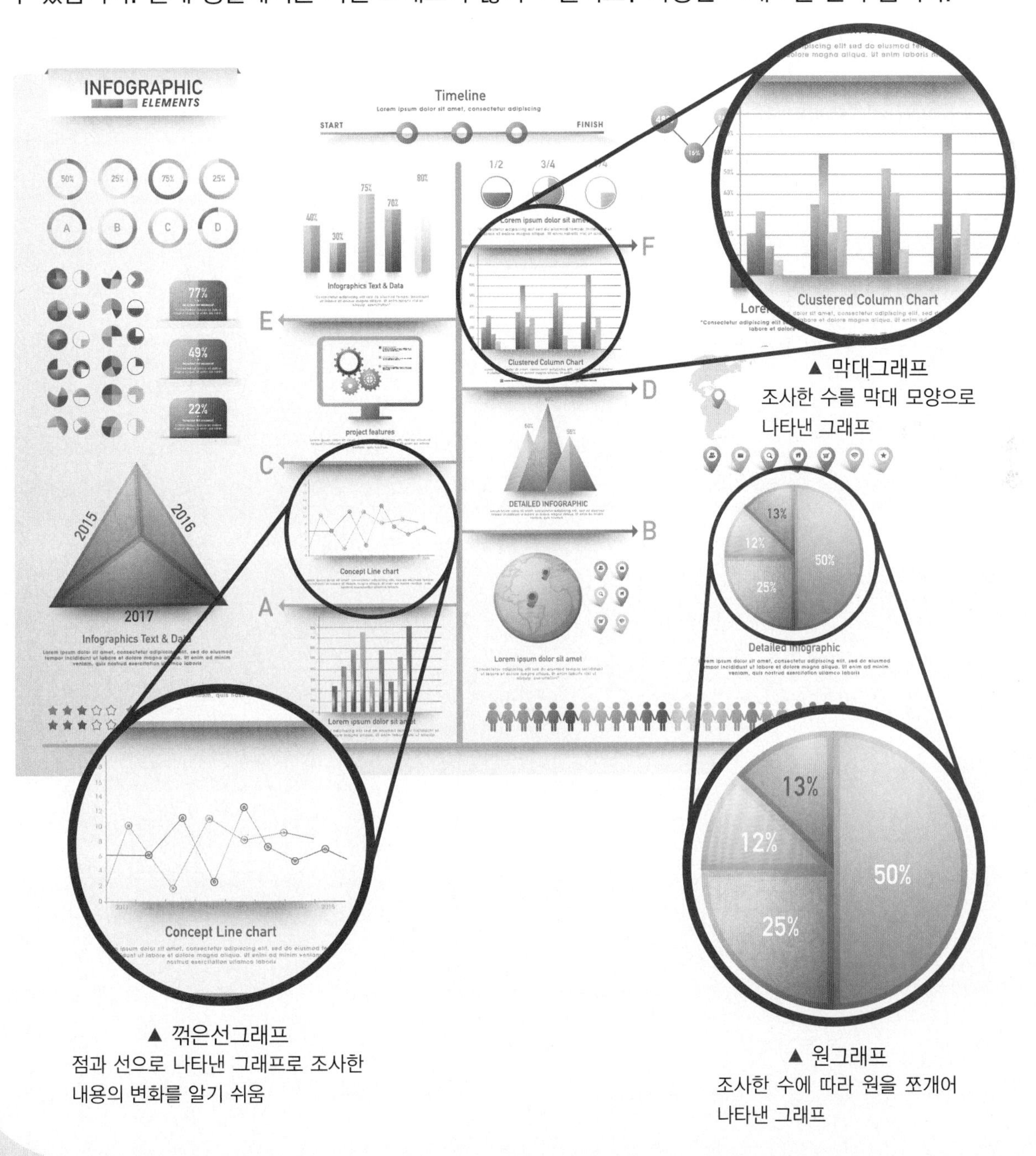

▲ 막대그래프
조사한 수를 막대 모양으로
나타낸 그래프

▲ 꺾은선그래프
점과 선으로 나타낸 그래프로 조사한
내용의 변화를 알기 쉬움

▲ 원그래프
조사한 수에 따라 원을 쪼개어
나타낸 그래프

MEMO

강의전문

천재교육 초등 교재

월간 교재	
	해법수학 (1~6학년)
	월간 우등생평가 (1~6학년)

수학 교재	
	수학 리더 시리즈 개념 수학 리더 (1~6학년) 기본 수학 리더 (1~6학년) 응용 수학 리더 (1~6학년)
	수학의 힘 시리즈 알파 수학의 힘 [실력] (3~6학년) 베타 수학의 힘 [유형격파] (1~6학년) 감마 수학의 힘 [최상위] (3~6학년)
	짤강수학 (3~6학년, 학년용) 계산박사 (1~12단계)

전과목 교재	
	리더 시리즈 국어 (1~6학년, 학기용) 사회, 과학 (3~6학년, 학기용)

논술 · 한자 교재	
	초등 YES 논술 (1~6학년, 총 24권)
	한자능력검정시험 NEW 자격증 한번에 따기 (8급~5급, 총 7권 / 4급~3급, 총 2권)

시험대비 교재	
	해법수학 단원마스터 신간 (1~6학년)
	HME 수학 학력평가 문제집 (1~6학년, 상·하반기용)
	전과목 올백 기출문제 (1학기: 2~6학년 / 2학기: 1~6학년)
	천재 반편성 배치고사 기출 & 모의고사 (초등 6학년, 총 1권)

영어 교재	
	READ ME Yellow (총 3권) / Red (총 3권)
	Listening Pop (Level 1~3, 총 3권)
	Grammar, ZAP! (총 10권)
	Grammar tab (총 2권)
	Let's Go to the English World! (총 21권) Conversation / Phonics
	천재 800 단어장 (총 1권)

천재교육

정답 및 풀이

3-2
초등수학

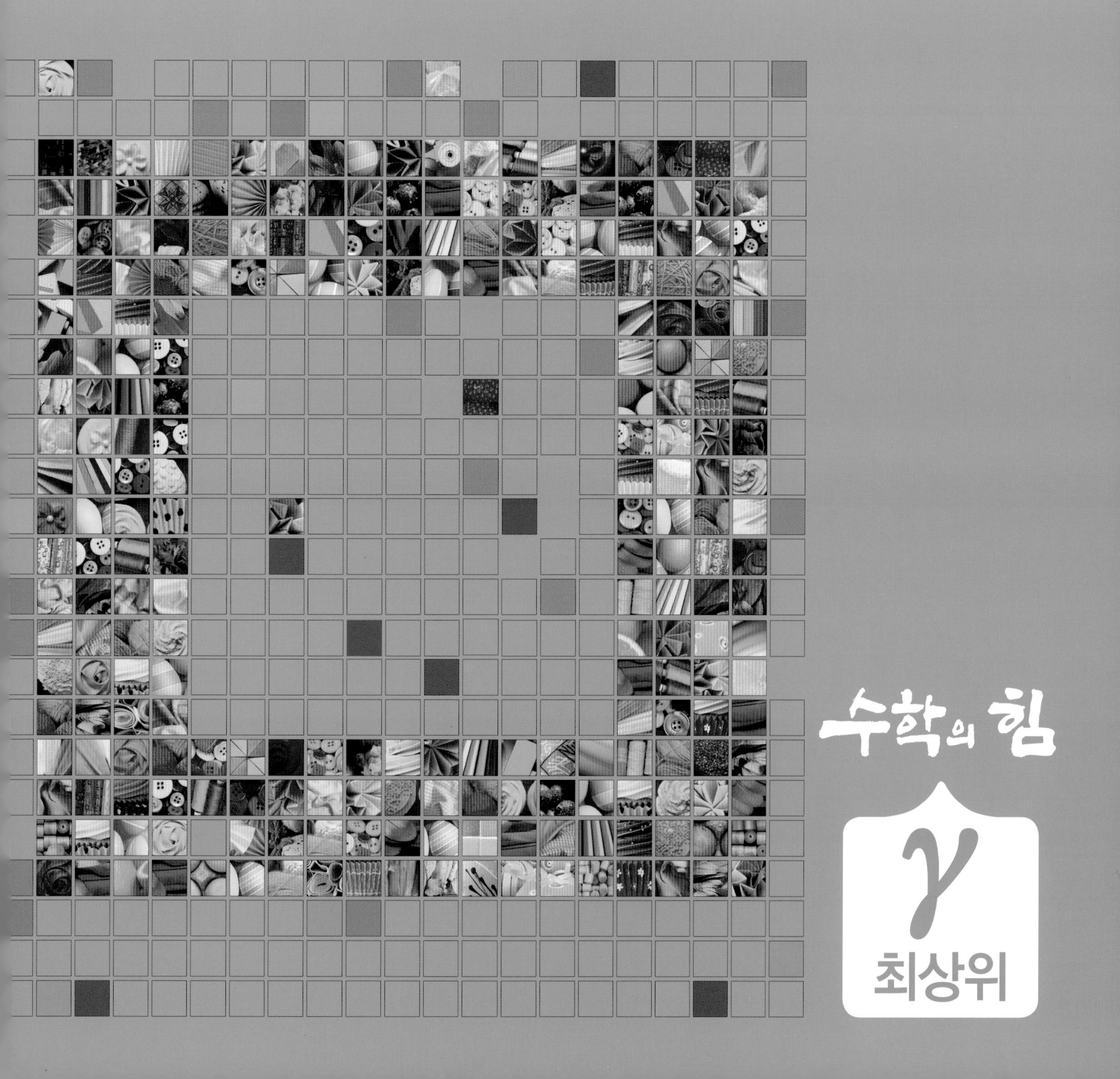

용기를 주는 한마디

포기하는 사람보다 더 나쁜 사람은 시작하길 두려워하는 사람이다.

얼 나이팅게일(Earl Nightingale)

포기해도 괜찮습니다.
정말 열심히 노력해도 잘 안 될 수 있으니까요.
대신 언제든 다시 시작할 수 있죠?
겁내지 않고
도전하는 우리 친구를 언제나 응원할게요.

빠른 정답

1 곱셈

6~7쪽 Plus 개념 하이레벨 개념

❶ 248
❷ 375개
❸ 90, 70, 6300 또는 70, 90, 6300
❹ 7
❺ ㉡
❻ (1) 42, 28, 42
(2) 1218

8~11쪽 STEP 1 하이레벨 입문

1 (1) 246
(2) 1239
2 2166
3

$$\begin{array}{r} {\scriptstyle 2} \\ 2\,1\,6 \\ \times \quad\;\, 4 \\ \hline 8\,6\,4 \end{array}$$

4 2608
5

6 114×2=228, 228개
7 789×4 / 예 3200, 3156
8 <
9 256×3=768, 768명
10 5
11 113×5=565, 565개
12 3600
13 3680, 5200
14 ㉡
15 510장
16 112
17

$$\begin{array}{r} 9 \\ \times\;2\,4 \\ \hline 3\,6 \\ 1\,8\,0 \\ \hline 2\,1\,6 \end{array}$$

18 <
19 7×25=175, 175명
20 10, 3 / 260, 78 / 338
21 728
22 1794
23 120
24

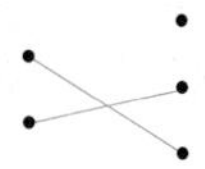

25 25×16에 색칠
26 25×18=450, 450송이
27 ㉠
28 25×21=525, 525쪽
29 175개

12~19쪽 STEP 2 하이레벨 탐구

대표 유형 1 (1) 948
(2) 947
체크 1-1 891
체크 1-2 풀이 참고, 401
대표 유형 2 (1) 690원
(2) 310원
체크 2-1 25명
체크 2-2 풀이 참고, 360개
대표 유형 3 (1) 예 □+40=85
(2) 45
(3) 1800
체크 3-1 720
체크 3-2 4740
대표 유형 4 (1) 390 kcal
(2) 288 kcal
(3) 678 kcal
체크 4-1 645 kcal
대표 유형 5 (1) 8일
(2) 656번
체크 5-1 72 km
체크 5-2 506개
대표 유형 6 (1) 180 cm
(2) 11, 11, 33
(3) 147 cm
체크 6-1 502 cm
체크 6-2 202 cm
대표 유형 7 (1) 7 (2) 7, 5, 2, 2400 / 7, 2, 5, 2520 (3) 7, 2, 5 / 2520
체크 7-1 8, 3, 6 / 2158
체크 7-2 4, 5, 9 / 2655
대표 유형 8 (1) 36, 5, 6
(2) 5, 2775, 6, 3996 (3) 5
체크 8-1 6
체크 8-2 2, 3

20~21쪽 STEP 2 하이레벨 탐구 플러스

1 173
2 553마리
3 340 cm
4 4830
5 770 cm
6 2400개

22~26쪽 STEP 3 하이레벨 심화

1 ㉮, ㉯, ㉰
2 3개
3 1365
4 290 cm
5 26, 27
6 5 km 420 m
7 8, 2, 6, 5 또는 6, 5, 8, 2 / 5330
8 4626
9 263, 6
10 399
11 638
12 617개
13 460 km
14 2139

27~28쪽 토론 발표 브레인스토밍

❶ 2507 cm
❷ 3626 cm
❸ 4054 cm
❹ 18

빠른 정답

2 나눗셈

32~33쪽 Plus 개념 하이레벨 개념

❶ (1) 15 (2) 16
❷ ⑤
❸ 11개
❹ 75
❺ ㉡
❻ 71

34~37쪽 STEP 1 하이레벨 입문

1 (선 잇기)

2 은주

3 70÷5=14, 14 m

4 <

5 10명

6
```
   21
3)65
  6
   5
   3
   2
```
/ 21, 63 / 63, 2, 65

7 42

8 ㉡

9
```
   7
5)39
  35
   4
```

10 93÷3=31, 31개

11 ( )(×)
( )( )

12 67÷6=11…1, 11개

13 ㉠, ㉣, ㉡, ㉢

14 1권

15 28

16 8, 3

17
```
   15
5)76
  5
  26
  25
   1
```

18 65÷5=13, 13개

19 ㉢

20 13개, 5개

21 나누어떨어지지 않습니다.

22 85

23 (1) 153 (2) 124…2

24 (선 잇기)

25 (1) 200 (2) 134

26 21

27 468÷6=78, 78명

28 ㉡, ㉢, ㉠

29 29개, 1개

38~45쪽 STEP 2 하이레벨 탐구

대표 유형 1 (1) 6, 9, 4
(2) 1, 2, 3, 4, 6, 9
체크 1-1 1, 2, 3, 4, 6, 8
체크 1-2 풀이 참고, 1, 2, 4, 5, 8
대표 유형 2 (1) 84명
(2) 9팀, 3명
체크 2-1 9장, 3장
대표 유형 3 (1) 1, 5
(2) 8
(3) 5, 3
체크 3-1 (위에서부터) 1, 6, 6, 2, 4
체크 3-2 28
대표 유형 4 (1) 63
(2) 63, 66, 69
체크 4-1 72, 78
체크 4-2 53, 57
대표 유형 5 (1) 8개, 4개
(2) 3개
(3) 3개
체크 5-1 2개
체크 5-2 6장
대표 유형 6 (1) 14군데
(2) 15개
체크 6-1 15개
체크 6-2 풀이 참고, 56개
대표 유형 7 (1) 24, 26, 42, 46, 62, 64
(2) 4, 7, 15, 32
(3) 4가지
체크 7-1 2가지
체크 7-2 6가지
대표 유형 8 (1) 65, 72, 79
(2) 79
체크 8-1 69
체크 8-2 66

46~47쪽 STEP 2 하이레벨 탐구 플러스

1 4개
2 쇠똥구리, 1마리
3 15개
4 2, 6
5 2개
6 103

48~52쪽 STEP 3 하이레벨 심화

1 7개
2 4
3 4
4 432, 30
5 2개
6 24일
7 2, 6
8 16 cm
9 80
10 12
11 36
12 144명
13 123
14 261

53~54쪽 토론 발표 브레인스토밍

❶ 324
❷ 132그루
❸ 48개
❹ 120

3 원

58~59쪽 Plus 개념 하이레벨 개념

❶ ㉠ ❷ ㉡, ㉠, ㉢
❸ (1) 10 cm (2) 14 cm
❹ 8 cm
❺ 3 cm ❻ 5군데

60~63쪽 STEP 1 하이레벨 입문

1 점 ㄹ
2 선분 ㅇㄱ, 선분 ㅇㄹ, 선분 ㅇㅁ
3 8 cm
4 예 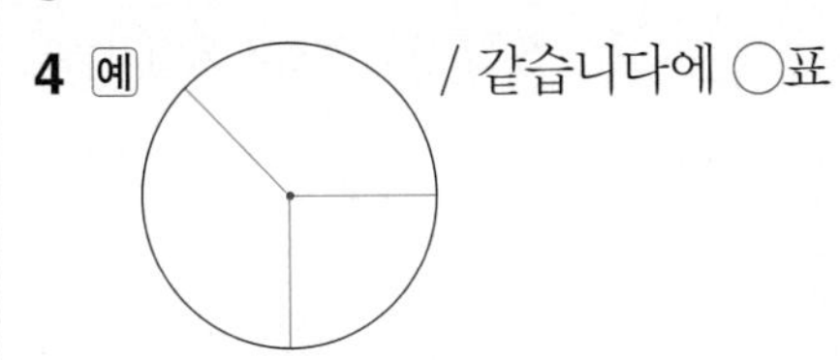 / 같습니다에 ○표
5 1개 **6** 승후
7 선분 ㄷㅅ (또는 선분 ㅅㄷ)
8 6 cm
9 ㉢
10 (위에서부터) 4, 2 / 2
11 ( )(○)
12 5 cm
13 ① 중심 ② 반지름 ③ 중심
14

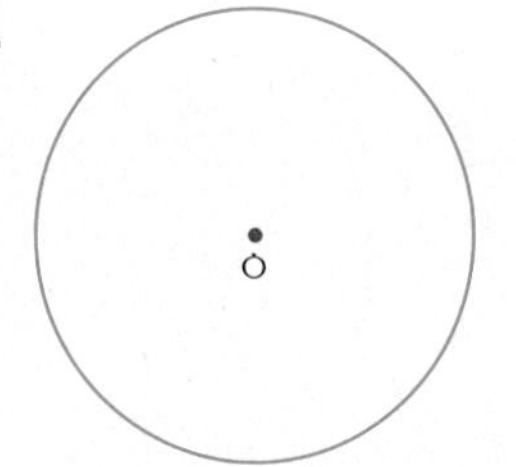

15

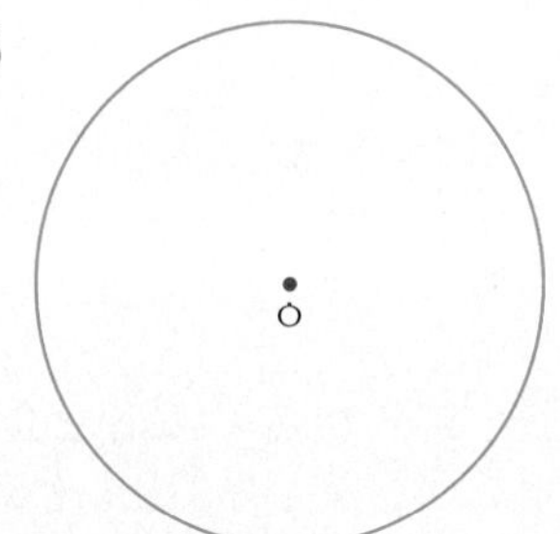

16 모범 답안 컴퍼스의 침을 자의 눈금 0에 맞추지 않았고 컴퍼스를 3 cm만큼 벌려야 하는데 2 cm만큼 벌렸습니다.

17

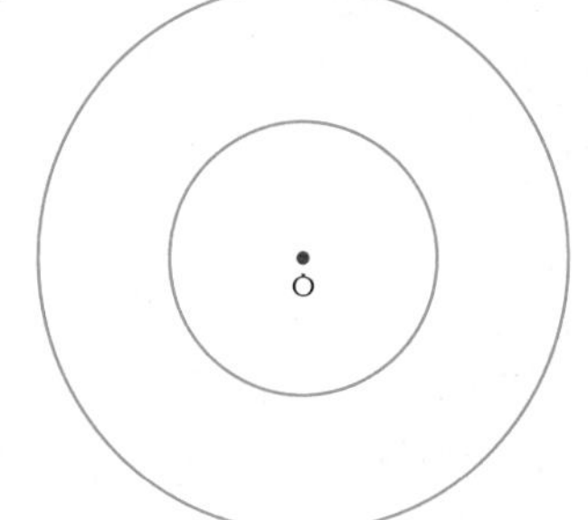

18

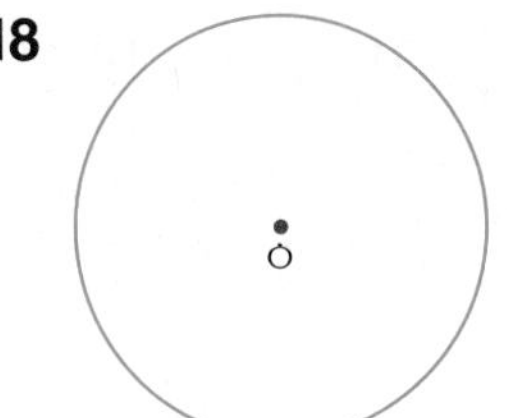

19

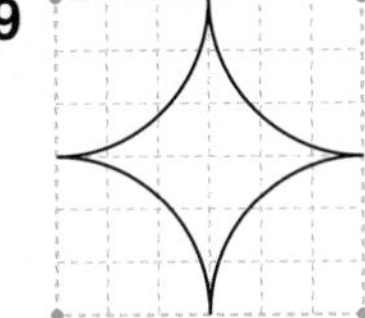

20 ②
21

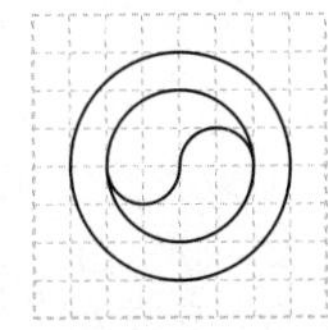

22 모범 답안 원의 반지름이 모눈 1칸씩 늘어나고 원이 맞닿도록 원의 중심을 오른쪽으로 옮겨 가는 규칙입니다.
23

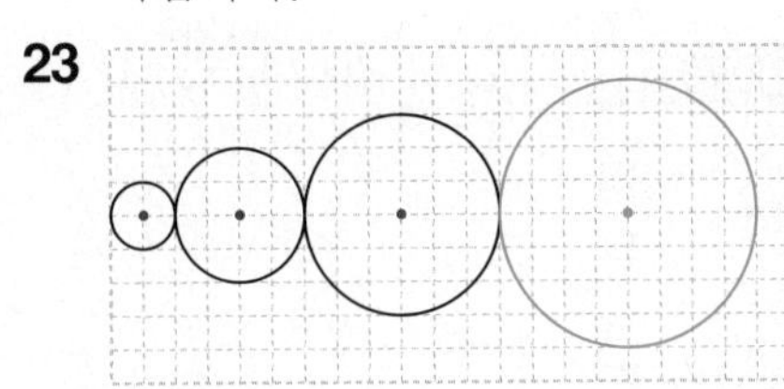

24 3 cm

64~69쪽 STEP 2 하이레벨 탐구

대표 유형 1 (1) 5개 (2) 2개 (3) 4개
체크 1-1 5개
체크 1-2 8개
대표 유형 2 (1) 34 cm, 25 cm, 40 cm, 30 cm
(2) 탬버린, 심벌즈, 징, 북
체크 2-1 4 mm
대표 유형 3 (1) 21 cm (2) 3배
(3) 7 cm
체크 3-1 4 cm
체크 3-2 풀이 참고, 5 cm
대표 유형 4 (1) 4 cm (2) 4 cm
(3) 12 cm
체크 4-1 18 cm
체크 4-2 18 cm
대표 유형 5 (1) 6 cm, 7 cm (2) 8 cm
(3) 21 cm
체크 5-1 22 cm
체크 5-2 20 cm
대표 유형 6 (1) 12 cm
(2) 48 cm, 12 cm
(3) 120 cm
체크 6-1 112 cm
체크 6-2 풀이 참고, 144 cm

70~71쪽 STEP 2 하이레벨 탐구 플러스

1 10 cm
2 ㉡, ㉢, ㉠
3 5군데
4 18 cm
5 21 cm
6 2 cm

72~76쪽 STEP 3 하이레벨 심화

1 32 cm **2** 9개
3 9군데 **4** 8개
5 24 cm **6** 30 cm
7 84 cm **8** 220 cm
9 12 cm **10** 62 cm
11 108 cm **12** 4 cm
13 30 cm **14** 21개

77~78쪽 토론 발표 브레인스토밍

❶ 12 cm
❷ 500 cm
❸ 5 cm
❹ 25 cm

빠른 정답

4 분수

82~83쪽 Plus 개념 하이레벨 개념

❶ $\frac{3}{6}$, $\frac{2}{4}$
❷ >
❸ 10, 20
❹ $\frac{1}{5}$, $\frac{2}{5}$, $\frac{3}{5}$, $\frac{4}{5}$
❺ (1) 17 (2) 5, 1
❻ $\frac{25}{4}$

84~87쪽 STEP 1 하이레벨 입문

1 $\frac{1}{2}$
2 예

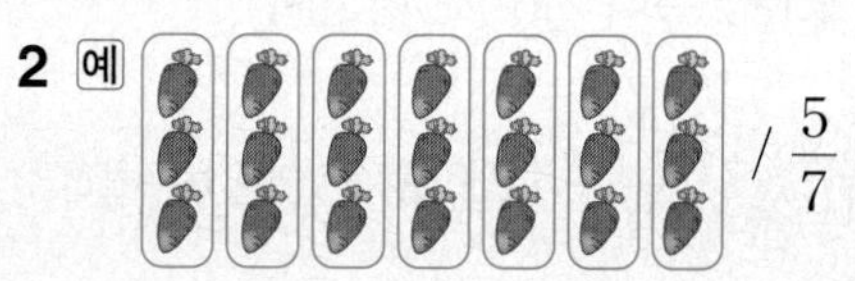

/ $\frac{5}{7}$

3 $\frac{5}{8}$
4 ㉢, ㉠, ㉡
5 $\frac{4}{6}$
6 (1) 4 (2) 6
7 (1) 3 (2) 10
8 12개
9 6 cm
10 45분
11 ㉡, ㉣
12 15시간
13 $\frac{3}{5}$, $\frac{7}{5}$, $\frac{9}{5}$
14 $\frac{3}{4}$, $\frac{5}{8}$에 ○표
15 (선 잇기)
16 $\frac{6}{6}$
17 $1\frac{5}{6}$, $\frac{11}{6}$
18 (1) $\frac{14}{8}$ (2) $3\frac{2}{7}$
19 2개
20 11
21 $\frac{25}{9}$, $2\frac{7}{9}$
22 (1) < (2) >
23 (○)( )
24 (위에서부터) $\frac{19}{12}$, $1\frac{5}{12}$, $\frac{19}{12}$
25 $\frac{25}{9}$

88~93쪽 STEP 2 하이레벨 탐구

대표 유형 1 (1) 12개 (2) 18개
체크 1-1 24장
체크 1-2 7개

대표 유형 2 (1) $5\frac{2}{7}$ (2) 1
체크 2-1 5
체크 2-2 39, 40, 41

대표 유형 3 (1) $\frac{2}{3}$ (2) $\frac{2}{5}$, $\frac{3}{5}$ (3) 3개
체크 3-1 $\frac{4}{6}$, $\frac{4}{7}$, $\frac{6}{7}$
체크 3-2 풀이 참고, $\frac{8}{5}$, $\frac{9}{5}$, $\frac{9}{8}$

대표 유형 4 (1) 7 (2) 26 (3) $\frac{26}{7}$
체크 4-1 $\frac{43}{9}$
체크 4-2 $\frac{31}{5}$

대표 유형 5 (1) 30 (2) 5 mm
(3) 35 mm
체크 5-1 풀이 참고, 36 cm

대표 유형 6 (1) (위에서부터) 6, 7, 8, 9
/ 15, 14, 13, 12, 11, 10
(2) 7, 12 (3) $\frac{7}{12}$
체크 6-1 $\frac{6}{15}$
체크 6-2 $\frac{27}{18}$ / $1\frac{9}{18}$

94~95쪽 STEP 2 하이레벨 탐구 플러스

1 7개
2 15개
3 4개
4 6개
5 5000원
6 75개

96~100쪽 STEP 3 하이레벨 심화

1 ㉰ 상자
2 석영, 10분
3 9대
4 7개
5 2700원
6 15
7 30, 37, 44, 51, 58
8 80 cm
9 $\frac{17}{6}$, $\frac{12}{6}$
10 $\frac{81}{64}$
11 33개
12 12개
13 33 cm
14 10개

101~102쪽 토론 발표 브레인스토밍

❶ 21개
❷ $3\frac{5}{6}$, $9\frac{4}{6}$
❸ 4, 7
❹ 144개

5 들이와 무게

106~107쪽 Plus 개념 하이레벨 개념

❶ (1) > (2) <
❷ 1 L 200 mL
❸ 7 L 100 mL
❹ ㉠
❺ (1) 1000 kg (2) 10배
❻ (1) 1 kg 100 g (2) 3 kg 900 g

108~111쪽 STEP 1 하이레벨 입문

1 (1) 4700 (2) 2, 600
2 가
3 주전자
4 솔지
5 모범 답안 두 병에 물을 가득 채운 후 모양과 크기가 같은 큰 그릇에 부어 물의 높이를 비교합니다.
6 유리컵
7 6, 400
8 2 L 300 mL
9 5 L 800 mL
10 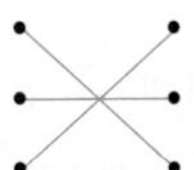
11 1 L 800 mL+700 mL =2 L 500 mL, 2 L 500 mL
12 주전자
13 550 mL
14 ㉡, ㉢, ㉠
15 복숭아
16 ㉠
17 2 kg 800 g
18 막대자석, 2개
19 ㉡, 모범 답안 코끼리 한 마리의 무게는 약 10 t입니다.
20 영수
21 ①, ④
22 13 kg 900 g
23 ㉡
24 4 kg 300 g+3 kg 500 g =7 kg 800 g, 7 kg 800 g
25 100배
26 32 kg 500 g−2 kg 100 g =30 kg 400 g, 30 kg 400 g
27 ㉠

112~119쪽 STEP 2 하이레벨 탐구

대표 유형 1 (1) 빨셈에 ○표 (2) 3 kg 200 g
체크 1-1 5 kg 100 g
체크 1-2 4 kg 700 g
대표 유형 2 (1) 2 L 500 mL (2) 3 L 900 mL
체크 2-1 2 L 950 mL
체크 2-2 900 mL
대표 유형 3 (1) 3 L (2) 1000, 1 (3) 4 L
체크 3-1 3 L
체크 3-2 5 L
대표 유형 4 (1) 280 g, 500 g, 130 g (2) 지희
체크 4-1 ㉰
체크 4-2 현선
대표 유형 5 (1) ( )( )(○) (2) ㉡ (3) 8 kg
체크 5-1 6 kg
체크 5-2 9 kg
대표 유형 6 (1) 3 L 600 mL (2) 900 mL (3) 4 L 500 mL
체크 6-1 풀이 참고, 9 kg 300 g
대표 유형 7 (1) 800 g (2) 800 g (3) 80 g
체크 7-1 500 g
체크 7-2 375 g
대표 유형 8 (1) −
(2) 모범 답안 들이가 900 mL인 그릇에 물을 가득 채운 후 그것을 들이가 400 mL인 그릇에 가득 차게 담아 덜어 내면 들이가 900 mL인 그릇에 500 mL의 물이 남습니다.
체크 8-1 모범 답안 들이가 600 mL인 그릇에 물을 가득 채운 후 그것을 들이가 250 mL인 그릇에 가득 차게 담아 2번 덜어 내면 들이가 600 mL인 그릇에 100 mL의 물이 남습니다.
체크 8-2 모범 답안 들이가 700 mL인 그릇에 물을 가득 채운 후 그것을 들이가 200 mL인 그릇에 가득 차게 담아 3번 덜어 내면 들이가 700 mL인 그릇에 100 mL의 물이 남습니다.

120~121쪽 STEP 2 하이레벨 탐구 플러스

1 45 kg 100 g
2 채린
3 90 g
4 미영
5 13 L 370 mL
6 2 L 400 mL

122~126쪽 STEP 3 하이레벨 심화

1 8 L 500 mL
2 97 kg 900 g
3 150 mL
4 5번
5 ㉣
6 365 mL
7 950 g
8 5개
9 모범 답안 들이가 800 mL인 컵으로 물을 가득 채워 물통에 2번 부은 후, 물통에 있는 물을 들이가 300 mL인 컵으로 가득 채워 2번 덜어 내면 물통에 1 L의 물이 남습니다.
10 1 kg 400 g
11 2 kg 480 g
12 10 L, 12900원
13 6000 mL
14 900 g
15 8가지

127~128쪽 토론 발표 브레인스토밍

❶ 10개
❷ 4병
❸ 1 kg 100 g
❹ 200 mL

빠른 정답

6 자료의 정리

132~133쪽 Plus 개념 하이레벨 개념

❶ 8, 12, 9, 29 / 29명

❷ (1) (위에서부터) 3, 14 / 2, 14
(2) 스페인, 미국

❸ 노란색

❹ 80 /

제과점	빵의 수
촉촉	◎◎
달콤	◎○○
별미	○○○○○○○○
맛나	◎◎◎◎○○○

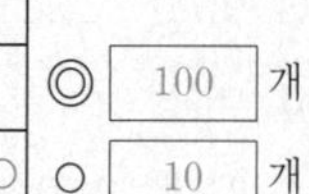
◎ 100 개
○ 10 개

134~137쪽 STEP 1 하이레벨 입문

1 6, 7, 8, 25 **2** 25명

3 배드민턴, 야구, 축구

4 2배

5 (위에서부터) 3, 3, 4, 3, 13 / 4, 3, 1, 2, 10

6 런던 **7** ㉡

8 **9** ㉢

10 4, 8, 5, 6, 23

11 예 좋아하는 음식별 사람 수 / (위에서부터) 3, 7, 3, 5, 18 / 5, 5, 6, 4, 20

12 닭강정 **13** 닭강정, 잡채

14 10장, 1장 **15** 43장, 62장

16 정현, 21장 **17** ㉮ 모둠

18 6 L

19 7 **20** 5개

21

마을	편의점 수
가	◎○○○○
나	○○○○○○○○○
다	○○○○○
라	◎◎○○

22 울창 마을

23 민우

24

반별로 모은 책의 수

반	책의 수
1	■■■■
2	■■■▪▪▪
3	■■▪▪▪▪▪▪
4	■▪▪▪▪▪▪▪▪

138~141쪽 STEP 2 하이레벨 탐구

대표 유형 1 (1) 스케이트, 20명
(2) 눈썰매, 7명 (3) 27명

체크 1-1 38명

대표 유형 2 (1) 250대, 460대, 230대
(2) 320대
(3)

대리점	판매량
동부	■■■▪▪
서부	■■▪▪▪▪▪
남부	■■■■▪▪▪▪▪▪
북부	■■▪▪▪

체크 2-1 풀이 참고,

간식	피자	햄버거	떡볶이	빵	과자
학생 수	■■▪	■■▪▪▪▪▪▪	■■■	■▪▪	■▪▪▪▪▪▪

대표 유형 3 (1)

장소	학생 수
놀이공원	◎◎◎◎◎○○○○
박물관	◎◎○○○○○○○○
운동 경기장	◎○○○○○
영화관	◎◎◎◎○○○

(2) ◎ ◎ △ ○ ○ ○, ◎ △

체크 3-1

동아리	학생 수
게임	◎◎○○○○○○
합주	◎○○
합창	◎◎◎◎
댄스	◎◎○○○○○○○○○

동아리	학생 수
게임	◎◎●
합주	◎○○
합창	◎◎◎◎
댄스	◎◎●○○○

대표 유형 4 (1) 8개 (2) 14개 (3) 3개

체크 4-1 21명

142~143쪽 STEP 2 하이레벨 탐구 플러스

1 11명 **2** 3배

3 150마리

4 20, 12, 23 /

산	학생 수
한라산	◎○○○○○
설악산	◎◎
지리산	◎○○
금강산	◎◎○○○

5 28개

6 585장

144~148쪽 STEP 3 하이레벨 심화

1 6명 **2** 4

3 31개 **4** 19개

5

소아과	가	나	다	라
영유아 수	◎○○○○○○	◎◎○○○○○○	◎◎	◎

6 1개, 4개 **7** 동쪽, 2명

8 17명

9

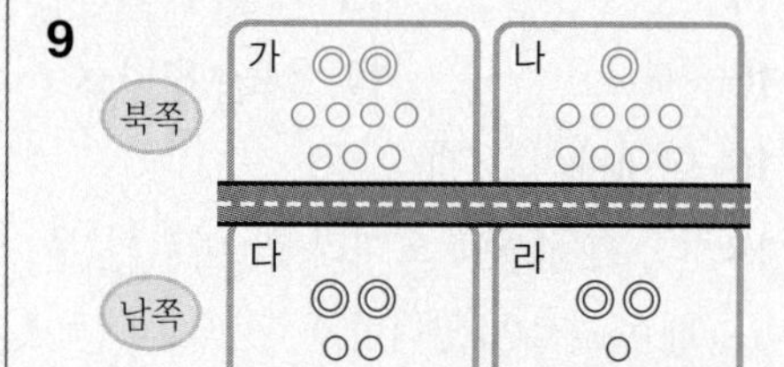

10 10 **11** 7번

149~150쪽 토론 발표 브레인스토밍

❶ 6명, 3명

❷ 67명

❸ 140명

❹ 19개, 24개

1 곱셈

Plus 개념 하이레벨 개념 6~7쪽

1

$$\begin{array}{r} 124 \\ \times \quad 2 \\ \hline 248 \end{array}$$

➔ 124의 2배인 수는 248입니다. 답 248

2 (3봉지에 들어 있는 사탕 수)
$=125\times3=375$(개)
답 375개

3 $90>70>60$이므로 $90\times70=6300$ 또는 $70\times90=6300$입니다.
답 [90]×[70]=[6300] 또는 [70]×[90]=[6300]

4

$$\begin{array}{r} 2 \\ \times \square 4 \\ \hline 148 \end{array}$$

$2\times\square=14$ ➔ $\square=7$
답 7

5 ㉠ $61\times13=793$
㉡ $45\times21=945$
㉢ $23\times41=943$
➔ ㉡ 945>㉢ 943>㉠ 793
답 ㉡

6 (2) $42◆28=42\times28+42$
$=1176+42=1218$
답 (1) 42, 28, 42 (2) 1218

STEP1 하이레벨 입문 8~11쪽

1 (1)

$$\begin{array}{r} 123 \\ \times \quad 2 \\ \hline 246 \end{array}$$

(2)

$$\begin{array}{r} 413 \\ \times \quad 3 \\ \hline 1239 \end{array}$$

답 (1) 246 (2) 1239

2

$$\begin{array}{r} 722 \\ \times \quad 3 \\ \hline 2166 \end{array}$$

답 2166

3 답

$$\begin{array}{r} {}^{2} \\ 216 \\ \times \quad 4 \\ \hline 864 \end{array}$$

4

$$\begin{array}{r} {}^{2} \\ 652 \\ \times \quad 4 \\ \hline 2608 \end{array}$$

답 2608

5

$$\begin{array}{r} 423 \\ \times \quad 3 \\ \hline 1269 \end{array} \qquad \begin{array}{r} {}^{1} \\ 231 \\ \times \quad 4 \\ \hline 924 \end{array}$$

답 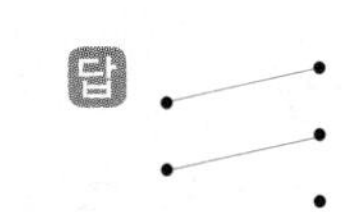

6 (전체 탁구공 수)
=(한 상자에 들어 있는 탁구공 수)×(상자 수)
$=114\times2=228$(개)
답 $114\times2=228$, 228개

7 $789\times4=3156$ 답 789×4 / 예 3200, 3156

8 $421\times2=842$, $321\times3=963$
➔ $842<963$ 답 $<$

9 (비행기 3대에 탈 수 있는 사람 수)
=(비행기 한 대에 탈 수 있는 사람 수)×(비행기 수)
$=256\times3=768$(명) 답 $256\times3=768$, 768명

10 일의 자리 계산에서 $3\times6=18$, 백의 자리 계산에서 $3\times6=18$이므로 $\square\times6+1=31$입니다.
➔ $\square=5$ 답 5

11 (전체 학생 수)$=25+29+31+28=113$(명)
➔ (필요한 바둑돌 수)$=113\times5=565$(개)
답 $113\times5=565$, 565개

12 $40\times90=3600$ 답 3600

13 $46\times80=3680$, $65\times80=5200$ 답 3680, 5200

14 ㉠ $30\times40=1200$ ㉡ $20\times70=1400$ 답 ㉡

15 (처음에 있던 색종이 수)$=19\times40=760$(장)
➔ (남은 색종이 수)$=760-250=510$(장) 답 510장

16

$$\begin{array}{r} 7 \\ \times 16 \\ \hline 42 \\ 70 \\ \hline 112 \end{array}$$

답 112

17 9×20=180인데 18로 잘못 계산하였습니다. 답

$$\begin{array}{r} 9 \\ \times\ 24 \\ \hline 36 \\ 180 \\ \hline 216 \end{array}$$

18 4×63=252, 8×34=272 ➜ 252<272 답 <

19 (줄을 선 전체 학생 수)
=(한 줄에 서 있는 학생 수)×(줄 수)
=7×25=175(명) 답 7×25=175, 175명

20 13을 10과 3으로 나누어 26×10+26×3으로 계산한 것입니다. 답 10, 3 / 260, 78 / 338

21

$$\begin{array}{r} 52 \\ \times\ 14 \\ \hline 208 \\ 520 \\ \hline 728 \end{array}$$

답 728

22

$$\begin{array}{r} 26 \\ \times\ 69 \\ \hline 234 \\ 1560 \\ \hline 1794 \end{array}$$

답 1794

23 4×30=120 답 120

24

$$\begin{array}{r} 37 \\ \times\ 25 \\ \hline 185 \\ 740 \\ \hline 925 \end{array} \qquad \begin{array}{r} 19 \\ \times\ 48 \\ \hline 152 \\ 760 \\ \hline 912 \end{array}$$

답 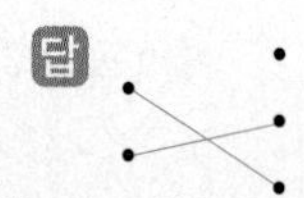

25 45×16=720, 26×35=910, 25×16=400
답 25×16에 색칠

26 (필요한 장미 수)
=(꽃다발 1개를 만드는 데 필요한 장미 수)×(꽃다발 수)
=25×18=450(송이) 답 25×18=450, 450송이

27 ㉠ 46×23=1058 ㉡ 14×57=798
㉢ 32×32=1024
➜ ㉠ 1058>㉢ 1024>㉡ 798 답 ㉠

28 일주일은 7일이므로 3주는 7×3=21(일)입니다.
(3주 동안 읽을 수 있는 동화책의 쪽수)
=(하루에 읽는 쪽수)×(읽는 날수)
=25×21=525(쪽) 답 25×21=525, 525쪽

29 (처음에 있던 토마토 수)=16×15=240(개)
➜ (남은 토마토 수)=240−65=175(개) 답 175개

STEP2 하이레벨 탐구 12~19쪽

대표 유형 1 (1) 316×3=948
(2) 316×3>■에서 948>■입니다.
➜ ■에 들어갈 수 있는 수는 948보다 작은 수이고 이 중 가장 큰 자연수는 947입니다.
답 (1) 948 (2) 947

체크 1-1 223×4>□에서 223×4=892이므로 892>□입니다.
➜ □ 안에 들어갈 수 있는 수는 892보다 작은 수이고 이 중 가장 큰 자연수는 891입니다. 답 891

체크 1-2 모범 답안 ❶ □>16×25에서 16×25=400이므로 □>400입니다.
❷ 400보다 큰 자연수는 401, 402, 403……이고 이 중 가장 작은 자연수는 401입니다.
답 401

채점 기준

❶ □의 범위를 구함.	3점	5점
❷ □ 안에 들어갈 수 있는 수 중 가장 작은 자연수를 구함.	2점	

대표 유형 2 (1) (색연필 3자루의 값)=230×3=690(원)
(2) (민지가 받아야 할 거스름돈)
=1000−690=310(원)
답 (1) 690원 (2) 310원

체크 2-1 (체조에 참가한 학생 수)=15×45=675(명)
➜ (체조에 참가하지 않은 학생 수)
=700−675=25(명) 답 25명

체크 2-2 모범 답안 ❶ (전체 귤의 수)=178×3=534(개)
❷ ➜ (남은 귤의 수)=534−145−29
=389−29=360(개) 답 360개

채점 기준

❶ 전체 귤의 수를 구함.	3점	5점
❷ 남은 귤의 수를 구함.	2점	

대표 유형 3 (2) □+40=85, □=85−40=45
(3) 45×40=1800
답 (1) 예 □+40=85 (2) 45 (3) 1800

체크3-1 어떤 수를 □라 하여 잘못 계산한 식을 만들면
□+30=54, □=54−30=24
어떤 수는 24이므로 바르게 계산하면
24×30=720 답 720

체크3-2 어떤 수를 □라 하여 잘못 계산한 식을 만들면
□−60=19, □=19+60=79
어떤 수는 79이므로 바르게 계산하면
79×60=4740 답 4740

대표 유형 4 (1) 195×2=390 (kcal)
(2) 24×12=288 (kcal)
(3) 390+288=678 (kcal)
답 (1) 390 kcal (2) 288 kcal (3) 678 kcal

체크4-1 (우유 2개의 열량)=122×2=244 (kcal)
(토마토 10개의 열량)=22×10=220 (kcal)
케이크 1조각의 열량은 181 kcal입니다.
➔ (하루 종일 먹은 간식의 열량)
=244+220+181=645 (kcal) 답 645 kcal

대표 유형 5 (1) 3일, 7일, 11일, 15일, 19일, 23일, 27일, 31일로 8일입니다.
(2) 8×82=656(번) 답 (1) 8일 (2) 656번

체크5-1 5일, 10일, 15일, 20일, 25일, 30일로 6일 달렸습니다.
➔ (현아가 9월 한 달 동안 달린 거리)
=6×12=72 (km) 답 72 km

체크5-2 1일, 4일, 7일, 10일, 13일, 16일, 19일, 22일, 25일, 28일, 31일로 11일 접었습니다.
(은호와 동생이 하루에 접은 종이학 수)=23×2=46(개)
➔ (은호와 동생이 5월 한 달 동안 접은 종이학 수)
=46×11=506(개) 답 506개

대표 유형 6 (1) 15×12=180 (cm)
(3) (이어 붙인 색 테이프의 전체 길이)
=(색 테이프의 길이의 합)−(겹친 부분의 길이의 합)
=180−33=147 (cm)
답 (1) 180 cm (2) 11, 11, 33 (3) 147 cm

체크6-1 (색 테이프 20장의 길이의 합)
=27×20=540 (cm)
겹친 부분은 19군데이므로 겹친 부분의 길이의 합은 2×19=38 (cm)입니다.
➔ (이어 붙인 색 테이프의 전체 길이)
=540−38=502 (cm) 답 502 cm

체크6-2 (끈 14개의 길이의 합)=20×14=280 (cm)
묶은 부분은 14−1=13(군데)이므로 묶은 부분의 길이의 합은 6×13=78 (cm)입니다.
➔ (이은 끈의 전체 길이)
=(끈 14개의 길이의 합)−(묶은 부분의 길이의 합)
=280−78=202 (cm) 답 202 cm

대표 유형 7 (1) 가장 큰 수인 7을 넣어야 합니다.
답 (1) 7 (2) [7][5]×3[2]=[2400], [7][2]×3[5]=[2520]
(3) [7][2]×3[5] / 2520

체크7-1 곱이 가장 큰 곱셈식을 만들려면 곱해지는 수의 십의 자리에 가장 큰 수인 8을 넣어야 합니다.
86×23=1978, 83×26=2158
따라서 계산 결과가 가장 큰 곱셈식은 83×26=2158입니다.
답 [8][3]×2[6] / 2158

체크7-2 곱이 가장 작은 곱셈식을 만들려면 곱해지는 수의 십의 자리에 가장 작은 수인 4를 넣어야 합니다.
45×59=2655, 49×55=2695
따라서 계산 결과가 가장 작은 곱셈식은
45×59=2655입니다.
답 [4][5]×5[9] / 2655

대표 유형 8 (2) ♥=1일 때 111×1=111,
♥=5일 때 555×5=2775,
♥=6일 때 666×6=3996
답 (1) 36, 5, 6 (2) 5, 2775, 6, 3996 (3) 5

체크8-1 1×1=1, 5×5=25, 6×6=36이므로
◆=1, 5, 6이 될 수 있습니다.
◆에 1, 5, 6을 넣어 계산하면
◆=1일 때 111×1=111,
◆=5일 때 555×5=2775,
◆=6일 때 666×6=3996
따라서 ◆에 공통으로 들어갈 숫자는 6입니다. 답 6

체크8-2 ㉠<㉡이고, ㉡×㉠의 일의 자리 숫자가 6이 되는 경우에서 (㉡, ㉠)은 (6, 1), (3, 2), (8, 2), (8, 7), (9, 4)입니다.
위에서 구한 수들로 ㉠㉡×㉡㉠을 구하면
16×61=976, 23×32=736, 28×82=2296,
78×87=6786, 49×94=4606입니다.
따라서 ㉠=2, ㉡=3입니다. 답 2, 3

풀이의 힘

정답 및 풀이

STEP2 하이레벨 탐구 플러스 20~21쪽

1 $6\times29>\square$에서 $6\times29=174$이므로 $174>\square$입니다.
➜ $\square$ 안에 들어갈 수 있는 수는 174보다 작은 수이고 이 중 가장 큰 수는 173입니다.
답 173

2 (조기 30두름의 수)$=20\times30=600$(마리)
➜ (남은 조기의 수)$=600-47=553$(마리) 답 553마리

3 (삼각형의 세 변의 길이의 합)$=428\times3=1284$ (cm)
(사각형의 네 변의 길이의 합)$=236\times4=944$ (cm)
➜ $1284-944=340$ (cm) 답 340 cm

4 ◎: $35\times23=805$
◈: $805\times6=4830$ 답 4830

5 (색 테이프 64장의 길이의 합)$=14\times64=896$ (cm)
겹친 부분은 63군데이므로 겹친 부분의 길이의 합은 $2\times63=126$ (cm)입니다.
➜ (이어 붙인 색 테이프의 전체 길이)
$=896-126=770$ (cm) 답 770 cm

6 • 다리가 4개인 동물은 소와 양이고 소와 양은 모두 $346+74=420$(마리)입니다.
➜ (다리가 4개인 동물의 다리 수의 합)
$=420\times4=1680$(개)
• 다리가 2개인 동물은 닭과 오리이고 닭과 오리는 모두 $204+156=360$(마리)입니다.
➜ (다리가 2개인 동물의 다리 수의 합)
$=360\times2=720$(개)
따라서 농장에 있는 동물들의 다리는 모두 $1680+720=2400$(개)입니다. 답 2400개

참고
각각의 동물들의 다리 수를 구하여 더해 주어도 됩니다. 하지만 묶어서 계산하는 것이 더 편리하다는 것을 알고 푸는 것이 중요합니다.

STEP3 하이레벨 심화 22~26쪽

1 하루는 24시간입니다.
(㉮ 공장에서 만드는 신발 수)$=38\times24=912$(켤레)
(㉯ 공장에서 만드는 신발 수)$=162\times5=810$(켤레)
(㉰ 공장에서 만드는 신발 수)$=52\times14=728$(켤레)
➜ $912>810>728$이므로 ㉮>㉯>㉰입니다.
답 ㉮, ㉯, ㉰

2
$$\begin{array}{r} 5\,4 \\ \times\ 2\,3 \\ \hline 1\,6\,2 \\ 1\,0\,8\,0 \\ \hline 1\,2\,4\,2 \end{array}$$
$386\times\square<1242$에서
$386\times3=1158$ ⓒ 1242 (○)
$386\times4=1544$ ⓓ 1242 (×)
따라서 $\square$ 안에 들어갈 수 있는 자연수는 1, 2, 3입니다. ➜ 3개 답 3개

참고
(두 자리 수)×(두 자리 수)의 곱을 구할 때에는 자리를 잘 맞추어 올림에 주의하여 계산합니다.

3 두 수 중 작은 수를 $\square$라 하면
큰 수는 $86-2=84$, $\square\times4=84$에서
$84=21+21+21+21$이므로 $\square=21$입니다.
따라서 작은 수가 21, 큰 수가 $21\times3=63$, $63+2=65$이므로 두 수의 곱은 $21\times65=1365$입니다. 답 1365

4 (정사각형의 네 변의 길이의 합)$=223\times4=892$ (cm)
직사각형의 가로를 $\square$ cm라 하면
➜ (직사각형의 네 변의 길이의 합)
$=\square+156+\square+156=892$,
$\square+\square+312=892$, $\square+\square=580$,
$580=290+290$이므로 $\square=290$입니다.
따라서 직사각형의 가로는 290 cm입니다.
답 290 cm

5 $25\times25=625$, $30\times30=900$이므로 25부터 30까지의 수 중에서 연속하는 두 수를 찾을 수 있습니다.
25부터 30까지의 수 중에서 연속하는 두 수를 곱하면 $25\times26=650$, $26\times27=702$……이므로 연속하는 두 수는 26, 27입니다. 답 26, 27

6 열차가 1분에 930 m를 달리고, 열차가 터널을 완전히 통과하는 데 6분이 걸렸으므로 열차가 움직인 거리는 $930\times6=5580$ (m)입니다.
(열차가 터널을 완전히 통과하는 데 움직인 거리)
=(터널의 길이)+(열차의 길이)이므로

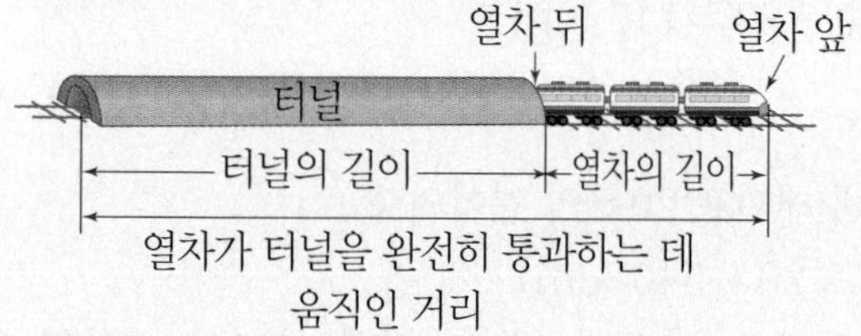

(터널의 길이)+(열차의 길이)$=5580$,
(터널의 길이)$+160=5580$,
(터널의 길이)$=5580-160=5420$ (m)
➜ 5 km 420 m입니다. 답 5 km 420 m

7 (두 자리 수)×(두 자리 수)의 곱이 가장 크려면 십의 자리에 가장 큰 수를 놓아야 합니다. 85×62=5270, 82×65=5330이므로 82×65가 가장 큽니다.

답 [8][2]×[6][5], 또는 [6][5]×[8][2] / 5330

참고

• 수 카드로 (두 자리 수)×(두 자리 수) 만들기
수 카드에서 수의 크기가 ④>③>②>①일 때
(1) 곱이 가장 큰 경우

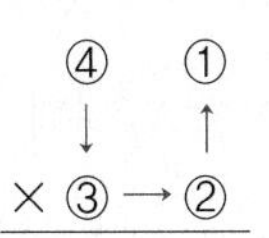

(2) 곱이 가장 작은 경우

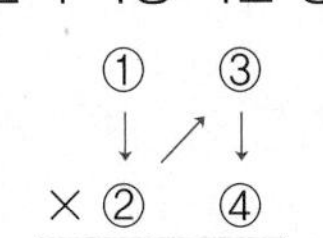

8 곱이 가장 큰 경우: 543×6=3258
곱이 가장 작은 경우: 456×3=1368
➔ 3258+1368=4626 답 4626

9 두 수를 ㉠6㉡, ㉢이라 하면 덧셈식의 십의 자리에서 받아올림이 없으므로 ㉠=2이고 26㉡+㉢=269입니다.
곱셈식 26㉡×㉢=1578의 백의 자리 계산에서 ㉢=6 또는 7입니다.
㉢=6이면 263×6=1578이므로 ㉡=3, ㉢=6입니다.
㉢=7이면 26㉡×7=1578을 만족하는 ㉡이 없습니다.
따라서 두 수는 263, 6입니다. 답 263, 6

10 세 수의 합이 60(=20+20+20)이므로 가운데 수는 20입니다.
즉, 20−1, 20, 20+1이 되어 19, 20, 21이 세 수가 됩니다. 따라서 세 수 중 가장 작은 수와 가장 큰 수의 곱은 19×21=399입니다. 답 399

다른 풀이

연속하는 세 수 중 가운데 수를 □라 하면
가장 작은 수는 □−1, 가장 큰 수는 □+1이고
□−1+□+□+1=60, □+□+□=60, □=20
따라서 세 수는 19, 20, 21이므로 가장 작은 수와 가장 큰 수의 곱은 19×21=399입니다.

11 처음 세 자리 수가 ㉠㉡㉢이면 바꾼 세 자리 수는 ㉢㉡㉠입니다.

```
  ㉢㉡㉠
×     7
 5 8 5 2
```
㉠×7=■2이므로 ㉠=6입니다.

```
  ㉢㉡6
×     7
 5 8 5 2
```
㉡×7+4=●5
➔ ㉡×7=●5−4, ㉡×7=●1, ㉡=3
㉢×7+2=58
➔ ㉢×7=58−2, ㉢×7=56, ㉢=8

따라서 ㉢㉡㉠=836이므로 처음 세 자리 수는 638입니다. 답 638

12 18부터 99까지의 수는 두 자리 수로
99−18+1=82(개)이므로 쓴 숫자는 모두
82×2=164(개)이고,
100부터 250까지의 수는 세 자리 수로
250−100+1=151(개)이므로 쓴 숫자는 모두
151×3=453(개)입니다.
따라서 18부터 250까지의 수를 다 쓰면 쓴 숫자는 모두 164+453=617(개)입니다. 답 617개

13 오늘 오후 4시부터 오후 7시 50분까지는
3시간 50분=230분입니다.

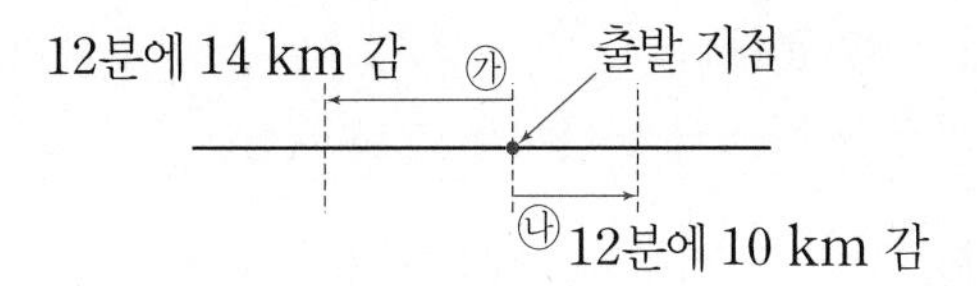

두 자동차 사이의 거리는 위와 같이 12분에
14+10=24 (km)씩 차이가 나므로 1분에 2 km씩 차이가 납니다.
따라서 230분 동안에는 230×2=460 (km) 차이가 나므로 오늘 오후 7시 50분에 두 자동차 사이의 거리는 460 km입니다. 답 460 km

14 • 연속하는 31개의 수 중에서 가운데 수인 16번째 수를 □라 하면 31개의 연속하는 수는
□−15, □−14……, □−1, □, □+1……,
□+14, □+15라고 쓸 수 있습니다.
이 31개의 연속하는 수들의 합을 구하면
□−15+□−14+……+□−1+□+□+1+……+□+14+□+15=□×31이고
□×31=46×31이므로 □=46입니다.
➔ 가장 작은 수: □−15=46−15=31 ➔ ●=31
• 연속하는 41개의 수 중에서 가운데 수인 21번째 수를 □라 하면 41개의 연속하는 수는
□−20, □−19……, □−1, □, □+1……,
□+19, □+20이라고 쓸 수 있습니다.
이 41개의 연속하는 수들의 합을 구하면
□−20+□−19+……+□−1+□+□+1+……+□+19+□+20=□×41이고
□×41=49×41이므로 □=49입니다.
➔ 가장 큰 수: □+20=49+20=69 ➔ ▲=69
따라서 ●×▲=31×69=2139입니다.
답 2139

토론 발표 브레인스토밍 27~28쪽

❶ (1층 상가의 높이)$=329+67=396$ (cm)
(2층부터 7층 끝까지의 높이)$=329\times6=1974$ (cm)
➜ (땅바닥에서 유리 머리 끝까지의 높이)
$=$(1층 상가의 높이)$+$(2층부터 7층 끝까지의 높이) $+$(유리의 키)
$=396+1974+137$
$=2507$ (cm)

답 2507 cm

❷ (타일 86개의 가로의 합)$=28\times86=2408$ (cm)
(벽과 타일 사이와 타일과 타일 사이의 간격의 수)
$=86+1=87$(군데)
(간격의 가로의 합)$=14\times87=1218$ (cm)
➜ ㉠$=2408+1218$
$=3626$ (cm)

답 3626 cm

❸ (3월부터 5월까지 3개월 동안의 날수)
$=31+30+31=92$(일)
(달팽이가 하루 동안 올라간 높이)
$=$(낮에 올라간 높이)$-$(밤에 미끄러져 내려온 높이)
$=50-6=44$ (cm)
(달팽이가 3개월 동안 올라간 높이)
$=44\times92=4048$ (cm)
따라서 달팽이가 3개월 동안 올라갈 수 있는 최고 높이는 마지막 날 밤에 미끄러져 내려오기 전의 높이이므로 $4048+6=4054$ (cm)입니다.

답 4054 cm

❹ 계산 결과의 일의 자리 수를 살펴보면 ㉡은 같은 수를 두 번 곱한 결과의 일의 자리 숫자가 자기 자신이 되는 수입니다.
㉡$=1$ 또는 ㉡$=5$ 또는 ㉡$=6$이고 ㉠$=$㉡$+1$입니다.
따라서 (㉠, ㉡)이 될 수 있는 경우는 (2, 1) 또는 (6, 5) 또는 (7, 6)입니다.
㉠㉡$\times$㉠㉡$=$㉢㉠㉠㉡인 경우를 찾아봅니다.
• (㉠, ㉡)$=$(2, 1)인 경우 $21\times21=441$(×)
• (㉠, ㉡)$=$(6, 5)인 경우 $65\times65=4225$(×)
• (㉠, ㉡)$=$(7, 6)인 경우 $76\times76=5776$(◯)
㉠$=7$, ㉡$=6$, ㉢$=5$이므로
㉠$+$㉡$+$㉢$=7+6+5=18$입니다.

답 18

2 나눗셈

Plus 개념 하이레벨 개념 32~33쪽

❶ (1) $90\div6=15$
(2) $15<\square$에서 $\square=16, 17\cdots\cdots$이 될 수 있으므로 가장 작은 자연수는 16입니다.

답 (1) 15 (2) 16

❷ 나머지는 나누는 수인 5보다 작아야 합니다.

답 ⑤

❸ $79\div7=11\cdots2$
➜ 리본을 11개까지 만들 수 있습니다.

답 11개

❹ 5로 나누어떨어지는 수는 일의 자리 숫자가 0, 5인 수입니다. ➜ 75

답 75

❺ ㉠ $347\div9=38\cdots5$
㉡ $279\div7=39\cdots6$

답 ㉡

❻ 나누는 수와 몫의 곱에 나머지를 더하면 나누어지는 수가 되므로 $4\times17=68$ ➜ $68+3=71$, $\square=71$입니다.

답 71

STEP1 하이레벨 입문 34~37쪽

1 $40\div4=10$, $90\div3=30$

답 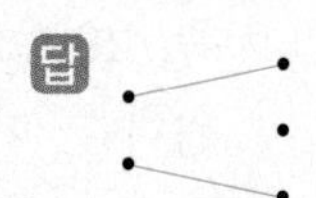

2 소라: $60\div4=15$

답 은주

3 (1초에 달리는 거리)$=$(달린 거리)$\div$(달린 시간)
$=70\div5=14$ (m)

답 $70\div5=14$, 14 m

4 $40\div2=20$ ⓒ $60\div2=30$ (ⓒ 안에 $<$)

답 $<$

5 달걀 2판은 $30\times2=60$(개)입니다.
➜ $60\div6=10$(명)

답 10명

6 확인하기: 나누는 수와 몫의 곱에 나머지를 더하면 나누어지는 수가 되어야 합니다.

답 $3\overline{)65}$ 몫 21, 6, 5, 3, 나머지 2 / 21, 63, 63, 2, 65

7 $84 \div 2 = 42$ 답 42

8 $22 \div 2 = 11$
㉠ 22, ㉡ 11이므로 몫이 $22 \div 2$와 같은 것은 ㉡입니다.
답 ㉡

9 나눗셈에서 나머지는 나누는 수보다 작아야 합니다. 나머지 9가 나누는 수 5보다 크므로 몫을 더 크게 해야 합니다.
➔ $39 \div 5 = 7 \cdots 4$

답
$$\begin{array}{r} 7 \\ 5\overline{)39} \\ 35 \\ \hline 4 \end{array}$$

10 (한 봉지에 담긴 사탕 수)
=(전체 사탕 수)÷(봉지 수)
$=93 \div 3 = 31$(개) 답 $93 \div 3 = 31$, 31개

11 나머지가 5가 되려면 나누는 수가 5보다 커야 합니다.
어떤 수를 4로 나누면 나머지는 0, 1, 2, 3이 될 수 있습니다. 답 ( )(×)
( )( )

12 $67 \div 6 = 11 \cdots 1$이므로 고구마를 6개씩 담은 바구니는 11개가 되고 1개가 남습니다. 답 $67 \div 6 = 11 \cdots 1$, 11개

13 ㉠ $47 \div 4 = 11 \cdots 3$ ㉡ $49 \div 2 = 24 \cdots 1$
㉢ $69 \div 3 = 23$ ㉣ $57 \div 5 = 11 \cdots 2$
➔ ㉠ 3 > ㉣ 2 > ㉡ 1 > ㉢ 0 답 ㉠, ㉣, ㉡, ㉢

14 $63 \div 8 = 7 \cdots 7$에서 7권씩 나누어 주고 7권이 남습니다. 8명에게 한 권씩 나누어 주려면 8권이 필요하고 남은 공책이 7권이므로 적어도 $8-7=1$(권) 더 필요합니다.
답 1권

15 $84 \div 3 = 28$ 답 28

16 $51 \div 6 = 8 \cdots 3$ 답 8, 3

17 나머지 6이 나누는 수 5보다 크므로 몫을 더 크게 해야 합니다.
➔ $76 \div 5 = 15 \cdots 1$

답
$$\begin{array}{r} 15 \\ 5\overline{)76} \\ 5 \\ \hline 26 \\ 25 \\ \hline 1 \end{array}$$

18 (접시 한 개에 담아야 하는 딸기 수)
=(전체 딸기 수)÷(접시 수)
$=65 \div 5 = 13$(개) 답 $65 \div 5 = 13$, 13개

19 ㉠ $52 \div 4 = 13$ ㉡ $78 \div 6 = 13$ ㉢ $76 \div 4 = 19$ 답 ㉢

20 $83 \div 6 = 13 \cdots 5$이므로 한 명에게 13개씩 줄 수 있고 5개가 남습니다. 답 13개, 5개

21 만들 수 있는 가장 큰 두 자리 수 85를 나머지 수 3으로 나누면 $85 \div 3 = 28 \cdots 1$로 나누어떨어지지 않습니다.
답 나누어떨어지지 않습니다.

22 어떤 수를 □라 하면 $\square \div 7 = 12 \cdots 1$에서
$7 \times 12 = 84$ ➔ $84 + 1 = 85$, □=85입니다. 답 85

> **참고**
> 어떤 수를 □라 하면 $\square \div 7 = 12 \cdots 1$
> ➔ 검산 $\square = 7 \times 12 + 1 = 85$

23 (1)
$$\begin{array}{r} 153 \\ 6\overline{)918} \\ 6 \\ \hline 31 \\ 30 \\ \hline 18 \\ 18 \\ \hline 0 \end{array}$$
(2)
$$\begin{array}{r} 124 \\ 5\overline{)622} \\ 5 \\ \hline 12 \\ 10 \\ \hline 22 \\ 20 \\ \hline 2 \end{array}$$
답 (1) 153 (2) $124 \cdots 2$

24 $572 \div 4 = 143$
$994 \div 7 = 142$ 답

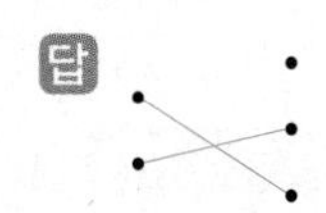

25 (1) $600 \div 3 = 200$
(2) $938 \div 7 = 134$ 답 (1) 200 (2) 134

26 • $196 \div 8 = 24 \cdots 4$ → ㉠=4
• $158 \div 9 = 17 \cdots 5$ → ㉡=17
➔ ㉠+㉡=4+17=21 답 21

> **다른 풀이**
> • $196 \div 8 = 24 \cdots$ ㉠에서
> $8 \times 24 = 192$ ➔ 192+㉠=196, ㉠=4
> • $158 \div 9 =$ ㉡ $\cdots 5$에서
> $158-5=153$, $153 \div 9 = 17$, ㉡=17
> ➔ ㉠+㉡=4+17=21

27 (전체 색종이 수)÷(한 명에게 나누어 주는 색종이 수)
$=468 \div 6 = 78$(명) 답 $468 \div 6 = 78$, 78명

28 ㉠ $629 \div 5 = 125 \cdots 4$ ㉡ $937 \div 9 = 104 \cdots 1$
㉢ $842 \div 6 = 140 \cdots 2$ 답 ㉡, ㉢, ㉠

29 (전체 사과 수)$=39 \times 3 = 117$(개)
➔ $117 \div 4 = 29 \cdots 1$ 답 29개, 1개

STEP2 하이레벨 탐구 38~45쪽

대표 유형 1 답 (1) 6, 9, 4 (2) 1, 2, 3, 4, 6, 9

체크 1-1 1부터 9까지의 자연수로 24를 나누었을 때 나머지가 없는 경우는 $24\div1=24$, $24\div2=12$, $24\div3=8$, $24\div4=6$, $24\div6=4$, $24\div8=3$입니다.
따라서 1부터 9까지의 자연수 중 24를 나누어떨어지게 하는 수는 1, 2, 3, 4, 6, 8입니다.
답 1, 2, 3, 4, 6, 8

체크 1-2 모범 답안 ❶ 1부터 9까지의 자연수로 40을 나누었을 때 나머지가 없는 경우는 $40\div1=40$, $40\div2=20$, $40\div4=10$, $40\div5=8$, $40\div8=5$입니다.
❷ 따라서 1부터 9까지의 자연수 중 40을 나누어떨어지게 하는 수는 1, 2, 4, 5, 8입니다.
답 1, 2, 4, 5, 8

채점 기준

❶ 1부터 9까지의 자연수로 나누었을 때 나머지가 없는 경우를 모두 찾음.	3점	5점
❷ 1부터 9까지의 자연수 중 40을 나누어떨어지게 하는 수를 모두 구함.	2점	

대표 유형 2 (1) 핸드볼은 한 팀에 7명이 있어야 하므로
(운동장에 있는 학생 수)$=7\times12=84$(명)입니다.
(2) $84\div9=9\cdots3$
답 (1) 84명 (2) 9팀, 3명

체크 2-1 (전체 카드 수)$=8\times6=48$(장)
$48\div5=9\cdots3$ ➜ 9장씩 가지고 3장이 남습니다.
답 9장, 3장

대표 유형 3 (1) $18-$㉣㉤$=3$이므로 ㉣$=1$, ㉤$=5$입니다.
(2) ㉢은 그대로 내려 써서 8입니다.
(3) ㉠$\times1=5$이므로 ㉠$=5$이고 ㉠$\times$㉡$=$㉣㉤
➜ $5\times$㉡$=15$이므로 ㉡$=3$입니다.
답 (1) 1, 5 (2) 8 (3) 5, 3

체크 3-1

```
    ㉡ 4
㉠) 8 6
    ㉢
    2 6
    ㉣㉤
      2
```

• $26-$㉣㉤$=2$이므로 ㉣$=2$, ㉤$=4$입니다.
• $8-$㉢$=2$이므로 ㉢$=6$입니다.
• ㉠$\times4=24$이므로 ㉠$=6$입니다.
• ㉠$\times$㉡$=6$
➜ $6\times$㉡$=6$이므로 ㉡$=1$입니다.
답 (위에서부터)1, 6, 6, 2, 4

체크 3-2 • $27-$㉥㉦$=6$이므로 ㉥$=2$, ㉦$=1$입니다.
• ㉣은 그대로 내려 써서 7입니다.
• $9-$㉤$=2$이므로 ㉤$=7$입니다.
• ㉠$\times$㉡$=7$이므로 ㉠$=1$, ㉡$=7$
또는 ㉠$=7$, ㉡$=1$입니다.
㉠$=1$이면 $97\div1=97$이 되므로
㉠$=7$, ㉡$=1$입니다.
• ㉠$\times$㉢$=$㉥㉦ ➜ $7\times$㉢$=21$이므로 ㉢$=3$입니다.
➜ ㉠$+$㉡$+$㉢$+$㉣$+$㉤$+$㉥$+$㉦
$=7+1+3+7+7+2+1=28$
답 28

대표 유형 4 (1) $61\div3=20\cdots1$, $62\div3=20\cdots2$, $63\div3=21$……
60보다 크고 70보다 작은 자연수 중에서 3으로 나누어떨어지는 가장 작은 수는 63입니다.
(2) 63이 3으로 나누어떨어지므로 3씩 더한 수는 모두 3으로 나누어떨어지는 수입니다.
➜ 63, $63+3=66$, $66+3=69$
답 (1) 63 (2) 63, 66, 69

체크 4-1 70보다 크고 80보다 작은 자연수를 6으로 나누면
$71\div6=11\cdots5$, $72\div6=12$……
70보다 크고 80보다 작은 자연수 중에서 6으로 나누어떨어지는 가장 작은 수는 72입니다.
$72+6=78$이므로 72, 78입니다.
답 72, 78

체크 4-2 50부터 60까지의 자연수를 4로 나누면
$50\div4=12\cdots2$, $51\div4=12\cdots3$, $52\div4=13$, $53\div4=13\cdots1$……
50부터 60까지의 자연수 중에서 4로 나누었을 때 나머지가 1인 가장 작은 수는 53입니다.
나머지가 1인 가장 작은 수 53에 4씩 더하면 4로 나누었을 때 나머지가 1인 수들입니다.
$53+4=57$이므로 53, 57입니다.
답 53, 57

대표 유형 5 (1) $60\div7=8\cdots4$
(2) 7명에게 한 개씩 나누어 주려면 7개가 필요하고 남은 귤이 4개이므로 $7-4=3$(개)가 더 필요합니다.
답 (1) 8개, 4개 (2) 3개 (3) 3개

체크 5-1 $70\div8=8\cdots6$
구슬을 한 모둠에 8개씩 나누어 주고 6개가 남습니다.
한 모둠에 한 개씩 나누어 주려면 8개가 필요하고 남은 구슬이 6개이므로 $8-6=2$(개) 더 필요합니다.
답 2개

체크5-2 (전체 색종이 수)$=25\times3=75$(장)
$75\div9=8\cdots3$
봉지 한 개에 9장을 담아야 하고 남은 색종이는 3장이므로 $9-3=6$(장) 더 필요합니다. 답 6장

대표 유형 6 (1) $56\div4=14$(군데)
(2) 종이의 양쪽 끝에 누름 못을 꽂으므로 필요한 누름 못의 수는 (간격 수)$+1$입니다. ➔ $14+1=15$(개)
답 (1) 14군데 (2) 15개

체크6-1 $84\div6=14$이므로 가로등 사이의 간격은 모두 14군데입니다.
따라서 필요한 가로등은 모두 $14+1=15$(개)입니다.
답 15개

체크6-2 모범 답안 ❶ 정사각형의 한 변에 세울 수 있는 표지판 수: $70\div5=14$, $14+1=15$(개)
❷ 정사각형의 네 꼭짓점에 세운 표지판은 한 번씩 겹치므로 한 번씩 빼야 합니다.
❸ 따라서 표지판을 모두 $15\times4=60$, $60-4=56$(개) 세울 수 있습니다. 답 56개

채점 기준

기준	점수	총점
❶ 정사각형의 한 변에 세울 수 있는 표지판 수를 구함.	2점	5점
❷ 겹치는 표지판 수를 빼야 하는 것을 알고 있음.	1점	
❸ 표지판을 모두 몇 개 세울 수 있는지 구함.	2점	

대표 유형 7 (1) 만들 수 있는 두 자리 수: 24, 26, 42, 46, 62, 64
(3) $24\div6=4$, $42\div6=7$, $46\div2=23$, $64\div2=32$로 모두 4가지입니다.
답 (1) 24, 26, 42, 46, 62, 64 (2) 4, 7, 15, 32 (3) 4가지

체크7-1 만들 수 있는 두 자리 수: 62, 68, 26, 28, 86, 82
나눗셈식을 만들고 계산하면 $62\div8=7\cdots6$, $68\div2=34$, $26\div8=3\cdots2$, $28\div6=4\cdots4$, $86\div2=43$, $82\div6=13\cdots4$
따라서 나누어떨어지는 나눗셈식은 $68\div2=34$, $86\div2=43$으로 모두 2가지입니다. 답 2가지

체크7-2 만들 수 있는 두 자리 수: 58, 54, 85, 84, 45, 48
나눗셈식을 만들고 계산하면
$58\div4=14\cdots2$, $54\div8=6\cdots6$, $85\div4=21\cdots1$, $84\div5=16\cdots4$, $45\div8=5\cdots5$, $48\div5=9\cdots3$
따라서 나누어떨어지지 않는 나눗셈식은 모두 6가지입니다.
답 6가지

대표 유형 8 (1) $65\div7=9\cdots2$이므로 65, $65+7=72$, $72+7=79$입니다.
(2) 65 ➔ $6+5=11$, 72 ➔ $7+2=9$, 79 ➔ $7+9=16$ 답 (1) 65, 72, 79 (2) 79

체크8-1 50보다 크고 70보다 작은 수 중 6으로 나누면 3이 남는 수는 $51\div6=8\cdots3$이므로 51, $51+6=57$, $57+6=63$, $63+6=69$입니다.
위의 수 중에서 십의 자리 숫자와 일의 자리 숫자의 합이 15인 수는 69입니다.
답 69

체크8-2 60보다 크고 90보다 작은 수 중 4로 나누면 2가 남는 수는 $62\div4=15\cdots2$이므로 62, $62+4=66$, $66+4=70$, $70+4=74$, $74+4=78$, $78+4=82$, $82+4=86$입니다.
위의 수 중에서 십의 자리 숫자와 일의 자리 숫자가 같은 수는 66입니다.
답 66

다른 풀이
60보다 크고 90보다 작은 수 중에서 십의 자리 숫자와 일의 자리 숫자가 같은 수는 66, 77, 88입니다.
$66\div4=16\cdots2$, $77\div4=19\cdots1$, $88\div4=22$이므로 4로 나누면 2가 남는 수는 66입니다.

STEP2 하이레벨 탐구 플러스 46~47쪽

1 $\square\div6$의 나머지는 6보다 작아야 하므로 나머지가 될 수 없는 수는 6, 7, 8, 9로 모두 4개입니다. 답 4개

2 (쇠똥구리의 수)$=84\div6=14$(마리),
(벌의 수)$=52\div4=13$(마리)
따라서 $14>13$이므로 쇠똥구리가 $14-13=1$(마리) 더 많습니다.
답 쇠똥구리, 1마리

3 꽃은 모두 $28+29=57$(송이)입니다.
$57\div4=14\cdots1$
꽃병 한 개에 4송이씩 꽃병 14개에 꽂고 남은 꽃 1송이도 꽂아야 하므로 꽃병은 적어도 $14+1=15$(개) 필요합니다.
답 15개

4

$$\begin{array}{r} 1 \\ 4\overline{)7\square} \\ 4 \\ \hline 3\square \end{array}$$

➔ 7□÷4가 나누어떨어지려면
32÷4=8, 36÷4=9이므로
□=2, 6입니다.

답 2, 6

다른 풀이

몫을 △라고 하면 7□÷4=△이므로 4×△=7□
△=18일 때 4×18=72 ➔ □=2
△=19일 때 4×19=76 ➔ □=6

5 622÷6=103⋯4
4개가 남으므로 6가구에 주려면 복숭아는 적어도
6−4=2(개) 더 있어야 합니다. 답 2개

참고

복숭아가 2개 더 있으면 622+2=624(개)이고
624÷6=104로 6가구에 104개씩 나누어 줄 수 있습니다.

6 ㉮÷8=12⋯□ ➔ 8×12=96 ➔ 96+□=㉮이고
나눗셈식에서 나누는 수가 8이므로 □ 안에 들어갈 수 있는 수는 1, 2, 3, 4, 5, 6, 7입니다.
따라서 □=7일 때 ㉮가 가장 큰 수가 되고
㉮는 8×12=96 ➔ 96+7=103입니다. 답 103

STEP3 하이레벨 심화 48~52쪽

1 (전체 구슬 수)=17+23+16=56(개)
(구슬을 주머니 한 개에 4개씩 담을 때 주머니 수)
=56÷4=14(개)
(구슬을 주머니 한 개에 8개씩 담을 때 주머니 수)
=56÷8=7(개)
따라서 주머니 수의 차는 14−7=7(개)입니다.
답 7개

2 • 8□÷4 ➔ 80÷4=20, ⓼④÷4=21, 88÷4=22
• 8□÷3 ➔ 81÷3=27, ⓼④÷3=28, 87÷3=29
따라서 두 나눗셈을 모두 만족하는 □ 안에 알맞은 수는 4입니다. 답 4

참고

80÷4=20이므로 80, 80+4=84, 84+4=88이 4로 나누어떨어집니다.
81÷3=27이므로 81, 81+3=84, 84+3=87이 3으로 나누어떨어집니다.

3 62÷5=12⋯2이므로 [62, 5]=12
[62, 5]◆3=12◆3=12÷3=4 답 4

4 • 몫이 가장 큰 경우: 만들 수 있는 가장 큰 세 자리 수 864를 2로 나눕니다.
➔ 864÷2=432
• 몫이 가장 작은 경우: 만들 수 있는 가장 작은 세 자리 수 246을 8로 나눕니다.
➔ 246÷8=30⋯6 답 432, 30

5 8개씩 몇 명의 친구들에게 똑같이 나누어 주는 데 필요한 전체 사탕은 53+3=56(개)입니다.
56÷8=7 ➔ 8개씩 7명에게 주려고 한 것입니다.
초콜릿 82개를 7명에게 똑같이 나누어 주려면
82÷7=11⋯5이므로
초콜릿은 적어도 7−5=2(개) 더 있어야 합니다.
답 2개

6 한 명이 하루에 하는 일의 양을 1이라 하면 6명이 32일 동안 한 일의 양은 6×32=192입니다. 남은 일의 양도 192이므로 8명이 하면 192÷8=24(일)이 걸립니다.
답 24일

7 ㉡이 2이므로 4로 나누었을 때 나머지가 2가 되는 수를 찾아봅니다.
㉡에 2를 넣고 밑에서부터 빈 곳을 채워 보면 다음과 같이 2가지의 경우가 나옵니다.

$$\begin{array}{r} 15 \\ 4\overline{)62} \\ 4 \\ \hline 22 \\ 20 \\ \hline 2 \end{array} \qquad \begin{array}{r} 16 \\ 4\overline{)66} \\ 4 \\ \hline 26 \\ 24 \\ \hline 2 \end{array}$$

따라서 ㉡=2일 때, ㉠은 2 또는 6이 될 수 있습니다.
답 2, 6

8 첫 번째 정사각형의 한 변은 96÷4=24 (cm)입니다.
(두 번째에 만든 가장 작은 정사각형의 한 변)
=24÷2=12 (cm)
(세 번째에 만든 가장 작은 정사각형의 한 변)
=24÷3=8 (cm)
⋮
(6번째에 만든 가장 작은 정사각형의 한 변)
=24÷6=4 (cm)
따라서 6번째에 만든 가장 작은 정사각형 한 개의 네 변의 길이의 합은 4×4=16 (cm)입니다. 답 16 cm

9 • 60보다 크고 90보다 작은 수는 61, 62……, 88, 89입니다.
• 이 중 5로 나누어떨어지는 수는 65, 70, 75, 80, 85입니다.
• 이 중 7로 나누었을 때 나머지가 3인 수는 $80 \div 7 = 11 \cdots 3$에서 80입니다.

답 80

10 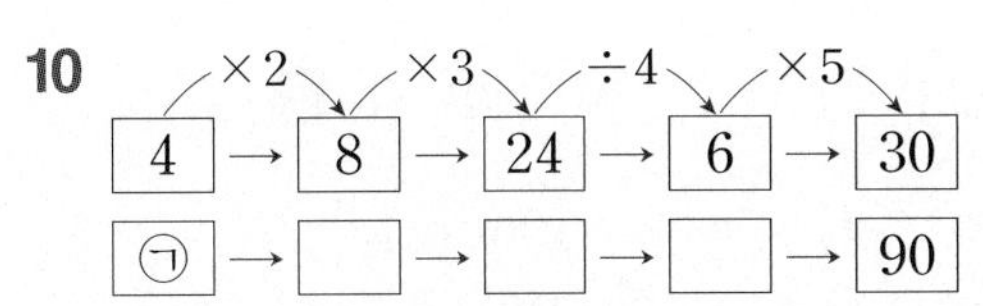

$4 \times 2 = 8$, $8 \times 3 = 24$, $24 \div 4 = 6$, $6 \times 5 = 30$이므로
㉠을 구하기 위해 거꾸로 계산하면
$90 \div 5 = 18$, $18 \times 4 = 72$,
$72 \div 3 = 24$, $24 \div 2 = 12$이므로 ㉠$=12$입니다.

답 12

참고
곱셈을 거꾸로 계산하면 나눗셈으로 계산하고 나눗셈을 거꾸로 계산하면 곱셈으로 계산합니다.

11 ㉠÷㉡$=9$
➔ ㉡$\times 9=$㉠
㉡÷㉢$=4$
➔ ㉢$\times 4=$㉡
㉠$=$㉡$\times 9=$㉢$\times 4 \times 9$,
㉠$=$㉢$\times 36$
➔ ㉠÷㉢$=36$

답 36

참고
㉠÷㉢의 몫 구하기
➔ ㉠을 ㉢이 포함된 계산식으로 나타낸 다음 계산합니다.

12 정사각형의 한 변에 세우는 여학생 수:
$90 \div 5 = 18$, $18 + 1 = 19$(명)
정사각형의 네 변에 세우는 여학생 수:
$19 \times 4 = 76$, $76 - 4 = 72$(명)
여학생 사이에는 남학생을 한 명씩 세우게 되므로 정사각형의 한 변에 세우는 남학생 수는 여학생이 서 있는 간격 수와 같습니다. 즉, 세우는 남학생은 정사각형의 한 변에 18명입니다.
따라서 정사각형의 네 변에 세우는 남학생은
$18 \times 4 = 72$(명)입니다.
따라서 학생은 모두 $72 + 72 = 144$(명) 세울 수 있습니다.

답 144명

13 이 수는 12355321이 되풀이되므로 $91 \div 8 = 11 \cdots 3$에서 8개의 숫자가 11번 반복되고 다시 처음부터 세 수를 쓰면 91자리 수가 됩니다. 따라서 마지막 세 자리 수는 123입니다.

답 123

참고
되풀이되는 수를 알아봅니다.

14 어떤 두 자리 수를 ㉠㉡이라 하면 ㉠㉡을 ㉠으로 나눈 몫이 10이므로 나머지는 ㉡이 되고, ㉠>㉡입니다.
㉠㉡을 ㉡으로 나눈 몫이 12이고 나머지를 ★이라 하면 ㉡>★입니다.
┌ ㉠㉡÷㉠$=10 \cdots$㉡
└ ㉠㉡÷㉡$=12 \cdots$★
따라서 맞게 계산했는지 확인하는 식으로 나타내면
┌ ㉠$\times 10+$㉡$=$㉠㉡
└ ㉡$\times 12+$★$=$㉠㉡
➔ ㉠$\times 10+$㉡$=$㉡$\times 12+$★,
㉠$\times 10=$㉡$\times 11+$★$-$①
㉠과 ㉡은 각각 1부터 9까지의 숫자 중 하나이고
㉡>★이므로 ★도 한 자리 수입니다.
①의 식을 만족하는 (㉠, ㉡, ★)을 알아보면 다음과 같습니다.
(2, 1, 9), (3, 2, 8), (4, 3, 7), (5, 4, 6), (6, 5, 5), (7, 6, 4), (8, 7, 3), (9, 8, 2)
이 중에서 ㉠>㉡>★을 만족하는 경우는
(7, 6, 4), (8, 7, 3), (9, 8, 2)이므로 어떤 두 자리 수가 될 수 있는 수는 76, 87, 98입니다.
따라서 합은 $76 + 87 + 98 = 261$입니다.

답 261

토론 발표 브레인스토밍 53~54쪽

1 각 숫자마다 카드의 수가 모두 같고, 2에서 7까지의 숫자는 모두 6개이므로 성훈이는 각 숫자마다 카드를 $72 \div 6 = 12$(장)씩 가지고 있습니다.
또, 2에서 7까지의 합은
$2+3+4+5+6+7=27$입니다.
따라서 성훈이가 가지고 있는 72장의 수 카드에 쓰여 있는 수의 합은 2에서 7까지의 합의 12배이므로
$27 \times 12 = 324$입니다.

답 324

2 단원 나눗셈

2 은행나무 사이의 간격이
$91 \div 7 = 13$(군데)이므로
도로의 한쪽에 심는 은행나무는
$13 + 1 = 14$(그루)이고,
도로의 한쪽에 심는 단풍나무는
$4 \times 13 = 52$(그루)입니다.
따라서 도로의 한쪽에 심는 은행나무와 단풍나무의 수가 $14 + 52 = 66$(그루)이므로
도로의 양쪽에 심는 은행나무와 단풍나무는 모두
$66 \times 2 = 132$(그루)입니다.

답 132그루

3 상자의 수를 □개라 하면 한 상자에 사과를 6개씩 넣으면 상자가 3개 남으므로 사과의 수는 한 상자에 사과를 6개씩 모두 넣었을 때보다 $6 \times 3 = 18$(개) 적습니다.
따라서 사과의 수는
$(\square \times 6 - 18)$개입니다.
또 한 상자에 사과를 3개씩 넣으면 사과가 15개 남으므로 사과는
$(\square \times 3 + 15)$개입니다.
$\square \times 6 - 18 = \square \times 3 + 15$,
$\square \times 6 = \square \times 3 + 15 + 18$,
$\square \times 3 = 33$
➔ $\square = 33 \div 3 = 11$
따라서 사과는 $11 \times 3 + 15 = 33 + 15 = 48$(개)입니다.

답 48개

4 $\langle 39 \rangle + \langle 41 \rangle + \langle 43 \rangle + \langle 45 \rangle + \cdots\cdots$
$= 3 + 1 + 3 + 1 + \cdots\cdots$
$\{40\} + \{42\} + \{44\} + \{46\} + \{48\} + \{50\} + \cdots\cdots$
$= 4 + 0 + 2 + 4 + 0 + 2 + \cdots\cdots$
$\langle ● \rangle$의 수는 3, 1이 되풀이되고, $\langle ★ \rangle$의 수는 4, 0, 2가 되풀이됩니다.
$3 + 4 + 1 + 0 + 3 + 2 + 1 + 4 + 3 + 0 + 1 + 2 = 24$가 되풀이되므로
$\langle 39 \rangle + \{40\} + \cdots\cdots + \langle 49 \rangle + \{50\} = 24$,
$\langle 51 \rangle + \{52\} + \cdots\cdots + \langle 61 \rangle + \{62\} = 24$,
$\langle 63 \rangle + \{64\} + \cdots\cdots + \langle 73 \rangle + \{74\} = 24$,
$\langle 75 \rangle + \{76\} + \cdots\cdots + \langle 85 \rangle + \{86\} = 24$,
$\langle 87 \rangle + \{88\} + \cdots\cdots + \langle 97 \rangle + \{98\} = 24$이므로
$\langle 39 \rangle + \{40\} + \cdots\cdots + \langle 97 \rangle + \{98\} = 24 \times 5 = 120$입니다.

답 120

3 원

Plus 개념 하이레벨 개념 58~59쪽

1 ㉠ 한 원에서 원의 중심을 지나는 선분인 지름은 무수히 많이 그을 수 있습니다. 답 ㉠

2 $19 < 27 < 30$이므로 ㉡<㉠<㉢입니다. 답 ㉡, ㉠, ㉢

3 (1) (작은 원의 지름) $= 5 \times 2 = 10$ (cm)
(2) (큰 원의 지름) $= 24 - 10 = 14$ (cm)

답 (1) 10 cm (2) 14 cm

4 (원의 지름) = (정사각형의 한 변) = 8 cm 답 8 cm

5 컴퍼스를 원의 반지름만큼 벌려야 하므로 컴퍼스의 침과 연필심 사이가 3 cm가 되도록 벌려서 그립니다.

답 3 cm

6 원의 중심이 다른 원 5개를 이용하여 그려야 하므로 컴퍼스의 침을 꽂아야 할 곳은 모두 5군데입니다.

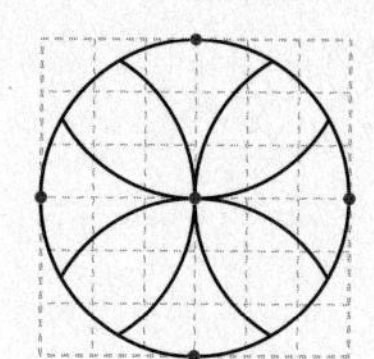

답 5군데

STEP1 하이레벨 입문 60~63쪽

1 원의 가장 안쪽에 있는 점이 원의 중심입니다. 답 점 ㄹ

2 원의 중심과 원 위의 한 점을 이은 선분을 찾습니다.

답 선분 ㅇㄱ, 선분 ㅇㄹ, 선분 ㅇㅁ

3 답 8 cm

4 원의 중심에서 원 위의 한 점까지의 길이는 모두 같습니다. 답 예

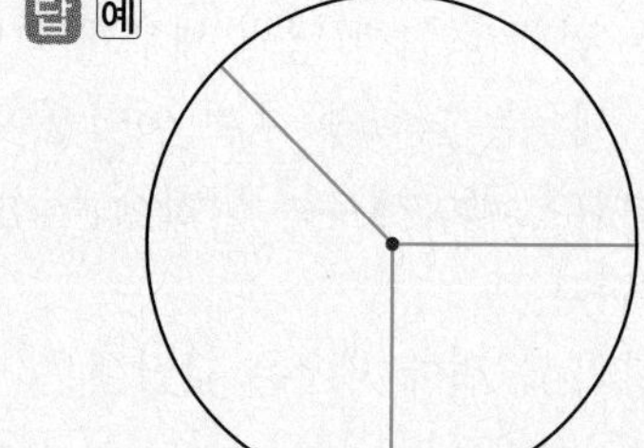

/ 같습니다에 ○표

5 한 원에는 원의 중심이 1개뿐입니다. 답 1개

6 승후: 원의 지름은 원 위의 두 점을 이은 선분 중 원의 중심을 지나는 선분입니다. 답 승후

7 원 위의 두 점을 이은 선분 중 길이가 가장 긴 선분이 원의 지름이므로 원의 지름을 찾으면 선분 ㄷㅅ입니다.
답 선분 ㄷㅅ

8 (원의 반지름)=(원의 지름)÷2
=12÷2=6 (cm) 답 6 cm

9 ㉢ 한 원에서 지름은 길이가 가장 긴 선분입니다. 답 ㉢

10 한 원에서 지름의 길이는 반지름의 길이의 2배입니다.
답 (위에서부터) 4, 2 / 2

11 (반지름이 4 cm인 원)=(지름이 8 cm인 원)
➔ (지름이 6 cm인 원)<(반지름이 4 cm인 원)
답 ( ) (○)

12 (선분 ㄱㄴ)=(작은 원의 반지름)이고
작은 원의 지름이 큰 원의 반지름이므로
(큰 원의 반지름)=20÷2=10 (cm)입니다.
➔ (작은 원의 반지름)=10÷2=5 (cm) 답 5 cm

13 답 중심, 반지름, 중심

14 답

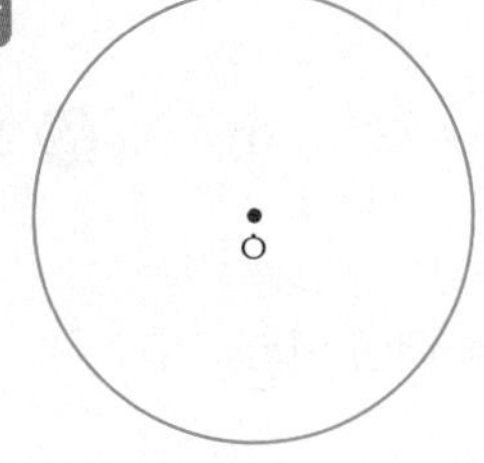

15 주어진 선분의 길이: 1.8 cm
반지름이 1.8 cm인 원을 그립니다.
답

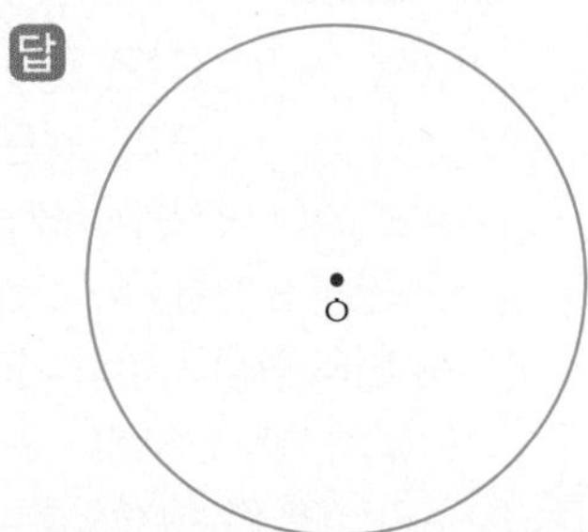

16 모범 답안 컴퍼스의 침을 자의 눈금 0에 맞추지 않았고 컴퍼스를 3 cm만큼 벌려야 하는데 2 cm만큼 벌렸습니다.

평가 기준

컴퍼스의 침을 자의 눈금 0에 맞추는 것과 컴퍼스를 반지름인 3 cm만큼 벌려야 한다고 썼으면 정답입니다.

17 답

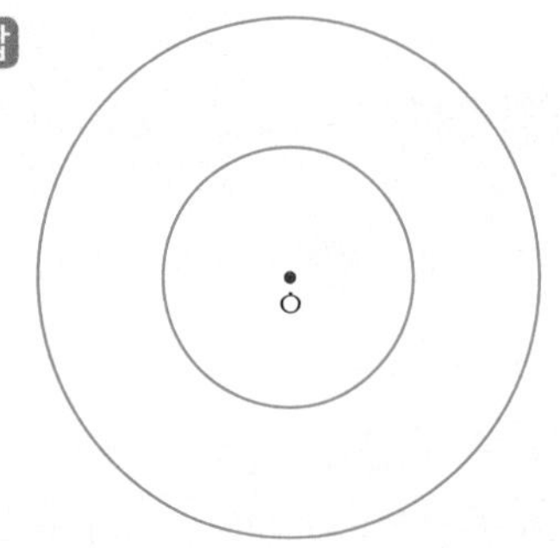

18 시계의 반지름은 1.4 cm입니다.
반지름이 1.4 cm인 원을 그립니다.
답

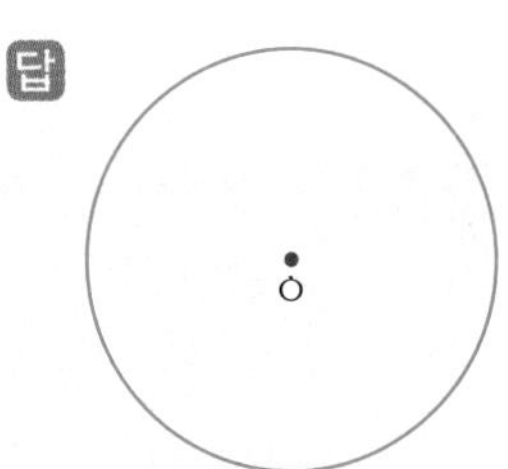

19 컴퍼스의 침을 꽂는 곳은 각 원의 중심입니다.
답

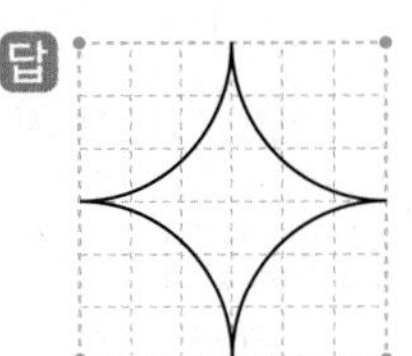

20 ① 원의 중심을 옮겨 가며 반지름을 같게 그렸습니다.
② 원의 중심을 옮기지 않고 반지름을 다르게 하여 그렸습니다.
③, ④ 원의 중심을 옮겨 가며 반지름을 다르게 하여 그렸습니다. 답 ②

21 답

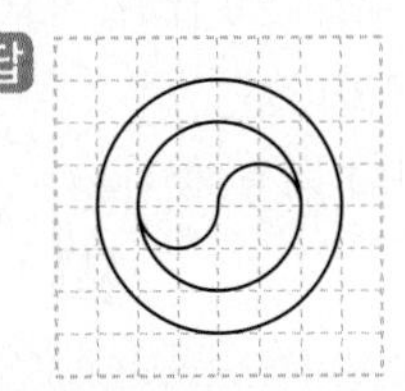

22 모범 답안 원의 반지름이 모눈 1칸씩 늘어나고 원이 맞닿도록 원의 중심을 오른쪽으로 옮겨 가는 규칙입니다.

평가 기준

늘어나는 원의 반지름의 규칙을 쓰고 원의 중심을 옮기는 규칙을 바르게 썼으면 정답입니다.

23 반지름이 4칸인 원을 세 번째 원과 맞닿도록 그립니다.
답

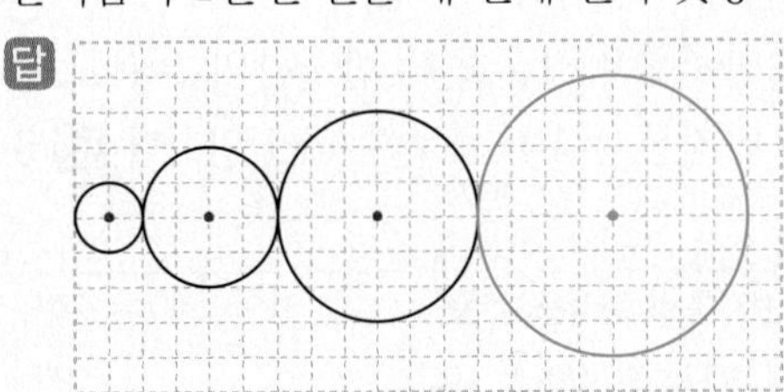

24 (가운데 원의 반지름)=1+1=2 (cm)
➔ (가장 큰 원의 반지름)=2+1=3 (cm) 답 3 cm

STEP2 하이레벨 탐구 64~69쪽

대표 유형 1 (3) $5-2+1=4$(개) 답 (1) 5개 (2) 2개 (3) 4개

체크 1-1 그림에 이용된 원의 수: 6개
원의 중심이 겹쳐진 원의 수: 2개
➜ (찾을 수 있는 원의 중심의 수)$=6-2+1=5$(개)
답 5개

체크 1-2 • ㉮에서 원의 수: 6개,
원의 중심이 겹쳐진 원의 수: 2개
→ $6-2+1=5$(개)
• ㉯에서 원의 수: 3개, 원의 중심이 겹쳐진 원은 없습니다. → 3개
➜ $5+3=8$(개) 답 8개

대표 유형 2 (1) 징: $17\times2=34$ (cm), 북: $20\times2=40$ (cm)
(2) $25<30<34<40$이므로
탬버린<심벌즈<징<북입니다.
답 (1) 34 cm, 25 cm, 40 cm, 30 cm
(2) 탬버린, 심벌즈, 징, 북

체크 2-1 동전의 지름을 비교하면
20센트: $11\times2=22$ (mm), 1유로: 23 mm,
2유로: $13\times2=26$ (mm), 50센트: 24 mm이므로
크기가 가장 작은 동전은 20센트입니다.
➜ 20센트 동전과 2유로인 동전의 지름의 차는
$26-22=4$ (mm)입니다. 답 4 mm

대표 유형 3 (1) $42\div2=21$ (cm)
(3) $21\div3=7$ (cm) 답 (1) 21 cm (2) 3배 (3) 7 cm

체크 3-1 (큰 원의 반지름)$=24\div2=12$ (cm)
큰 원의 반지름은 작은 원의 반지름의 3배이므로
(작은 원의 반지름)$=12\div3=4$ (cm)입니다.
답 4 cm

체크 3-2 모범 답안 ❶ (큰 원의 반지름)$=20\div2=10$ (cm)
❷ 큰 원의 반지름은 작은 원의 반지름의 2배이므로
(작은 원의 반지름)$=10\div2=5$ (cm)입니다. 답 5 cm

채점 기준

❶ 큰 원의 반지름의 길이를 구함.	2점	5점
❷ 작은 원의 반지름의 길이를 구함.	3점	

대표 유형 4 (1) $12\div3=4$ (cm)
(3) $4\times3=12$ (cm) 답 (1) 4 cm (2) 4 cm (3) 12 cm

체크 4-1 (각 원의 반지름)$=18\div3=6$ (cm)
(삼각형 ㄱㄴㄷ의 한 변의 길이)$=6$ cm
➜ (삼각형 ㄱㄴㄷ의 세 변의 길이의 합)
$=6\times3=18$ (cm) 답 18 cm

체크 4-2 삼각형 ㅅㅇㅈ의 세 변의 길이는 각각 원의 반지름의 길이와 같으므로 삼각형 ㅅㅇㅈ의 한 변은
$27\div3=9$ (cm)입니다.
따라서 원의 반지름이 9 cm이므로 원의 지름은
$9\times2=18$ (cm)입니다. 답 18 cm

대표 유형 5 (2) $4\times2=8$ (cm)
(3) $6+8+7=21$ (cm)
답 (1) 6 cm, 7 cm (2) 8 cm (3) 21 cm

체크 5-1

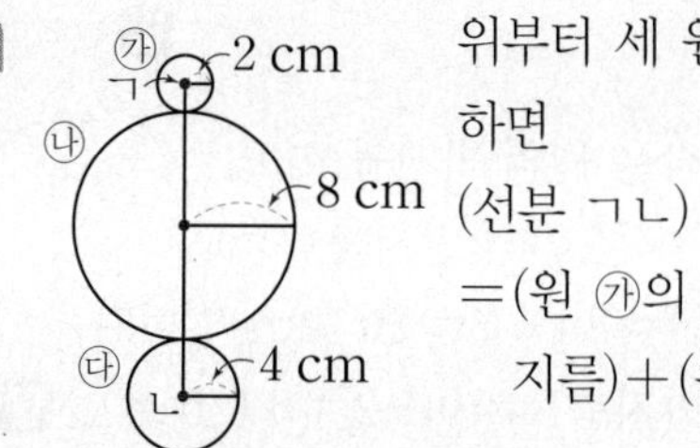

위부터 세 원을 ㉮, ㉯, ㉰라고 하면
(선분 ㄱㄴ)
=(원 ㉮의 반지름)+(원 ㉯의 지름)+(원 ㉰의 반지름)

(원 ㉮의 반지름)$=2$ cm
(원 ㉯의 지름)$=8\times2=16$ (cm)
(원 ㉰의 반지름)$=4$ cm
➜ (선분 ㄱㄴ)$=2+16+4=22$ (cm) 답 22 cm

체크 5-2 (선분 ㄱㄴ)
=(작은 원의 지름)+(큰 원의 지름)
−(겹친 부분의 길이)
$=8+14-2=20$ (cm) 답 20 cm

다른 풀이
(선분 ㄱㄴ)=(작은 원의 반지름)+(두 원의 중심 사이의 거리)+(큰 원의 반지름)
(작은 원의 반지름)$=8\div2=4$ (cm)
(큰 원의 반지름)$=7$ cm
(두 원의 중심 사이의 거리)
=(작은 원의 반지름)+(큰 원의 반지름)−(겹친 부분의 길이)
$=4+7-2=9$ (cm)
➜ $4+9+7=20$ (cm)

대표 유형 6 (1) $6\times2=12$ (cm)
(2) 가로: $12\times4=48$ (cm), 세로: 12 cm
(3) (직사각형의 네 변의 길이의 합)
$=48+12+48+12=120$ (cm)
답 (1) 12 cm (2) 48 cm, 12 cm (3) 120 cm

체크6-1 (원의 지름)$=7\times2=14$ (cm)
(선분 ㄱㄴ)$=$(선분 ㄴㄷ)$=$(선분 ㄷㄹ)$=$(선분 ㄹㄱ)
$=$(원의 지름)$\times2=14\times2=28$ (cm)
(정사각형 ㄱㄴㄷㄹ의 네 변의 길이의 합)
$=28+28+28+28=112$ (cm)

답 112 cm

체크6-2 모범 답안 ❶ (붙임딱지 한 장의 지름)$=12$ cm
❷ (직사각형의 가로)$=12\times4=48$ (cm),
(직사각형의 세로)$=12\times2=24$ (cm)
❸ ➔ (직사각형의 네 변의 길이의 합)
$=48+24+48+24=144$ (cm)

답 144 cm

채점 기준

❶ 붙임딱지 한 장의 지름의 길이를 구함.	1점	5점
❷ 직사각형의 가로와 세로의 길이를 구함.	2점	
❸ 직사각형의 네 변의 길이의 합을 구함.	2점	

STEP2 하이레벨 탐구 플러스 70~71쪽

1 가 피자의 지름은 40 cm입니다.
(가 피자의 반지름)$=40\div2=20$ (cm)
➔ (나 피자의 반지름)$=20\div2=10$ (cm)

답 10 cm

2 (원 ㉠의 반지름)$=8\div2=4$ (cm)
(원 ㉡의 반지름)$=4+5=9$ (cm)
(원 ㉢의 반지름)$=4\times2=8$ (cm)
➔ ㉡>㉢>㉠

답 ㉡, ㉢, ㉠

3

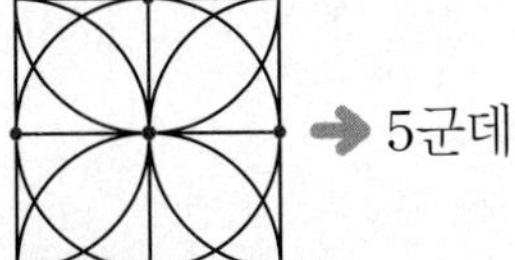

➔ 5군데

답 5군데

참고
그림에서 컴퍼스의 침을 꽂는 곳은 원의 중심입니다.

4 (큰 원의 반지름)$=48\div2=24$ (cm)
(선분 ㄱㄴ)$=$(큰 원의 지름)
$=$(작은 원의 지름)$\times4$이므로
(작은 원의 지름)$=48\div4=12$ (cm),
(작은 원의 반지름)$=12\div2=6$ (cm)입니다.
➔ $24-6=18$ (cm)

답 18 cm

5

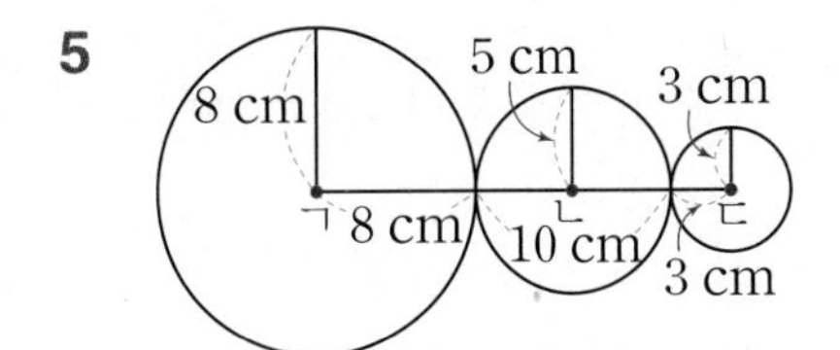

(가장 큰 원의 반지름)$=8$ cm
(중간 크기의 원의 지름)$=5\times2=10$ (cm)
(가장 작은 원의 반지름)$=3$ cm
➔ (선분 ㄱㄷ)$=8+10+3=21$ (cm)

답 21 cm

6 규칙에 따라 원을 그리면 다음과 같은 원을 그릴 수 있습니다.

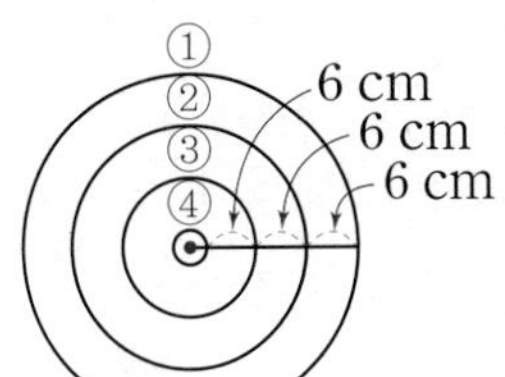

① 원의 지름: 40 cm
② 원의 지름: $40-12=28$ (cm)
③ 원의 지름: $28-12=16$ (cm)
④ 원의 지름: $16-12=4$ (cm)

따라서 그릴 수 있는 가장 작은 원의 반지름은
$4\div2=2$ (cm)입니다.

답 2 cm

STEP3 하이레벨 심화 72~76쪽

1 (원의 지름)$=4\times2=8$ (cm)
(정사각형의 한 변)$=$(원의 지름)$=8$ cm이므로
정사각형 ㄱㄴㄷㄹ의 네 변의 길이의 합은
$8\times4=32$ (cm)입니다.

답 32 cm

2 (접시의 지름)$=27\times2=54$ (cm)
➔ $54\div6=9$(개)

답 9개

3

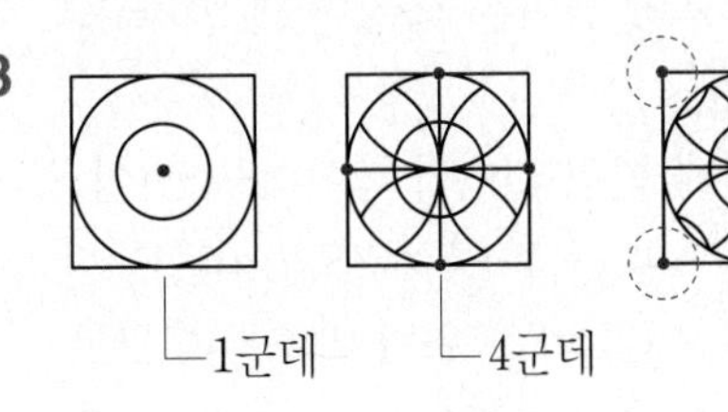

➔ $1+4+4=9$(군데)

답 9군데

4 직사각형 안에 그릴 수 있는 가장 큰 원의 지름은 직사각형의 세로와 같은 3 cm입니다.

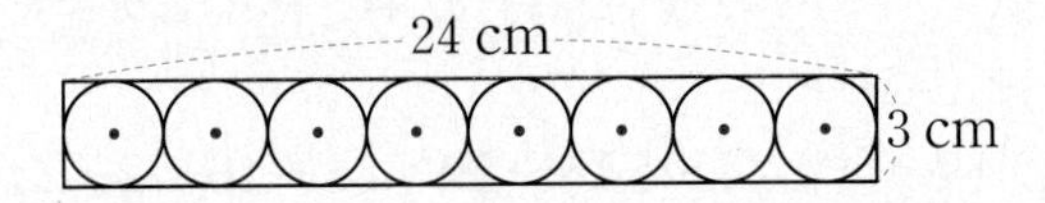

따라서 가장 큰 원은 $24\div3=8$(개)까지 그릴 수 있습니다.

답 8개

5 가장 큰 원의 지름은 가장 작은 원의 지름의 12배와 같습니다.
(가장 큰 원의 지름)$=4\times12=48$ (cm)
➔ (가장 큰 원의 반지름)$=48\div2=24$ (cm)
답 24 cm

6 그림은 모양이 $18\div3=6$(번) 반복되는 규칙이고 모양은 반지름이 5개인 길이와 같습니다.
➔ (직사각형의 가로)$=1\times5\times6=30$ (cm)
답 30 cm

7 (가장 작은 원의 지름)$=7\times2=14$ (cm)
(중간 크기의 원의 지름)$=14\times2=28$ (cm)
➔ (선분 ㄱㄴ)=(중간 크기의 원의 지름)$\times3$
$=28\times3=84$ (cm)
답 84 cm

다른 풀이
(가장 큰 원의 반지름)=(중간 크기의 원의 반지름)$\times2$
=(가장 작은 원의 반지름)$\times4$
➔ (선분 ㄱㄴ)=(중간 크기의 원의 반지름)$\times6$
=(가장 작은 원의 반지름)$\times12$
$=7\times12=84$ (cm)

8
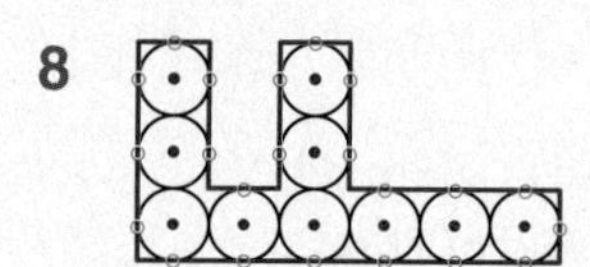
(원의 지름)$=5\times2=10$ (cm)
빨간색 선의 길이의 합은 원의 지름의 22배이므로
$10\times22=220$ (cm)입니다.
답 220 cm

9 선분 ㄱㄹ, 선분 ㄷㄹ의 길이는 작은 원의 반지름과 같으므로 7 cm입니다.
사각형 ㄱㄴㄷㄹ의 네 변의 길이의 합이 38 cm이므로
(선분 ㄱㄴ)+(선분 ㄴㄷ)$+7+7=38$ (cm)입니다.
(선분 ㄱㄴ)=(선분 ㄴㄷ)=(큰 원의 반지름)이므로
(큰 원의 반지름)$\times2+14=38$ (cm),
(큰 원의 반지름)$\times2=24$ (cm),
(큰 원의 반지름)$=12$ cm입니다.
답 12 cm

10 선분 ㄱㄴ과 선분 ㄱㄷ의 길이는 원의 반지름인 18 cm와 같습니다.
(선분 ㄴㄷ)$=18+18-10=36-10=26$ (cm)
➔ (삼각형 ㄱㄴㄷ의 세 변의 길이의 합)
$=18+26+18=62$ (cm)
답 62 cm

11 직사각형의 가로는 원의 반지름의 5배이므로 원의 반지름은 $45\div5=9$ (cm)입니다.
색칠한 사각형의 각 변은 원의 반지름과 같으므로 색칠한 사각형 3개의 모든 변의 길이의 합은
$9\times4\times3=108$ (cm)입니다.
답 108 cm

12
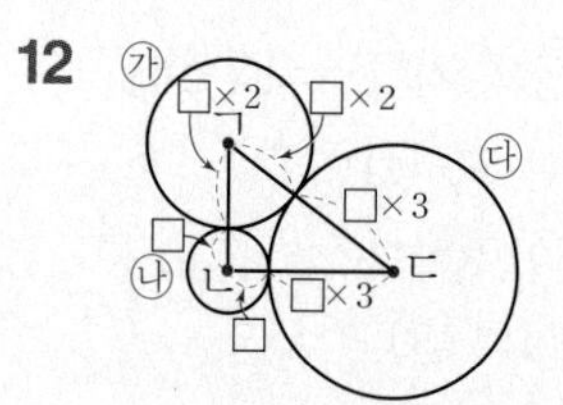

원 ㉯의 반지름을 □ cm라 하면
원 ㉮의 반지름은 (□$\times2$) cm,
원 ㉰의 반지름은 (□$\times3$) cm입니다.
위의 그림과 같이 삼각형 ㄱㄴㄷ에 □를 이용하여 길이를 나타내면
(삼각형 ㄱㄴㄷ의 세 변의 길이의 합)
=(선분 ㄱㄴ)+(선분 ㄴㄷ)+(선분 ㄷㄱ)
=□$\times2+$□$+$□$+$□$\times3+$□$\times3+$□$\times2$
=□$\times12=48$ (cm)
□$=4$이므로 원 ㉯의 반지름은 4 cm입니다.
답 4 cm

13 큰 원의 지름은 직사각형의 세로와 같으므로 12 cm입니다.
$12+$(작은 원의 지름)$+12+$(작은 원의 지름)
$=40$ (cm)이므로
(작은 원의 지름)$\times2+24=40$ (cm),
(작은 원의 지름)$\times2=16$ (cm),
(작은 원의 지름)$=8$ cm,
(작은 원의 반지름)$=8\div2=4$ (cm)입니다.
➔ (선분 ㅁㅇ)$=6+8+12+4=30$ (cm)
답 30 cm

14 □ 번째에 만든 삼각형의 세 변의 길이의 합이 60 cm라 하고 표를 만들어 봅니다.

삼각형	첫 번째	두 번째	세 번째	……
세 변의 길이의 합(cm)	$4\times3=12$	$8\times3=24$	$12\times3=36$	……
원의 수(개)	$2+1=3$	$3+2+1=6$	$4+3+2+1=10$	……

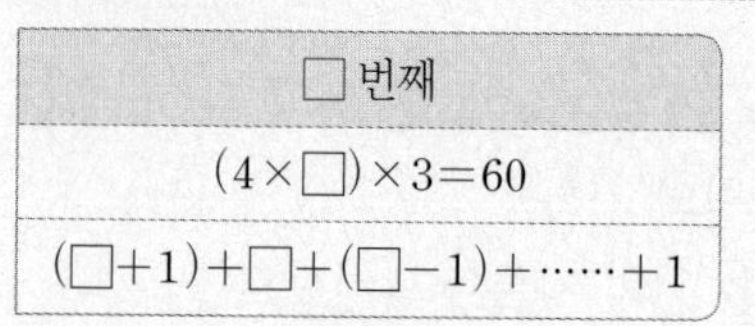

□번째
$(4\times$□$)\times3=60$
$($□$+1)+$□$+($□$-1)+\cdots\cdots+1$

$(4\times$□$)\times3=60$, $4\times$□$=20$, □$=5$
따라서 다섯 번째에 원은
$6+5+4+3+2+1=21$(개) 필요합니다.
답 21개

토론 발표 **브레인스토밍** 77~78쪽

1 원 6개의 반지름이 모두 원 나의 반지름과 같다면 삼각형의 세 변의 길이의 합은 192 cm보다 $6\times8=48$ (cm) 짧은 $192-48=144$ (cm)입니다.
144 cm에는 원 나와 같은 반지름이 12개 있는 것과 같습니다.
$12\times12=144$이므로 원 나의 반지름은 12 cm입니다.
답 12 cm

2 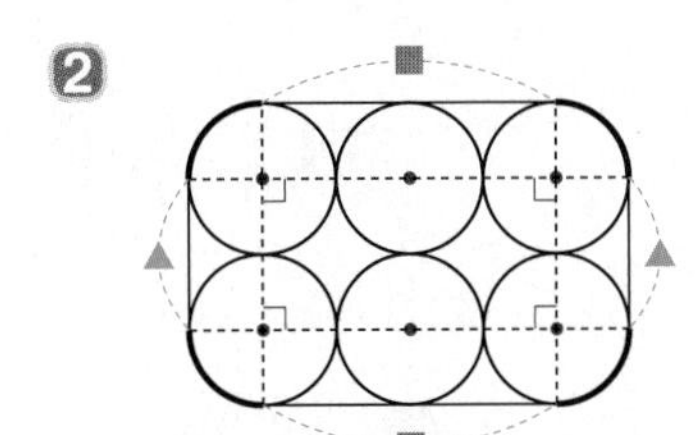

왼쪽의 그림에서 굵은 선의 길이의 합은 원의 둘레와 같으므로 157 cm입니다.

■의 길이는 원의 반지름의 4배이므로 $25\times4=100$ (cm)이고,
▲의 길이는 원의 반지름의 2배이므로 $25\times2=50$ (cm)입니다.
따라서 원 6개를 두르는 데 사용한 끈의 전체 길이는 $157+100+50+100+50+43=500$ (cm)입니다.
답 500 cm

3 원 나의 지름이 $10\times2=20$ (cm)이고,
$6+5+4+3+2=20$ (cm)이므로
원 나에 마지막으로 그려 넣은 원과 원 가에 첫 번째로 그려 넣은 원의 지름은 2 cm입니다.
원 가의 지름이 $15\times2=30$ (cm)이므로
(원 가에 그려 넣은 작은 원들의 지름의 합)
$=2+4+6+8+10=30$ (cm)입니다.
따라서 원 가에 그려 넣은 가장 큰 원의 지름이 10 cm이므로 반지름은 $10\div2=5$ (cm)입니다. 답 5 cm

4 중심이 점 ㄹ인 원의 반지름이 4 cm이므로 중심이 점 ㄱ인 원의 반지름은 $4\times3=12$ (cm)입니다.
(선분 ㄱㄴ)=12 cm이므로
(선분 ㄷㅂ)$=12-4=8$ (cm)이고,
(선분 ㄱㄹ)$=12+4=16$ (cm)입니다.
(선분 ㄴㄷ)=(선분 ㄱㄹ)=16 cm이고,
(선분 ㄷㅈ)=(선분 ㄷㅂ)=8 cm이므로
(선분 ㄴㅈ)$=16-8=8$ (cm)입니다.
중심이 점 ㄴ인 원의 반지름이 8 cm이므로
(선분 ㄴㅅ)=(선분 ㄴㅇ)=8 cm입니다.
따라서 삼각형 ㅅㄴㅇ의 세 변의 길이의 합은
$8+8+9=25$ (cm)입니다. 답 25 cm

4 분수

Plus 개념 **하이레벨 개념** 82~83쪽

1 12를 2씩 묶으면 6묶음이 됩니다. 6은 2씩 3묶음입니다.
➔ ㉠은 6묶음 중의 3묶음: $\frac{3}{6}$
12를 3씩 묶으면 4묶음이 됩니다. 6은 3씩 2묶음입니다.
➔ ㉡은 4묶음 중의 2묶음: $\frac{2}{4}$
답 $\frac{3}{6}$, $\frac{2}{4}$

2 25의 $\frac{1}{5}$은 5, 25의 $\frac{2}{5}$는 10입니다. 48의 $\frac{1}{8}$은 6입니다.
➔ $10>6$
답 $>$

3 1시간은 60분입니다.
60분의 $\frac{1}{6}$은 10분, 60분의 $\frac{2}{6}$는 20분입니다.
답 10, 20

4 분모가 5인 진분수의 분자는 1, 2, 3, 4입니다.
답 $\frac{1}{5}$, $\frac{2}{5}$, $\frac{3}{5}$, $\frac{4}{5}$

5 (1) $2\frac{5}{6}$ ➔ [$2=\frac{12}{6}$: $\frac{1}{6}$이 12개 / $\frac{5}{6}$: $\frac{1}{6}$이 5개] ➔ $\frac{1}{6}$이 17개
➔ $2\frac{5}{6}=\frac{17}{6}$

(2) $\frac{16}{3}$ ➔ [$\frac{15}{3}=5$ / $\frac{1}{3}$] ➔ 5와 $\frac{1}{3}$
➔ $\frac{16}{3}=5\frac{1}{3}$
답 (1) 17 (2) 5, 1

6 $5\frac{1}{4}$에서 5는 $\frac{1}{4}$이 20개이므로 $5\frac{1}{4}$은 $\frac{1}{4}$이 21개인 $\frac{21}{4}$입니다. ➔ $\frac{25}{4}>5\frac{1}{4}(=\frac{21}{4})>\frac{17}{4}$
답 $\frac{25}{4}$

STEP1 하이레벨 입문 84~87쪽

1 콩 10개를 5개씩 묶으면 콩 5개는 전체 10개의 $\frac{1}{2}$입니다. 답 $\frac{1}{2}$

2 당근을 3개씩 묶으면 7묶음이 됩니다.
15개는 3개씩 5묶음이므로 15는 21의 $\frac{5}{7}$입니다.
답 예 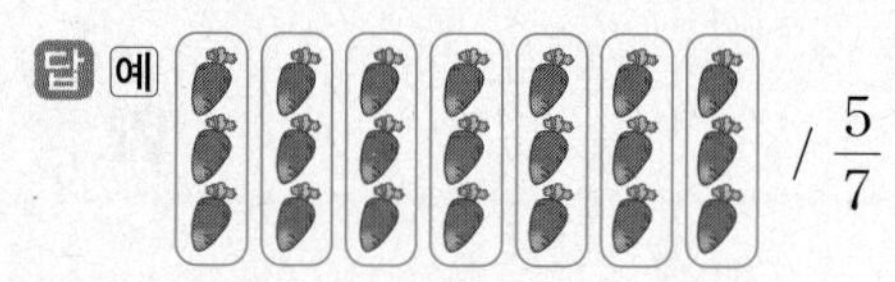 / $\frac{5}{7}$

3 32를 4씩 묶으면 8묶음이 됩니다.
20은 4씩 5묶음이므로 20은 32의 $\frac{5}{8}$입니다. 답 $\frac{5}{8}$

4 ㉠ 3 ㉡ 2 ㉢ 5 ➔ ㉢>㉠>㉡ 답 ㉢, ㉠, ㉡

5 42를 7씩 묶으면 6묶음이 됩니다.
28은 7씩 4묶음이므로 28은 42의 $\frac{4}{6}$입니다. 답 $\frac{4}{6}$

6 (1) 8을 똑같이 2묶음으로 나눈 것 중의 1묶음은 4입니다.
(2) 8을 똑같이 4묶음으로 나눈 것 중의 3묶음은 6입니다.
답 (1) 4 (2) 6

7 (1) 27을 똑같이 9묶음으로 나눈 것 중의 1묶음은 3입니다.
(2) 25를 똑같이 5묶음으로 나눈 것 중의 1묶음은 5이고, 2묶음은 10입니다. 답 (1) 3 (2) 10

8 16개의 $\frac{1}{4}$은 4개입니다. ➔ $16-4=12$(개) 답 12개

9 15 cm의 $\frac{1}{5}$은 3 cm, 15 cm의 $\frac{2}{5}$는 6 cm입니다.
답 6 cm

10 1시간의 $\frac{1}{4}$은 15분이므로 1시간의 $\frac{3}{4}$은 $15\times3=45$(분)입니다. 답 45분

11 • 12를 똑같이 4부분으로 나눈 것 중의 1부분은 3입니다.
➔ 12의 $\frac{1}{4}$: ㉡
• 12를 똑같이 3부분으로 나눈 것 중의 2부분은 8입니다.
➔ 12의 $\frac{2}{3}$: ㉣ 답 ㉡, ㉣

12 24시간의 $\frac{1}{8}$은 3시간입니다. 24시간의 $\frac{3}{8}$만큼인 9시간 동안 잠을 잤으므로 $24-9=15$(시간)은 잠을 자지 않았습니다. 답 15시간

주의
영민이가 잠을 잔 시간을 답하는 것이 아님에 주의합니다.

13 수직선에서 작은 눈금 한 칸의 크기는 $\frac{1}{5}$입니다.
답 $\frac{3}{5}$, $\frac{7}{5}$, $\frac{9}{5}$

14 분자가 분모보다 작은 분수를 모두 찾습니다.
답 $\frac{3}{4}$, $\frac{5}{8}$에 ○표

15 $\frac{17}{10}$: 가분수, $\frac{7}{9}$: 진분수, 10: 자연수
답 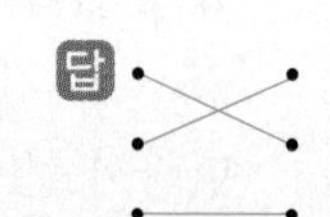

16 $1=\frac{2}{2}=\frac{3}{3}=\frac{4}{4}=\frac{5}{5}=\frac{6}{6}=\cdots\cdots$ 답 $\frac{6}{6}$

17 대분수: 1과 $\frac{5}{6}$이므로 $1\frac{5}{6}$입니다.
가분수: $\frac{1}{6}$이 11개이므로 가분수로 나타내면 $\frac{11}{6}$입니다.
답 $1\frac{5}{6}$, $\frac{11}{6}$

18 (1) $1\frac{6}{8}$: 1은 $\frac{8}{8}$이므로 $\frac{1}{8}$이 8개, $\frac{6}{8}$은 $\frac{1}{8}$이 6개이므로 $\frac{1}{8}$이 $8+6=14$(개) ➔ $\frac{14}{8}$
(2) $\frac{23}{7}$에서 $\frac{21}{7}$을 자연수 3으로 나타내고 나머지 $\frac{2}{7}$를 진분수로 하면 $3\frac{2}{7}$입니다. 답 (1) $\frac{14}{8}$ (2) $3\frac{2}{7}$

19 분자가 분모와 같거나 분모보다 큰 분수는 $\frac{11}{5}$, $\frac{9}{9}$로 모두 2개입니다. 답 2개

20 $\frac{\square}{11}$는 가분수이므로 □ 안에 들어갈 수 있는 자연수는 11, 12, 13……입니다. 이 중 가장 작은 수는 11입니다.
답 11

21 $9<25$이므로 가분수의 분모는 9, 분자는 25입니다. ➔ $\frac{25}{9}$

$\frac{25}{9}$에서 $\frac{18}{9}$을 자연수 2로 나타내고 나머지 $\frac{7}{9}$을 진분수로 하면 $2\frac{7}{9}$입니다.

답 $\frac{25}{9}$, $2\frac{7}{9}$

22 (1) $\frac{13}{10}$ ⓛ $\frac{16}{10}$ ($13<16$) (2) $1\frac{3}{7}$ ⓖ $1\frac{1}{7}$ ($3>1$)

(1) $\frac{13}{10} < \frac{16}{10}$ (2) $1\frac{3}{7} > 1\frac{1}{7}$

답 (1) $<$ (2) $>$

23 $2\frac{5}{8}=\frac{21}{8}$이므로 $\frac{25}{8}>2\frac{5}{8}(=\frac{21}{8})$입니다.

답 (○)(　)

24 • $1\frac{5}{12}=\frac{17}{12}$ ➔ $\boxed{1\frac{5}{12}}>\frac{10}{12}$

• $1\frac{3}{12}=\frac{15}{12}$ ➔ $1\frac{3}{12}<\boxed{\frac{19}{12}}$

• $1\frac{5}{12}(=\frac{17}{12})<\frac{19}{12}$

답 (위에서부터) $\frac{19}{12}$, $1\frac{5}{12}$, $\frac{19}{12}$

25 $2\frac{8}{9}=\frac{26}{9}$입니다. $2\frac{4}{9}=\frac{22}{9}$, $2\frac{6}{9}=\frac{24}{9}$이므로 $\frac{24}{9}$보다 크고 $\frac{26}{9}$보다 작은 분수는 $\frac{25}{9}$입니다.

답 $\frac{25}{9}$

STEP2 하이레벨 탐구 88~93쪽

대표 유형 1 (1) 30의 $\frac{1}{5}$은 6, 30의 $\frac{2}{5}$는 12입니다.

(2) $30-12=18$(개)

답 (1) 12개 (2) 18개

체크 1-1 42의 $\frac{1}{7}$은 6이므로 42의 $\frac{3}{7}$은 18입니다. 따라서 서희에게 남은 색종이는 $42-18=24$(장)입니다.

답 24장

체크 1-2 48의 $\frac{1}{8}$은 6이므로 친구에게 주고 남은 구슬은 $48-6=42$(개)입니다.

42의 $\frac{1}{6}$은 7이므로 42의 $\frac{5}{6}$는 35입니다.

따라서 유찬이에게 남은 구슬은 $42-35=7$(개)입니다.

답 7개

대표 유형 2 (1) $\frac{37}{7}$에서 $\frac{35}{7}$를 자연수 5로 나타내고 나머지 $\frac{2}{7}$를 진분수로 하면 $\frac{37}{7}=5\frac{2}{7}$입니다.

(2) $5\frac{\square}{7}<5\frac{2}{7}$ ➔ $\square<2$이므로 $\square=1$입니다.

답 (1) $5\frac{2}{7}$ (2) 1

체크 2-1 $\frac{58}{6}$에서 $\frac{54}{6}$를 자연수 9로 나타내고 나머지 $\frac{4}{6}$를 진분수로 하면 $\frac{58}{6}=9\frac{4}{6}$입니다.

$9\frac{\square}{6}>9\frac{4}{6}$에서 $\frac{\square}{6}$는 진분수이고 $\square>4$이므로 $\square=5$입니다.

답 5

체크 2-2 $4\frac{6}{8}=\frac{38}{8}$, $5\frac{2}{8}=\frac{42}{8}$

$\frac{38}{8}<\frac{\square}{8}<\frac{42}{8}$이므로 $\square$ 안에 알맞은 자연수는 39, 40, 41입니다.

답 39, 40, 41

대표 유형 3 (1) 분자에 3보다 작은 수 2를 놓습니다.

(2) 분모에 5보다 작은 수 2와 3을 놓습니다.

(3) $\frac{2}{3}$, $\frac{2}{5}$, $\frac{3}{5}$ ➔ 3개

답 (1) $\frac{2}{3}$ (2) $\frac{2}{5}$, $\frac{3}{5}$ (3) 3개

체크 3-1 분모가 6인 진분수: $\frac{4}{6}$

분모가 7인 진분수: $\frac{4}{7}$, $\frac{6}{7}$

답 $\frac{4}{6}$, $\frac{4}{7}$, $\frac{6}{7}$

체크 3-2 모범 답안 ❶ 분모가 5인 가분수는 $\frac{8}{5}$, $\frac{9}{5}$입니다.

❷ 분모가 8인 가분수는 $\frac{9}{8}$입니다.

❸ 따라서 만들 수 있는 가분수는 $\frac{8}{5}$, $\frac{9}{5}$, $\frac{9}{8}$입니다.

답 $\frac{8}{5}$, $\frac{9}{5}$, $\frac{9}{8}$

채점 기준		
❶ 분모가 5인 가분수를 모두 만듦.	2점	5점
❷ 분모가 8인 가분수를 만듦.	2점	
❸ 만들 수 있는 가분수를 모두 씀.	1점	

4 단원 분수

대표 유형 4 (1) 가분수의 분모는 7입니다.

(2) ■$\div 7=3\cdots5$에서 $7\times3=21$, $21+5=26$이므로 ■$=26$입니다.

(3) 분모는 7, 분자는 26이므로 $\frac{26}{7}$입니다.

답 (1) 7 (2) 26 (3) $\frac{26}{7}$

체크 4-1 분모가 9인 가분수의 분자를 □라 하면 가분수는 $\frac{\square}{9}$입니다. $\square\div9=4\cdots7$에서 $9\times4=36$, $36+7=43$이므로 $\square=43$입니다. ➔ $\frac{43}{9}$ 답 $\frac{43}{9}$

체크 4-2 분자가 31인 가분수의 분모를 □라 하면 가분수는 $\frac{31}{\square}$입니다. $31\div\square=6\cdots1$에서 $\square\times6=30$, $\square=5$입니다. 따라서 이 가분수는 $\frac{31}{5}$입니다. 답 $\frac{31}{5}$

대표 유형 5 (2) ■의 $\frac{6}{7}$이 30 mm이므로 ■의 $\frac{1}{7}$은 $30\div6=5$ (mm)입니다.

(3) ■의 $\frac{1}{7}$이 5 mm이므로 ■$=5\times7=35$ (mm)입니다. 답 (1) 30 (2) 5 mm (3) 35 mm

체크 5-1 모범 답안 ❶ 태극기의 세로는 24 cm이므로 가로의 $\frac{2}{3}$는 24 cm입니다.

❷ 가로의 $\frac{1}{3}$은 $24\div2=12$ (cm)이므로

❸ (가로)$=12\times3=36$ (cm)입니다. 답 36 cm

채점 기준

❶ 태극기의 세로를 이용하여 가로의 $\frac{2}{3}$를 구함.	1점	5점
❷ 가로의 $\frac{1}{3}$을 구함.	2점	
❸ 태극기의 가로를 구함.	2점	

대표 유형 6 (2) (1)의 표에서 두 수의 차가 5인 경우는 7, 12입니다.

(3) 표에서 찾은 두 수에서 분자가 7, 분모가 12이므로 구하려는 진분수는 $\frac{7}{12}$입니다.

답 (1) (위에서부터) 6, 7, 8, 9 / 15, 14, 13, 12, 11, 10 (2) 7, 12 (3) $\frac{7}{12}$

체크 6-1

분자	1	2	3	4	5	6	7	8	9	10
분모	20	19	18	17	16	15	14	13	12	11

위의 표에서 분모와 분자의 차가 9인 두 수는 6, 15입니다. 따라서 구하려는 진분수는 $\frac{6}{15}$입니다.

답 $\frac{6}{15}$

체크 6-2 (분자)$=$(분모)$+9$, (분모)$+$(분자)$=45$이므로 (분모)$+$(분모)$+9=45$, (분모)$+$(분모)$=36$, (분모)$=18$이고 (분자)$=$(분모)$+9=18+9=27$입니다.

따라서 구하려는 가분수는 $\frac{27}{18}$이고, $\frac{27}{18}$을 대분수로 나타내면 $1\frac{9}{18}$입니다.

답 $\frac{27}{18}$, $1\frac{9}{18}$

STEP2 하이레벨 탐구 플러스 94~95쪽

1 분모가 7이므로 $2=\frac{14}{7}$보다 작은 가분수는 $\frac{7}{7}$, $\frac{8}{7}$, $\frac{9}{7}$, $\frac{10}{7}$, $\frac{11}{7}$, $\frac{12}{7}$, $\frac{13}{7}$입니다. ➔ 7개

답 7개

2 탑 모양을 만든 블럭 수: 88개의 $\frac{1}{8}$은 11개이고 88개의 $\frac{5}{8}$는 $11\times5=55$(개)입니다.

탑 모양을 만들고 남은 블럭 수: $88-55=33$(개)

꽃 모양을 만든 블럭 수: 33개의 $\frac{1}{11}$은 3개이고 33개의 $\frac{6}{11}$은 $3\times6=18$(개)입니다.

따라서 남은 블럭은 $33-18=15$(개)입니다.

답 15개

3 대분수는 자연수와 진분수로 이루어지므로 분모와 분자의 합이 10인 진분수를 찾으면 $\frac{1}{9}$, $\frac{2}{8}$, $\frac{3}{7}$, $\frac{4}{6}$입니다.

따라서 $9\frac{1}{9}$, $9\frac{2}{8}$, $9\frac{3}{7}$, $9\frac{4}{6}$로 모두 4개입니다.

답 4개

4 분모가 분자보다 작게 만듭니다.

분모가 3인 가분수: $\frac{5}{3}$, $\frac{7}{3}$, $\frac{8}{3}$ ➔ 3개

분모가 5인 가분수: $\frac{7}{5}$, $\frac{8}{5}$ ➔ 2개

분모가 7인 가분수: $\frac{8}{7}$ ➔ 1개

따라서 모두 $3+2+1=6$(개)입니다. 답 6개

5 2000원의 $\frac{1}{4}$은 500원, $\frac{3}{4}$은 $500\times3=1500$(원)이므로 초등학생의 입장료는 1500원입니다.
따라서 입장료는 모두 $2000+1500+1500=5000$(원)입니다. 답 5000원

6

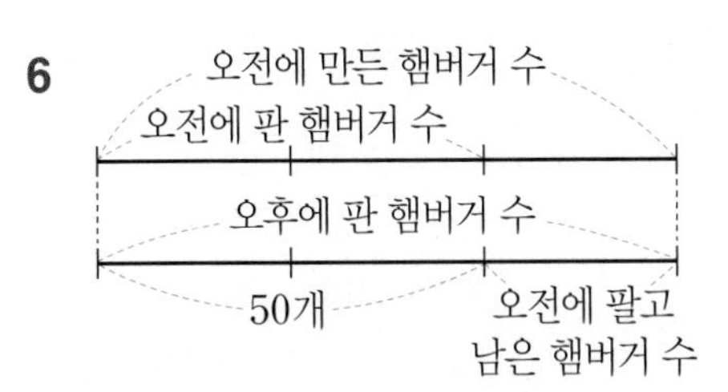

오전에 만든 햄버거의 $\frac{2}{3}$가 50개이므로 $\frac{1}{3}$은 25개입니다.

따라서 오전에 만든 햄버거 수는 $25\times3=75$(개)입니다.

답 75개

STEP3 하이레벨 심화 96~100쪽

1 $\frac{42}{9}=4\frac{6}{9}$이고 $4\frac{7}{9}>4\frac{6}{9}>4\frac{3}{9}$이므로 ㉰ 상자가 가장 무겁습니다. 답 ㉰ 상자

2 1시간은 60분이므로

지후: 60분의 $\frac{1}{3}$이므로 20분 걸립니다.

석영: 60분의 $\frac{1}{4}$이 15분, 60분의 $\frac{2}{4}$는 30분이므로 30분 걸립니다. 따라서 석영이가 $30-20=10$(분) 더 많이 걸립니다. 답 석영, 10분

3 세발자전거의 바퀴 수: 45개의 $\frac{1}{5}$은 9개이므로

45개의 $\frac{3}{5}$은 $9\times3=27$(개)입니다.

두발자전거의 바퀴 수: $45-27=18$(개)
따라서 두발자전거는 $18\div2=9$(대)입니다. 답 9대

4 $\frac{36}{11}$에서 $\frac{33}{11}$을 3으로 나타내고 나머지 $\frac{3}{11}$을 진분수로 나타내면 $3\frac{3}{11}$입니다. $3\frac{3}{11}$보다 크고 4보다 작은 대분수이므로 대분수의 자연수 부분은 3입니다.

구하려는 분수의 분자를 □라고 하면 $3\frac{3}{11}<3\frac{\square}{11}<4$입니다. 따라서 □ 안에는 4, 5, 6, 7, 8, 9, 10이 들어갈 수 있으므로 구하려는 대분수는 $3\frac{4}{11}$, $3\frac{5}{11}$, $3\frac{6}{11}$, $3\frac{7}{11}$, $3\frac{8}{11}$, $3\frac{9}{11}$, $3\frac{10}{11}$으로 모두 7개입니다. 답 7개

5 900원의 $\frac{1}{3}$은 300원이므로 900원의 $\frac{2}{3}$인 학생 입장료는 $300\times2=600$(원)입니다. 따라서 어른 1명의 입장료는 900원이고 학생 3명의 입장료는 $600\times3=1800$(원)이므로 입장료는 모두 $900+1800=2700$(원)입니다.

답 2700원

6 $4\frac{8}{35}=\frac{148}{35}$이므로 $148<$㉠$\times$㉠<250입니다.
$12\times12=144$(×), $13\times13=169$(○),
$14\times14=196$(○), $15\times15=225$(○),
$16\times16=256$(×)
따라서 ㉠이 될 수 있는 가장 큰 수는 15입니다. 답 15

7 ㉠은 3보다 크고 9보다 작은 자연수이므로 ㉠에 4, 5, 6, 7, 8을 각각 넣고 가분수로 나타냅니다.

$4\frac{2}{7}=\frac{30}{7}$ ➔ ㉡$=30$, $5\frac{2}{7}=\frac{37}{7}$ ➔ ㉡$=37$,

$6\frac{2}{7}=\frac{44}{7}$ ➔ ㉡$=44$, $7\frac{2}{7}=\frac{51}{7}$ ➔ ㉡$=51$,

$8\frac{2}{7}=\frac{58}{7}$ ➔ ㉡$=58$

따라서 ㉡에 들어갈 수 있는 수를 모두 쓰면 30, 37, 44, 51, 58입니다. 답 30, 37, 44, 51, 58

8

인형을 포장
상자를 묶음
책을 묶음
16 cm

상자를 묶고 남은 끈의 $\frac{2}{5}$가 16 cm이므로 $\frac{1}{5}$은 8 cm

입니다. 수현이가 처음에 가지고 있던 끈의 $\frac{1}{10}$이

8 cm입니다. 따라서 수현이가 처음에 가지고 있던 끈의 길이는 80 cm입니다. 답 80 cm

4 단원 분수

9 두 수의 합이 17이 되는 경우는 (1, 16), (2, 15), (3, 14), (4, 13), (5, 12), (6, 11), (7, 10), (8, 9)이고 이 중 두 수의 차가 5인 경우는 (6, 11)입니다. ➔ ㉠$=\frac{11}{6}$

㉡을 $\frac{\square}{6}$라고 하면 $\frac{11}{6}<\frac{\square}{6}<3$, $\frac{11}{6}<\frac{\square}{6}<\frac{18}{6}$, $\square=12, 13, 14, 15, 16, 17$입니다. 따라서 가장 큰 가분수는 $\frac{17}{6}$, 가장 작은 가분수는 $\frac{12}{6}$입니다.

답 $\frac{17}{6}$, $\frac{12}{6}$

10 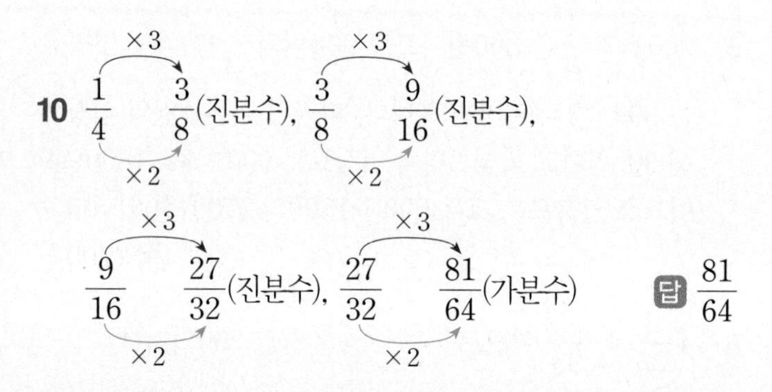

답 $\frac{81}{64}$

11 (1) 분자가 한 자리 수인 경우

$\frac{1}{3}$, $\frac{1}{5}$, $\frac{1}{30}$, $\frac{1}{35}$, $\frac{1}{50}$, $\frac{1}{53}$, $\frac{1}{305}$, $\frac{1}{350}$, $\frac{1}{503}$, $\frac{1}{530}$,

$\frac{3}{5}$, $\frac{3}{10}$, $\frac{3}{15}$, $\frac{3}{50}$, $\frac{3}{51}$, $\frac{3}{105}$, $\frac{3}{150}$, $\frac{3}{501}$, $\frac{3}{510}$,

$\frac{5}{10}$, $\frac{5}{13}$, $\frac{5}{30}$, $\frac{5}{31}$, $\frac{5}{103}$, $\frac{5}{130}$, $\frac{5}{301}$, $\frac{5}{310}$

➔ 27개

(2) 분자가 두 자리 수인 경우

$\frac{10}{35}$, $\frac{10}{53}$, $\frac{13}{50}$, $\frac{15}{30}$, $\frac{30}{51}$, $\frac{31}{50}$ ➔ 6개

따라서 모두 $27+6=33$(개)를 만들 수 있습니다.

답 33개

12 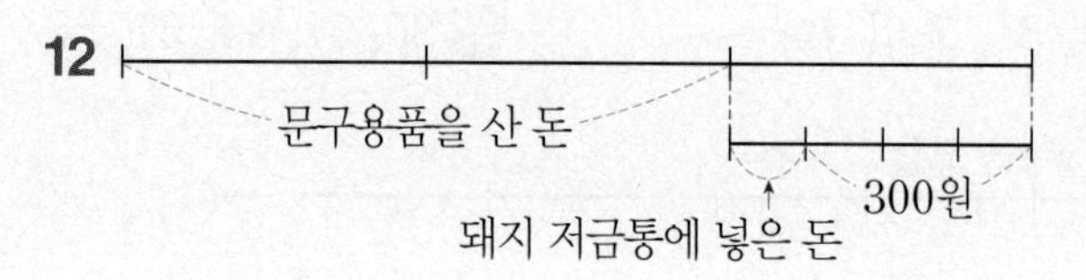

문구용품을 사고 남은 돈의 $\frac{3}{4}$이 300원이므로 문구용품을 사고 남은 돈은 400원입니다. 즉 서윤이가 처음에 가지고 있던 돈의 $\frac{1}{3}$이 400원입니다.

따라서 처음에 가지고 있던 돈은 $400\times3=1200$(원)이므로 100원짜리 동전은 12개입니다.

답 12개

13 두 번째로 떨어진 높이의 $\frac{2}{3}$가 16 cm이므로 $\frac{1}{3}$은 $16\div2=8$ (cm)이고, 두 번째로 떨어진 높이는 $8\times3=24$ (cm)입니다.

첫 번째로 튀어 오른 높이: $24+8=32$ (cm)

첫 번째로 떨어진 높이의 $\frac{2}{3}$가 32 cm이므로 $\frac{1}{3}$은 $32\div2=16$ (cm)이고, 첫 번째로 떨어진 높이는 $16\times3=48$ (cm)입니다.

따라서 처음에 떨어뜨린 공과 바닥 나 사이의 거리는 $48-15=33$ (cm)입니다.

답 33 cm

14 효민이와 은정이가 처음에 가지고 있던 구슬 수를 각각 □개로 놓고 수직선으로 나타냅니다.

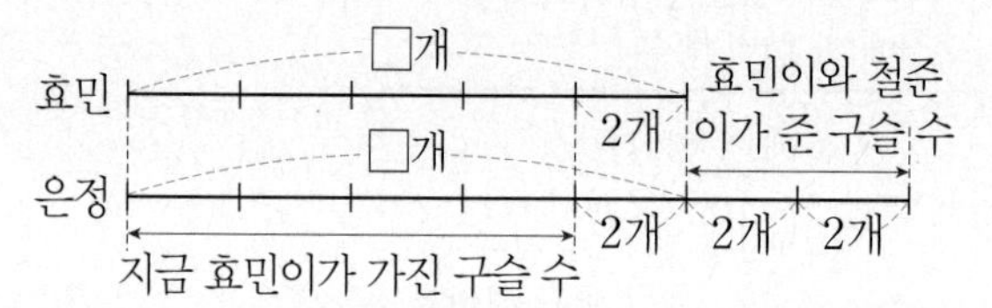

은정이가 지금 가지고 있는 구슬 수의 $\frac{3}{7}$이 $2+2+2=6$(개)이므로 $\frac{1}{7}$은 2개이고, 은정이가 지금 가지고 있는 구슬은 $2\times7=14$(개)입니다.

따라서 은정이가 처음에 가지고 있던 구슬은 $14-2-2=10$(개)입니다.

답 10개

토론 발표 브레인스토밍 101~102쪽

1 49개의 $\frac{3}{7}$은 21개이므로 영진이가 형에게 준 사탕은 21개이고, 형에게 주고 남은 사탕의 수는 $49-21=28$(개)입니다.

28개의 $\frac{2}{4}$는 14개이므로 영진이가 누나에게 받은 사탕은 14개이고, 누나에게 받고 난 후 가지고 있는 사탕의 수는 $28+14=42$(개)입니다.

따라서 사탕 42개를 영진이와 혜경이가 똑같이 나누어 먹으려면 혜경이에게 42개의 반인 21개를 주어야 합니다.

답 21개

2 분모가 6인 분수 중에서 1보다 크고 10보다 작은 가분수는 $\frac{7}{6}$, $\frac{8}{6}$……, $\frac{58}{6}$, $\frac{59}{6}$입니다.
분자인 7에서 59까지의 수 중에서 7로 나누었을 때 나머지가 2인 수는 9, 16, 23, 30, 37, 44, 51, 58이고 이 중에서 5로 나누었을 때 나머지가 3인 수는 23, 58입니다. 따라서 조건을 만족하는 가분수는 $\frac{23}{6}$, $\frac{58}{6}$이고 이것을 대분수로 나타내면 $3\frac{5}{6}$, $9\frac{4}{6}$입니다.

답 $3\frac{5}{6}$, $9\frac{4}{6}$

3 ■가 5일 때 ㉠$\frac{1}{13}<\frac{54}{13}$입니다. $\frac{54}{13}$를 대분수로 나타내면 $4\frac{2}{13}$입니다. 따라서 ㉠은 4와 같거나 4보다 작은 자연수이므로 가장 큰 ㉠의 값은 4입니다.
■가 8일 때 $\frac{84}{13}<$㉡$\frac{5}{13}$입니다. $\frac{84}{13}$를 대분수로 나타내면 $6\frac{6}{13}$입니다. 따라서 ㉡은 6보다 큰 자연수이므로 가장 작은 ㉡의 값은 7입니다.

답 4, 7

4
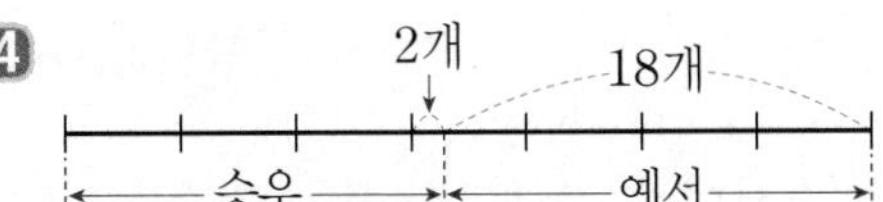

예서가 가진 18개의 사탕은 유라가 가지고 남은 사탕의 $\frac{4}{7}$에서 2개를 뺀 것입니다. 승우가 가지기 전의 사탕 수의 $\frac{4}{7}$가 $18+2=20$이므로 어떤 수의 $\frac{1}{7}$은 5이고, 승우가 가지기 전의 사탕은 $5\times7=35$(개)입니다. 민세가 가지고 남은 사탕의 $\frac{2}{3}$에서 7개를 빼면 35개입니다. 유라가 가지기 전의 사탕 수의 $\frac{2}{3}$가 $35+7=42$이므로 $\frac{1}{3}$은 21이고, 유라가 가지기 전의 사탕은 $21\times3=63$(개)입니다. 처음에 있던 사탕의 $\frac{5}{12}$에 3개를 더하면 63개입니다.
따라서 처음에 있던 사탕 수의 $\frac{5}{12}$가 $63-3=60$이므로 $\frac{1}{12}$은 12이고, 처음에 있던 사탕은 $12\times12=144$(개)입니다.

답 144개

5 들이와 무게

Plus 개념 하이레벨 개념 106~107쪽

1 (1) 6 L (>) 5 L 700 mL
(2) 4 L 150 mL (<) 4 L 300 mL

답 (1) > (2) <

2 $400\times3=1200$ (mL) ➔ 1 L 200 mL
따라서 통의 들이는 약 1 L 200 mL입니다.

답 1 L 200 mL

3 (수조에 들어 있는 물의 양)
=5 L 600 mL+1 L 500 mL
=6 L 1100 mL
=7 L 100 mL

답 7 L 100 mL

4 ㉡ 7050 g=7 kg 50 g
7 kg 500 g>7 kg 50 g
500>50
➔ ㉠>㉡

답 ㉠

5 (1) 1 t=1000 kg
(2) 1000 kg은 100 kg의 10배입니다.

답 (1) 1000 kg (2) 10배

6 (1) 1100 g=1 kg 100 g
(2) (윤지가 판 사과의 무게)=5 kg−1 kg 100 g
=3 kg 900 g

답 (1) 1 kg 100 g (2) 3 kg 900 g

STEP1 하이레벨 입문 108~111쪽

1 (1) 4 L 700 mL=4 L+700 mL
=4000 mL+700 mL
=4700 mL

(2) $2600\text{ mL}=2000\text{ mL}+600\text{ mL}$
$=2\text{ L}+600\text{ mL}$
$=2\text{ L }600\text{ mL}$

답 (1) 4700 (2) 2, 600

2 옮겨 담은 컵의 수가 적을수록 들이가 적습니다.
➜ 가는 6컵, 나는 8컵이므로 그릇 가의 들이가 더 적습니다. 답 가

3 $1\text{ L}=1000\text{ mL} \bigcirc\!\!\!\!> 950\text{ mL}$

답 주전자

4 음료수 캔의 들이는 mL 단위로 나타내기 알맞습니다.
➜ 단비: 음료수 캔에 음료수가 약 250 mL 들어 있습니다. 답 솔지

5 모범 답안 두 병에 물을 가득 채운 후 모양과 크기가 같은 큰 그릇에 부어 물의 높이를 비교합니다.

다른 풀이
- 한쪽 그릇에 물을 가득 채운 후 다른 그릇에 옮겨 담아 비교합니다.
- 그릇에 물을 가득 채우기 위해 사용한 컵의 수를 비교합니다.
- 그릇에 물을 가득 채운 후 크기가 작은 그릇에 옮겨 담아서 작은 그릇의 수가 몇 개인지 세어 봅니다.

평가 기준
두 병의 들이를 비교하는 방법을 바르게 설명하였으면 정답입니다.

6 들이가 가장 많은 컵은 부은 횟수가 가장 적은 컵이므로 유리컵입니다.

답 유리컵

7
$$\begin{array}{r} 9\text{ L }500\text{ mL} \\ -\ 3\text{ L }100\text{ mL} \\ \hline 6\text{ L }400\text{ mL} \end{array}$$

답 6, 400

8 주전자의 들이는 1000 mL씩 2번과 300 mL이므로 2300 mL입니다.
➜ $2300\text{ mL}=2\text{ L }300\text{ mL}$

답 2 L 300 mL

9
$$\begin{array}{r} 2\text{ L }700\text{ mL} \\ +\ 3\text{ L }100\text{ mL} \\ \hline 5\text{ L }800\text{ mL} \end{array}$$

답 5 L 800 mL

10 답 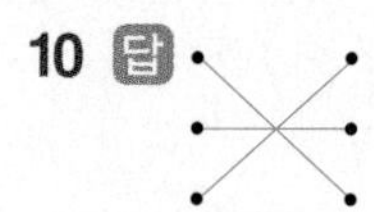

11 일주일 동안 두 사람이 마신 우유의 들이를 더합니다.
$$\begin{array}{r} 1 \qquad\qquad \\ 1\text{ L }800\text{ mL} \\ +\quad 700\text{ mL} \\ \hline 2\text{ L }500\text{ mL} \end{array}$$

답 $1\text{ L }800\text{ mL}+700\text{ mL}=2\text{ L }500\text{ mL}$, 2 L 500 mL

12 주전자의 들이: $500\text{ mL}+500\text{ mL}+500\text{ mL}$
$=1500\text{ mL}$
$=1\text{ L }500\text{ mL}$
➜ $1\text{ L }500\text{ mL} \bigcirc\!\!\!\!> 1\text{ L }350\text{ mL}$이므로 주전자의 들이가 더 많습니다.

답 주전자

13 (남은 주스의 양)
$=1\text{ L}-250\text{ mL}-200\text{ mL}$
$=750\text{ mL}-200\text{ mL}$
$=550\text{ mL}$

답 550 mL

14 무게가 무거운 순서대로 쓰면 냉장고, 수박, 동전입니다. 답 ㉡, ㉢, ㉠

15 구슬 수가 많을수록 더 무거우므로 복숭아, 감, 키위의 순으로 무겁습니다. 답 복숭아

16 ㉠ $1000\text{ kg}=1\text{ t}$ 답 ㉠

17 2 kg보다 800 g 더 무거운 무게는 2 kg 800 g입니다.

답 2 kg 800 g

18 막대자석은 공깃돌 8개의 무게와 같고, U자석은 공깃돌 6개의 무게와 같으므로 막대자석이 공깃돌 $8-6=2$(개)만큼 더 무겁습니다.

답 막대자석, 2개

19 답 ㉡ 모범 답안 코끼리 한 마리의 무게는 약 10 t입니다.

평가 기준
단위를 잘못 사용한 문장의 기호를 쓰고 바르게 고쳤으면 정답입니다.

코끼리 한 마리의 무게에 알맞은 단위는 t입니다.

20 (수진이가 딴 밤의 무게)$=2900\,g=2\,kg\ 900\,g$

➔ $\underset{수진}{\underline{2\,kg\ 900\,g}} < \underset{미라}{\underline{4\,kg\ 500\,g}} < \underset{영수}{\underline{4\,kg\ 800\,g}}$

답 영수

21 지우개와 달걀은 1 kg보다 가벼우므로 g으로 나타내기 알맞습니다.

답 ①, ④

22 $8\,kg\ 600\,g+5\,kg\ 300\,g=13\,kg\ 900\,g$

답 13 kg 900 g

23 파인애플의 실제 무게 730 g에 가장 가깝게 어림한 것을 찾습니다. ➔ ㉡

답 ㉡

24

$$\begin{array}{r} 4\,kg\ 300\,g \\ +\ 3\,kg\ 500\,g \\ \hline 7\,kg\ 800\,g \end{array}$$

답 $4\,kg\ 300\,g+3\,kg\ 500\,g=7\,kg\ 800\,g$, 7 kg 800 g

25 $1\,t=1000\,kg$이므로 1 t은 10 kg의 100배입니다.

답 100배

26

$$\begin{array}{r} 32\,kg\ 500\,g \\ -\ \ 2\,kg\ 100\,g \\ \hline 30\,kg\ 400\,g \end{array}$$

답 $32\,kg\ 500\,g-2\,kg\ 100\,g=30\,kg\ 400\,g$, 30 kg 400 g

27 ㉠ $9\,kg\ 700\,g-4\,kg\ 200\,g=5\,kg\ 500\,g$

㉡ $7\,kg\ 300\,g-1\,kg\ 900\,g=5\,kg\ 400\,g$

➔ 5 kg 500 g ⃝> 5 kg 400 g

답 ㉠

STEP2 하이레벨 탐구 112~119쪽

대표 유형 1 (1) 혜교가 중기보다 귤을 적게 땄으므로 뺄셈을 이용하여 식을 세웁니다.

(2) (혜교가 딴 귤의 무게)

$=3\,kg\ 700\,g-500\,g=3\,kg\ 200\,g$

답 (1) 뺄셈에 ○표 (2) 3 kg 200 g

체크 1-1 (세진이가 캔 감자의 무게)

$=4\,kg\ 600\,g+500\,g$

$=5\,kg\ 100\,g$

답 5 kg 100 g

체크 1-2 (동생의 가방의 무게)

$=5\,kg\ 100\,g-400\,g$

$=4\,kg\ 700\,g$

답 4 kg 700 g

대표 유형 2 (1) (현정이가 마시고 남은 물의 양)

$=3\,L\ 500\,mL-1\,L=2\,L\ 500\,mL$

(2) (지금 물통에 들어 있는 물의 양)

$=2\,L\ 500\,mL+1\,L\ 400\,mL$

$=3\,L\ 900\,mL$

답 (1) 2 L 500 mL (2) 3 L 900 mL

체크 2-1 (더 담은 후 병에 있는 우유의 양)

$=2\,L\ 700\,mL+500\,mL=3\,L\ 200\,mL$

➔ (지금 병에 들어 있는 우유의 양)

$=3\,L\ 200\,mL-250\,mL$

$=2\,L\ 950\,mL$

답 2 L 950 mL

체크 2-2 (서윤이가 마시고 남은 주스의 양)

$=2\,L-300\,mL=1\,L\ 700\,mL$

➔ (동생이 마시고 남은 주스의 양)

$=1\,L\ 700\,mL-800\,mL$

$=900\,mL$

답 900 mL

대표 유형 3 (1) 1 L들이로 3번은 3 L입니다.

(3) $3\,L+1\,L=4\,L$이므로 이 양동이의 들이는 약 4 L입니다.

답 (1) 3 L (2) 1000, 1 (3) 4 L

체크 3-1 1 L들이로 2번 ➔ 2 L,

200 mL들이로 5번 ➔ 1000 mL ➔ 1 L

따라서 $2\,L+1\,L=3\,L$이므로 이 주전자의 들이는 약 3 L입니다.

답 3 L

체크 3-2 1 L들이로 3번 ➔ 3 L,

400 mL들이로 5번 ➔ 2000 mL ➔ 2 L

따라서 $3\,L+2\,L=5\,L$이므로 이 약수통의 들이는 약 5 L입니다.

답 5 L

대표 유형 4 (1) 현수: 2 kg 780 g−2 kg 500 g=280 g,
보연: 3 kg−2 kg 500 g=500 g,
지희: 2 kg 500 g−2 kg 370 g=130 g
(2) 130<280<500
가장 적절히 어림한 사람은 어림한 무게와 실제 무게의 차가 가장 작은 경우이므로 지희입니다.
답 (1) 280 g, 500 g, 130 g (2) 지희

체크4-1 ㉮ 1 kg 30 g−1 kg=30 g
㉯ 1 kg−990 g=10 g
㉰ 1 kg−992 g=8 g
➔ 8<10<30이므로 가장 적절히 어림하여 담은 상자는 ㉰입니다.
답 ㉰

체크4-2 현선: 3 kg 100 g−3 kg=100 g
지연: 3 kg−2 kg 590 g=410 g
재희: 3 kg−2 kg 650 g=350 g
➔ 100<350<410이므로 가장 적절히 어림한 사람은 현선입니다.
답 현선

대표 유형 5 (1) 사과 한 상자의 무게를 □kg이라 하면 배 한 상자의 무게는 (□+4) kg입니다.
(3) □+□+4=20, □+□=16 ➔ □=8
답 (1) ( )( )(○) (2) ㉡ (3) 8 kg

다른 풀이

사과	10 kg	9 kg	8 kg
배	14 kg	13 kg	12 kg

➔ 사과가 8 kg이고, 배가 12 kg일 때 무게의 합이 20 kg이므로 사과 한 상자의 무게는 8 kg입니다.

체크5-1 예리가 딴 키위의 무게를 □kg이라 하면 슬기가 딴 키위의 무게는 (□−2) kg입니다.
□+□−2=10이므로 □+□=12 ➔ □=6입니다.
따라서 예리가 딴 키위의 무게는 6 kg입니다.
답 6 kg

체크5-2 소민이가 캔 고구마의 무게를 □kg이라 하면 광수가 캔 고구마의 무게는 (□−3) kg입니다.
□+□−3=15이므로 □+□=18 ➔ □=9입니다.
따라서 소민이가 캔 고구마의 무게는 9 kg입니다.
답 9 kg

대표 유형 6 (1) 1 L 800 mL+1 L 800 mL
=3 L 600 mL
(2) (5홉)=180×5=900 (mL)
(3) 3 L 600 mL+900 mL=4 L 500 mL
답 (1) 3 L 600 mL (2) 900 mL (3) 4 L 500 mL

체크6-1 모범 답안 ❶ (소고기 3근)=600×3=1800 (g)
➔ 1 kg 800 g
❷ (감자 2관)=3 kg 750 g+3 kg 750 g=7 kg 500 g
❸ 따라서 어머니께서 산 음식 재료는 모두
1 kg 800 g+7 kg 500 g=9 kg 300 g입니다.
답 9 kg 300 g

채점 기준

❶ 소고기 3근의 무게를 구함.	2점	5점
❷ 감자 2관의 무게를 구함.	2점	
❸ 어머니께서 산 음식 재료의 무게를 바르게 구함.	1점	

대표 유형 7 (1) (사과 2개의 무게)=400×2=800 (g)
(2) (밤 10개의 무게)=(사과 2개의 무게)=800 g
(3) 80×10=800이므로 밤 1개의 무게는 80 g입니다.
답 (1) 800 g (2) 800 g (3) 80 g

체크7-1 (오이 5개의 무게)=300×5=1500 (g)
(애호박 3개의 무게)=(오이 5개의 무게)=1500 g
따라서 500×3=1500이므로 애호박 한 개의 무게는 500 g입니다.
답 500 g

체크7-2 (사과 3개의 무게)=250×3=750 (g)
(배 2개의 무게)=(사과 3개의 무게)=750 g
따라서 750÷2=375이므로 배 1개의 무게는 375 g입니다.
답 375 g

대표 유형 8 (2) 모범 답안 들이가 900 mL인 그릇에 물을 가득 채운 후 그것을 들이가 400 mL인 그릇에 가득 차게 담아 덜어 내면 들이가 900 mL인 그릇에 500 mL의 물이 남습니다.
답 (1) − (2) 풀이 참고

체크8-1 모범 답안 들이가 600 mL인 그릇에 물을 가득 채운 후 그것을 들이가 250 mL인 그릇에 가득 차게 담아 2번 덜어 내면 들이가 600 mL인 그릇에 100 mL의 물이 남습니다.

평가 기준

600−250−250=100을 이용하여 방법을 설명했으면 정답입니다.

체크8-2 모범 답안 들이가 700 mL인 그릇에 물을 가득 채운 후 그것을 들이가 200 mL인 그릇에 가득 차게 담아 3번 덜어 내면 들이가 700 mL인 그릇에 100 mL의 물이 남습니다.

평가 기준

700−200−200−200=100을 이용하여 방법을 설명했으면 정답입니다.

STEP2 하이레벨 탐구 플러스 120~121쪽

1 14500 g=14 kg 500 g이므로
(오늘 딴 사과의 무게)
=15 kg 300 g+14 kg 500 g=29 kg 800 g
입니다.
➔ (어제와 오늘 딴 사과의 무게)
=15 kg 300 g+29 kg 800 g=45 kg 100 g

답 45 kg 100 g

2 소연: 3 kg 200 g−3 kg=200 g
채린: 3 kg−2 kg 900 g=100 g
태호: 3 kg−2 kg 730 g=270 g
➔ 100<200<270이므로 가장 적절히 어림한 사람은 채린입니다.

답 채린

3 (공깃돌의 무게)+(귤의 무게)=(동전 50개의 무게)이고, (공깃돌의 무게)+(귤의 무게)+(풀의 무게)=(동전 68개의 무게)이므로
(동전 50개의 무게)+(풀의 무게)=(동전 68개의 무게),
(풀의 무게)=(동전 18개의 무게)입니다.
따라서 풀의 무게는 5×18=90 (g)입니다.

답 90 g

4 태연: 500+250=750 (mL)
➔ 1 L−750 mL=250 mL
유리: 800 mL ➔ 1 L−800 mL=200 mL
미영: 500+200+200=900 (mL)
➔ 1 L−900mL=100 mL
따라서 100<200<250이므로 들이를 가장 적절히 어림한 사람은 미영입니다.

답 미영

5 (세 사람이 하루에 마시는 우유의 양)
=400+355+200=955 (mL)
(세 사람이 일주일 동안 마시는 우유의 양)
=955×7=6685 (mL) ➔ 6 L 685 mL
따라서 2주일 동안 마시는 우유는 모두
6 L 685 mL+6 L 685 mL=13 L 370 mL입니다.

답 13 L 370 mL

6 ① 500 mL들이 그릇으로 4번 부었으므로
500+500+500+500=2000 (mL) ➔ 2 L
입니다.
② 500 mL들이 그릇의 물을 100 mL들이 그릇에 1번 덜어 내고 남은 물의 양: 500−100=400 (mL)
➔ (수조에 부은 물의 양)=2 L+400 mL
=2 L 400 mL

답 2 L 400 mL

STEP3 하이레벨 심화 122~126쪽

1 ㉯ 통에 담는 주스의 양을 □mL라고 하면 ㉮ 통에 담는 주스는 (□−2400) mL입니다.
14 L 600 mL=14600 mL이므로
□+□−2400=14600, □+□=17000,
□=8500 ➔ 8 L 500 mL

답 8 L 500 mL

참고

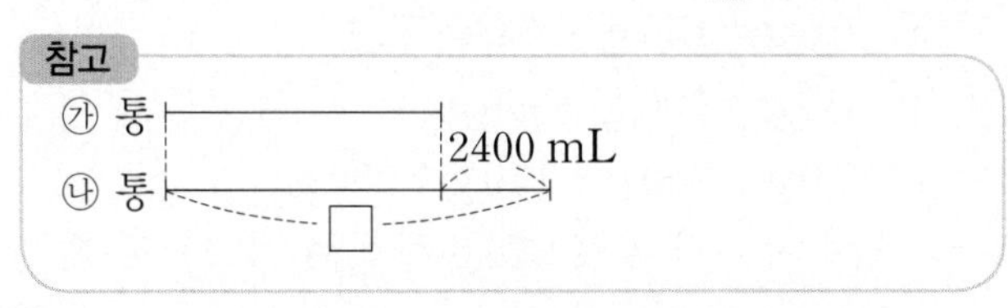

2 세찬이의 실제 몸무게: 32 kg 500 g−100 g
=32 kg 400 g

동생: 32 kg 400 g − 3 kg 600 g = 28 kg 800 g (31, 1000 받아내림)
형: 32 kg 400 g + 4 kg 300 g = 36 kg 700 g

➔ 32 kg 400 g+28 kg 800 g+36 kg 700 g
=61 kg 200 g+36 kg 700 g=97 kg 900 g

답 97 kg 900 g

5 단원 들이와 무게

3 4초에 280 mL의 물이 나오는 수도에서 1초에 나오는 물의 양은 $280 \div 4 = 70$ (mL)입니다.
5초에 400 mL의 물이 나오는 수도에서 1초에 나오는 물의 양은 $400 \div 5 = 80$ (mL)입니다.
따라서 1초 동안 두 수도에서 받을 수 있는 물의 양은 $70 + 80 = 150$ (mL)입니다.

답 150 mL

문제해결 Key

① 4초에 280 mL의 물이 나오는 수도에서 1초에 나오는 물의 양을 구합니다.
② 5초에 400 mL의 물이 나오는 수도에서 1초에 나오는 물의 양을 구합니다.
③ 위 ①, ②를 이용하여 1초 동안 두 수도에서 받을 수 있는 물의 양을 구합니다.

4 (300 mL들이의 컵으로 덜어 낸 물의 양)
$= 300 \times 3$
$= 900$ (mL)
(500 mL들이의 컵으로 덜어 낸 물의 양)
$= 500 \times 4$
$= 2000$ (mL) ➔ 2 L
➔ (남아 있는 물의 양)
= 4 L 500 mL − 900 mL − 2 L
= 1 L 600 mL
따라서 1 L = 1000 mL의 물이 더 필요하므로 200 mL들이의 컵으로 물을 적어도 5번 부어야 합니다.

답 5번

5 ㉠ 300 g = 100 g + 200 g
㉡ 350 g = 150 g + 200 g 또는
350 g = 100 g + 250 g
㉢ 600 g = 200 g + 150 g + 250 g
따라서 주어진 추로 650 g은 잴 수 없으므로 잴 수 없는 무게는 ㉣입니다.

답 ㉣

6 주어진 과정은 $200 - 170 + 20 - 30 = 20$ (mL)이므로 한 번 실행하면 처음 그릇에 있던 액체의 양보다 20 mL 더 많아집니다.
이 과정을 3번 반복했으므로 처음에 있던 액체의 양보다 $20 \times 3 = 60$ (mL) 더 많아집니다.
따라서 처음 그릇에 있던 액체의 양은 $425 - 60 = 365$ (mL)입니다.

답 365 mL

7 ㉠+㉡=(고구마 6개의 무게)
$= 1550 + 550 = 2100$ (g)
$350 + 350 + 350 + 350 + 350 + 350 = 2100$이므로 (고구마 1개의 무게) = 350 g입니다.
(고구마 3개의 무게) + (감자 2개의 무게) = 1550 g이고
(고구마 3개의 무게) $= 350 + 350 + 350 = 1050$ (g)이므로 1050 g + (감자 2개의 무게) = 1550 g,
(감자 2개의 무게) = 500 g, (감자 1개의 무게) = 250 g
➔ (고구마 2개의 무게) $= 350 \times 2 = 700$ (g)이므로
$700 + 250 = 950$ (g)입니다.

답 950 g

8 배 1개의 무게는 600 g입니다.
배 1개와 저울 1개의 무게는 3 kg 600 g입니다.
즉, 저울 1개의 무게는 3 kg 600 g − 600 g = 3 kg
➔ 3000 g입니다.
따라서 저울 1개의 무게는
$3000 = 600 + 600 + 600 + 600 + 600$으로 배 5개의 무게와 같습니다.

답 5개

9 800 mL와 300 mL의 차가 500 mL임을 이용합니다.
➔ $800 + 800 - 300 - 300 = 1000$ (mL) ➔ 1 L
모범 답안 들이가 800 mL인 컵으로 물을 가득 채워 물통에 2번 부은 후, 물통에 있는 물을 들이가 300 mL인 컵으로 가득 채워 2번 덜어 내면 물통에 1 L의 물이 남습니다.

평가 기준

800 mL와 300 mL의 차가 500 mL임을 이용하여 설명했으면 정답입니다.

10
㉠+㉡ = 3 kg 300 g
㉠+㉢ = 2 kg 900 g
+) ㉡+㉢ = 3 kg 400 g
㉠+㉡+㉠+㉢+㉡+㉢
= 3 kg 300 g + 2 kg 900 g + 3 kg 400 g
= 6 kg 200 g + 3 kg 400 g
= 9 kg 600 g
(㉠+㉡+㉢)+(㉠+㉡+㉢) = 9 kg 600 g
= 9600 g
4800 g + 4800 g = 9600 g이므로
㉠+㉡+㉢ = 4800 g = 4 kg 800 g이고,
㉡+㉢ = 3 kg 400 g이므로
㉠ + 3 kg 400 g = 4 kg 800 g,
㉠ = 1 kg 400 g입니다.

답 1 kg 400 g

11 떡볶이 1인분을 만드는 데 필요한 재료들의 무게는
떡: $450 \div 3 = 150$ (g)
어묵: $300 \div 3 = 100$ (g)
양파: $180 \div 3 = 60$ (g)입니다.
➜ $150 + 100 + 60 = 310$ (g)
따라서 떡볶이 8인분을 만드는 데 필요한 재료는 모두 $310 \times 8 = 2480$ (g) ➜ 2 kg 480 g입니다.
답 2 kg 480 g

12 하루에 8시간씩 5일 동안 사용하면 $8 \times 5 = 40$(시간)을 사용하게 되므로 사용하는 석유의 양은 5 L의 2배인 10 L입니다.
석유는 1 L에 1290원이므로 5일 동안 사용하는 석유의 가격은 $1290 \times 10 = 12900$(원)입니다.
답 10 L, 12900원

13 (목요일에 마신 물의 양)=900 mL
(수요일에 마시고 남은 물의 양)
=900 mL+900 mL=1800 mL ➜ 1 L 800 mL
(화요일에 마시고 남은 물의 양)
=2 L 350 mL+1 L 800 mL=4 L 150 mL
(월요일에 마시고 남은 물의 양)
=1000 mL+4 L 150 mL=1 L+4 L 150 mL
=5 L 150 mL
➜ (월요일에 처음 있던 물의 양)
=850 mL+5 L 150 mL
=6 L ➜ 6000 mL
답 6000 mL

14 ㉮+㉯=㉰ ⋯①,
㉮+㉱=㉯+20 g ⋯②,
㉯+90 g=㉰+40 g ➜ ㉯+50 g=㉰ ⋯③
①과 ③에서 ㉮+㉯=㉯+50 g ➜ ㉮=50 g
②에서 50 g+㉱=㉯+20 g,
㉯=㉱+30 g ➜ ㉯=100 g, ㉱=70 g
③에서 ㉰=100 g+50 g=150 g입니다.
➜ (㉯ 공 3개의 무게)=$100 \times 3 = 300$ (g),
(㉰ 공 4개의 무게)=$150 \times 4 = 600$ (g)
이므로 $300 + 600 = 900$ (g)입니다.
답 900 g

15 ① 저울의 한쪽에 추 1개를 놓아서 잴 수 있는 무게:
1 kg, 2 kg, 5 kg
② 저울의 한쪽에 추 2개를 놓아서 잴 수 있는 무게:
$1+2=3$ (kg), $1+5=6$ (kg), $2+5=7$ (kg)
③ 저울의 한쪽에 추 3개를 놓아서 잴 수 있는 무게:
$1+2+5=8$ (kg)
④ 저울의 양쪽에 추를 놓아서 잴 수 있는 무게
1) 2가지 추 사용
- 한쪽에 1 kg, 다른 쪽에 2 kg: $2-1=1$ (kg) ➜ 중복됨
- 한쪽에 1 kg, 다른 쪽에 5 kg: $5-1=4$ (kg)
- 한쪽에 2 kg, 다른 쪽에 5 kg: $5-2=3$ (kg) ➜ 중복됨

2) 3가지 추 사용
- 한쪽에 1 kg, 다른 쪽에 2 kg, 5 kg: $2+5-1=6$ (kg) ➜ 중복됨
- 한쪽에 2 kg, 다른 쪽에 1 kg, 5 kg: $1+5-2=4$ (kg) ➜ 중복됨
- 한쪽에 5 kg, 다른 쪽에 1 kg, 2 kg: $5-1-2=2$ (kg) ➜ 중복됨

따라서 잴 수 있는 무게는 1 kg, 2 kg, 3 kg, 4 kg, 5 kg, 6 kg, 7 kg, 8 kg으로 모두 8가지입니다.
답 8가지

문제해결 Key
① 저울의 한쪽에 추 1개, 2개, 3개를 각각 놓아서 잴 수 있는 무게의 종류를 모두 구합니다.
② 저울의 양쪽에 2가지, 3가지의 추를 각각 놓아서 잴 수 있는 무게의 종류를 모두 구합니다.
③ 위 ①, ②에서 구한 무게 중에서 중복되는 것들을 제외하고 잴 수 있는 무게의 가지 수를 구합니다.

토론 발표 브레인스토밍 127~128쪽

1 • 한쪽에만 추를 놓는 경우 추를 가장 적게 사용하려면
$100 \times 6 + 50 \times 1 + 10 \times 4 + 1 \times 2 = 692$ (g)
➜ $6+1+4+2=13$(개)의 추가 필요합니다.
• 양쪽에 추를 놓는 경우 추를 가장 적게 사용하려면

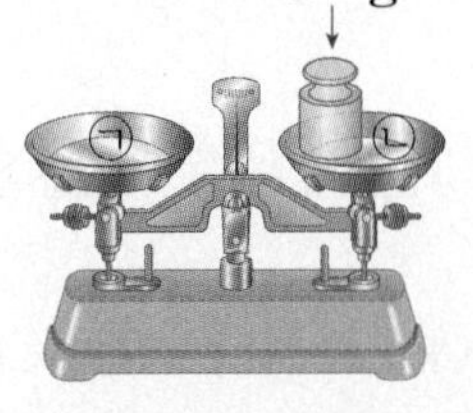

$100 \times 7 + 1 \times 2 = 692 + 10 \times 1$
㉠$=100 \times 7 + 1 \times 2$, ㉡$=10 \times 1$
➜ $7+2+1=10$(개)의 추가 필요합니다.
따라서 추를 가장 적게 사용하려면 10개의 추가 필요합니다.
답 10개

❷ 2 L=2000 mL, $400\times5=2000$이므로 가 컵의 들이는 400 mL이고, $250\times8=2000$이므로 나 컵의 들이는 250 mL입니다.
(진운이가 하루에 마시는 주스의 양)
$=400\times2=800$ (mL)
(우영이가 하루에 마시는 주스의 양)
$=250\times3=750$ (mL)
(진운이와 우영이가 하루에 마시는 주스의 양)
=800 mL+750 mL
=1550 mL ➜ 1 L 550 mL
(진운이와 우영이가 5일 동안 마시는 주스의 양)
=1 L 550 mL+1 L 550 mL+1 L 550 mL
+1 L 550 mL+1 L 550 mL
=7 L 750 mL
따라서 $2\times4=8$ (L)이므로 들이가 2 L인 병에 들어 있는 주스가 적어도 4병 필요합니다.
답 4병

❸ 공기의 절반을 빼고 남아 있는 공기의 $\frac{3}{8}$의 무게는 $860-770=90$ (g)입니다.
$90\div3=30$이므로 공기의 절반을 빼고 남아 있는 공기의 $\frac{1}{8}$의 무게는 30 g입니다.
공기의 절반을 빼고 남아 있는 공기의 무게가 $30\times8=240$ (g)이므로 공기의 무게의 절반은 240 g입니다.
공기가 절반만큼 들어 있는 튜브의 무게가 860 g이므로 공기가 가득 들어 있는 튜브의 무게는 $860+240=1100$ (g)입니다.
1000 g은 1 kg이므로 1100 g은 1 kg 100 g입니다.
답 1 kg 100 g

❹ 방법 1 과 방법 2 에서
가+가+나+다+다=가+가+나+나이므로
나=다+다입니다.
방법 1 과 방법 3 에서
가+가+나+다+다=가+나+나+나+다+다이므로 가=나+나입니다.
방법 2 에서 가+가+나+나=나+나+나+나+나+나=2 L 400 mL=2400 mL이고
$400+400+400+400+400+400=2400$이므로 컵 나의 들이는 400 mL입니다.
나=다+다이고 $400=200+200$이므로 컵 다의 들이는 200 mL입니다. 답 200 mL

6 자료의 정리

Plus 개념 하이레벨 개념 132~133쪽

❶ 답 8, 12, 9, 29 / 29명

❷ 답 (1) (위에서부터) 3, 14 / 2, 14 (2) 스페인, 미국

❸ 큰 그림이 가장 많은 노란색이 가장 많은 학생이 좋아하는 색깔입니다. 답 노란색

❹ 큰 그림은 빵 100개로, 작은 그림은 빵 10개로 하여 그림을 그립니다.
답 80 /

팔린 빵의 수

제과점	빵의 수
촉촉	◎◎
달콤	◎○○
별미	○○○○○○○○
맛나	◎◎◎◎○○○

◎ 100 개
○ 10 개

STEP1 하이레벨 입문 134~137쪽

1 운동별로 붙임딱지 수를 세어 표의 빈칸에 씁니다.
답 6, 7, 8, 25

2 위 1의 표에서 합계가 25명이므로 조사한 학생은 모두 25명입니다. 답 25명

3 답 배드민턴, 야구, 축구

4 배드민턴: 8명, 수영: 4명 ➜ $8\div4=2$(배)
답 2배

5 답 (위에서부터) 3, 3, 4, 3, 13 / 4, 3, 1, 2, 10

6 답 런던

7 ㉡ 로마에 가고 싶은 학생은 남학생 수가 여학생 수보다 $3-2=1$(명) 더 많습니다.
답 ㉡

8 답 

9 ㉢ 합계는 조사한 각 항목별 학생 수의 합입니다.
답 ㉢

10 답 4, 8, 5, 6, 23

11 답 예 좋아하는 음식별 사람 수 /
(위에서부터) 3, 7, 3, 5, 18 / 5, 5, 6, 4, 20

12 표에서 사람 수가 가장 많은 음식은 닭강정입니다.
답 닭강정

13 내국인이 가장 좋아하는 음식은 7명인 닭강정, 외국인이 가장 좋아하는 음식은 6명인 잡채입니다.
답 닭강정, 잡채

14 큰 그림 ●는 붙임딱지 10장, 작은 그림 •는 붙임딱지 1장을 나타냅니다.
답 10장, 1장

15 수지: ●가 4개, •가 3개이므로 43장입니다.
민찬: ●가 6개, •가 2개이므로 62장입니다.
답 43장, 62장

16 큰 그림 ●가 가장 적은 학생은 정현입니다.
답 정현, 21장

17 ㉮ 모둠과 ㉰ 모둠은 큰 컵의 수가 같으므로 작은 컵의 수를 비교하면 $3>1$이므로 ㉮ 모둠이 가장 많이 마셨습니다.
답 ㉮ 모둠

18 ㉰ 모둠이 하루 동안 마신 우유의 양은 11 L이고, ㉱ 모둠이 하루 동안 마신 우유의 양은 5 L입니다.
➔ $11-5=6$ (L)
답 6 L

19 아이스크림이 6일에는 160개, 7일에는 340개, 8일에는 170개 팔렸습니다.
답 7

20 (다 마을의 편의점)$=50-14-9-22$
$=5$(개)
답 5개

21 나: ○9개, 다: ○5개, 라: ◎2개, ○2개를 그립니다.

답 마을별 편의점 수

마을	편의점 수
가	◎○○○○
나	○○○○○○○○○
다	○○○○○
라	◎◎○○

◎10개 ○1개

22 울창 마을: 280그루
개울 마을: 400그루
은하수 마을: 350그루
풍성 마을: 560그루
따라서 (10그루)로 나타내어야 할 그림의 수는 울창 마을이 8개로 가장 많습니다.
답 울창 마을

23 4개 반이 모두 빠짐없이 들어가야 하는데 그림그래프에서 4반이 빠졌습니다.
답 민우

24 답

반별로 모은 책의 수

반	책의 수
1	(큰 그림 4개)
2	(큰 그림 3개, 작은 그림 3개)
3	(큰 그림 2개, 작은 그림 6개)
4	(작은 그림 9개)

10권 1권

STEP2 하이레벨 탐구 138~141쪽

대표 유형 1 (3) $20+7=27$(명)
답 (1) 스케이트, 20명 (2) 눈썰매, 7명 (3) 27명

체크 1-1 사과: 16명, 귤: 26명, 딸기: 12명, 포도: 3명
가장 많은 학생이 좋아하는 과일: 귤,
두 번째로 적은 학생이 좋아하는 과일: 딸기
➔ $26+12=38$(명)
답 38명

대표 유형 2 (2) (동부 대리점의 휴대폰 판매량)
$=1260-250-460-230=320$(대)
(3) 동부 대리점에 큰 그림 3개, 작은 그림 2개를 그립니다.
답 (1) 250대, 460대, 230대 (2) 320대

(3) 휴대폰 판매량

대리점	판매량
동부	▯▯▯▫▫
서부	▯▯▫▫▫▫▫▫
남부	▯▯▯▯▫▫▫▫▫▫
북부	▯▯▫▫▫

▯100대 ▫10대

체크2-1 모범 답안 ❶ 피자: 21명, 떡볶이: 30명, 빵: 12명이므로 (햄버거)+(과자)=105−21−30−12=42(명)입니다.

❷ 좋아하는 간식이 과자인 학생 수를 □명이라 하면 햄버거는 (□+10)명입니다.

➔ □+10+□=42, □+□=32, □=16

과자를 좋아하는 학생 수는 16명, 햄버거를 좋아하는 학생 수는 16+10=26(명)입니다.

❸ 따라서 햄버거는 큰 그림 2개, 작은 그림 6개, 과자는 큰 그림 1개, 작은 그림 6개를 그립니다.

답 좋아하는 간식별 학생 수

간식	피자	햄버거	떡볶이	빵	과자
학생 수					

10명 1명

채점 기준

❶ 피자, 떡볶이, 빵을 좋아하는 학생 수를 각각 구함.	1점	5점
❷ 햄버거와 과자를 좋아하는 학생 수를 각각 구함.	2점	
❸ 그림그래프를 완성함.	2점	

대표 유형 3 답 (1) 가고 싶은 장소별 학생 수

장소	학생 수
놀이공원	◎◎◎◎◎○○○○
박물관	◎◎○○○○○○○○
운동 경기장	◎○○○○○
영화관	◎◎◎◎○○○

◎10명 ○1명

(2) ◎◎△○○○, ◎△

체크3-1 답

가입 동아리별 학생 수

동아리	학생 수
게임	◎◎○○○○○
합주	◎○○
합창	◎◎◎◎
댄스	◎◎○○○○○○○○

◎10명 ○1명

가입 동아리별 학생 수

동아리	학생 수
게임	◎◎●
합주	◎○○
합창	◎◎◎◎
댄스	◎◎●○○○

◎10명 ● 5명 ○ 1명

참고

3개의 단위로 그리면 2개의 단위로 그릴 때보다 그림의 수가 줄어서 더 간단하게 나타낼 수 있습니다.

대표 유형 4 (1) 17−9=8(개) (2) 8+6=14(개)

(3) 17−14=3(개) 답 (1) 8개 (2) 14개 (3) 3개

체크4-1 (술래잡기)+(말타기)=135−24−36=75(명),

말타기: □명, 술래잡기: (□+15)명이라 하면

□+□+15=75, □+□=60, □=30입니다.

➔ 술래잡기: 45명, 말타기: 30명이고

45>36>30>24이므로 45−24=21(명)입니다.

답 21명

STEP2 하이레벨 탐구 플러스 142~143쪽

1 가장 많은 학생들이 좋아하는 색깔: 빨간색 → 16명

가장 적은 학생들이 좋아하는 색깔: 보라색

두 번째로 적은 학생들이 좋아하는 색깔: 초록색 → 5명

➔ 16−5=11(명) 답 11명

2 (라 마을의 약국 수)=63−15−24−19=5(개)

➔ 가 마을의 약국 수는 라 마을의 약국 수의 15÷5=3(배)입니다. 답 3배

3 마을별 기르는 소의 수는 튼튼 마을: 240마리, 소망 마을: 80마리, 다함 마을: 230마리입니다.

➔ (희망 마을의 소의 수)

=700−240−80−230=150(마리) 답 150마리

4 지리산: 12명, 금강산: 23명,

설악산: 70−15−12−23=20(명)

➔ 한라산에는 큰 그림 1개, 작은 그림 5개를 그리고, 설악산에는 큰 그림 2개를 그립니다.

답 20, 12, 23 /

가고 싶은 산별 학생 수

산	학생 수
한라산	◎○○○○○
설악산	◎◎
지리산	◎○○
금강산	◎◎○○○

◎10명 ○ 1명

5 우진: 23개, 재준: 22개, 준수: □개, 윤하: (□×2)개라 하면

23+□+22+□×2=87, 45+□+□×2=87,

□×3=42, 42÷3=□, □=14

➔ 준수가 모은 클립이 14개이므로 윤하가 모은 클립은 14×2=28(개)입니다. 답 28개

6 1동: 32가구, 2동: 27가구, 3동: 15가구, 4동: 43가구이므로 전체 가구 수는 $32+27+15+43=117$(가구)입니다.
따라서 쓰레기 봉투는 모두 $117\times5=585$(장) 준비해야 합니다. 답 585장

STEP3 하이레벨 심화 144~148쪽

1 (북)+(실로폰)$=27-8-3-5-4=7$(명)

북(명)	1	2	3
실로폰(명)	6	5	4
학생 수의 합(명)	7	7	7

➔ 악기별로 좋아하는 학생 수가 서로 다르므로 실로폰을 좋아하는 학생은 6명입니다. 답 6명

2 조사한 자료에서 빨간색: 8명, 노란색: 4명, 파란색: 2명, 초록색: 4명, 분홍색: 6명에서 자료에서 보이는 색깔을 좋아하는 학생은 24명이므로 완전히 보이지 않는 색깔을 좋아하는 학생은 $30-24=6$(명)입니다.
보이지 않는 색깔 중 표와 비교해 보면 빨간색: 2명, 분홍색: 2명이 더 있다는 것을 알 수 있습니다.
보이지 않는 색깔 중 남은 학생은 2명이고 (파란색)=(초록색)이어야 하므로 남은 보이지 않는 색깔은 모두 파란색입니다.
따라서 ㉠에 알맞은 수는 4입니다. 답 4

3 나 마을에서 큰 그림 6개가 30개이므로 큰 그림 1개는 $30\div6=5$(개)이고, 다 마을에서 작은 그림 1개는 $21-20=1$(개)입니다.
➔ 생산량이 가장 많은 마을은 가 마을이므로 31개입니다. 답 31개

4 명랑 문구점에서 판 장난감 24개를 큰 그림 2개, 작은 그림 4개로 나타냈으므로 큰 그림 1개는 10개이고 작은 그림 1개는 1개입니다.
바른 문구점: 20개, 명랑 문구점: 24개, 아름 문구점: 21개, 기쁨 문구점: 32개, 태양 문구점: 13개
→ $20+24+21+32+13=110$(개)
➔ $32>24>21>20>13$이므로 $32-13=19$(개)입니다. 답 19개

5 나+다$=72-16-10=46$(명)
다 소아과의 영유아 수를 □명이라 하면
나 소아과의 영유아 수는 (□+6)명입니다.
→ □+6+□=46, □+□=40, □=20
➔ 다 소아과의 영유아는 20명, 나 소아과의 영유아는 $20+6=26$(명)이므로 나 소아과에는 큰 그림 2개, 작은 그림 6개를 그리고 다 소아과에는 큰 그림 2개를 그립니다.

답 소아과별 영유아 수

소아과	가	나	다	라
영유아 수	◎ ○○○ ○○○	◎◎ ○○○ ○○○	◎◎	◎

◎10명
○1명

6 다 마을: $25+3=28$(마리)
➔ 28마리=14손이므로 큰 그림 1개, 작은 그림 4개로 나타내어야 합니다. 답 1개, 4개

7 ㉰+㉲$=100-20-28-12=40$(명)
㉰ 마을의 학생 수가 ㉲ 마을의 학생 수의 $\frac{3}{5}$이므로 그림으로 나타내면 다음과 같습니다.

㉲ 마을 ㉰ 마을

㉲ 마을 학생 수는 40의 $\frac{5}{8}$이므로 25명입니다.
(㉰ 마을 학생 수)$=40-25=15$(명)
강의 동쪽: ㉰ 마을, ㉱ 마을, ㉲ 마을
→ $15+12+25=52$(명)
강의 서쪽: ㉮ 마을, ㉯ 마을 → $20+28=48$(명)
➔ $52-48=4$, $4\div2=2$이므로 동쪽 마을 초등학생 2명이 서쪽 마을로 이사를 가면 됩니다. 답 동쪽, 2명

문제해결 Key
① 표에서 합계를 이용하여 ㉰+㉲의 학생 수를 구합니다.
② ①을 이용하여 ㉰, ㉲ 마을의 학생 수를 각각 구하여 강의 동쪽과 강의 서쪽 학생 수를 구합니다.
③ ②를 이용하여 어느 쪽 마을의 초등학생 몇 명이 반대쪽 마을로 이사를 가면 될지 구합니다.

8 (공기놀이)+(윷놀이)$=100-32-26=42$(명)
윷놀이: □명, 공기놀이: (□+12)명이라 하면
□+12+□=42, □+□=30, □=15입니다.
➔ 공기놀이: 27명, 윷놀이: 15명이고
$32>27>26>15$이므로 $32-15=17$(명)입니다.
답 17명

6 단원 자료의 정리

9 남쪽: $220+210=430$(마리),
북쪽: $430+20=450$(마리)
북쪽 마을의 닭의 수를 그림으로 나타내면 다음과 같습니다.

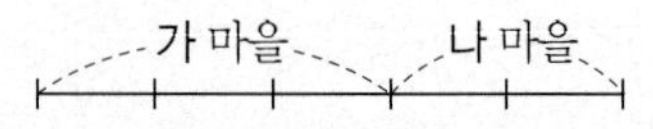

➜ 가 마을의 닭의 수는 450마리의 $\frac{3}{5}$이므로 270(마리)이고, 나 마을의 닭의 수는 $450-270=180$(마리)입니다.

답

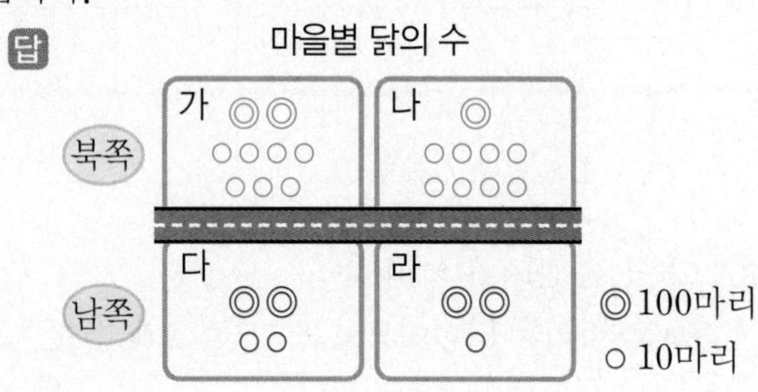

10 그림그래프에 있는 각 그림의 수를 세어 보면 ㉠개를 나타내는 그림이 7개, ㉡개를 나타내는 그림이 9개입니다.
㉠×7+㉡×9=53 (㉠>㉡, ㉠과 ㉡은 자연수)

㉡	1	2	3	4	5
㉠×7	44	35	26	17	8
㉠	×	5	×	×	×

➜ ㉠=5, ㉡=2이므로 ㉠×㉡=$5\times2=10$입니다.

답 10

11 표와 그림그래프를 비교하면 1의 눈이 5번, 3의 눈이 6번, 4의 눈이 4번, 6의 눈이 4번입니다.
2의 눈이 나온 횟수를 □번이라 하고, 5의 눈이 나온 횟수를 △번이라 하면 주사위를 던진 횟수는 모두 27번이므로 5+□+6+4+△+4=27, □+△=8입니다.
전체 눈의 수의 합이 100이므로
1×5+2×□+3×6+4×4+5×△+6×4=100,
2×□+5×△=37입니다.
□+△=8인 경우에서 2×□+5×△=37일 때를 찾습니다.

□	1	2	3	4	5	6	7
△	7	6	5	4	3	2	1
눈의 수의 합	37	34	31	28	25	22	19

➜ 2의 눈은 1번, 5의 눈은 7번이 나왔습니다.

답 7번

토론 발표 브레인스토밍 149~150쪽

1 (땅끝 마을의 학생 수)$=24+18=42$(명)
(바람 마을의 학생 수)$=9+27=36$(명)
(소리 마을의 학생 수)$=12+21=33$(명)
땅끝 마을에서 7개가 42명을 나타내므로
은 $42\div7=6$(명)을 나타냅니다.
소리 마을에서 4개와 3개가 33명을 나타내므로
3개는 $33-24=9$(명)을 나타내고,
은 $9\div3=3$(명)을 나타냅니다.

답 6명, 3명

2 보이는 부분에서 우유: 56명, 주스: 42명, 콜라: 45명, 사이다: 64명, 이온 음료: 24명, 요구르트: 13명이므로 모두 더하면 $56+42+45+64+24+13=244$(명)입니다. 따라서 가려진 부분의 학생 수는
$259-244=15$(명)입니다.
가려진 부분에서 주스를 좋아하는 학생은 15명의 $\frac{1}{3}$이므로 5명이고, 우유를 좋아하는 학생은 3명, 콜라를 좋아하는 학생은 4명이므로 사이다를 좋아하는 학생은
$15-5-3-4=3$(명)입니다.
따라서 지수네 학교 학생 중 사이다를 좋아하는 학생은 모두 $64+3=67$(명)입니다.

답 67명

3 사자를 좋아하는 학생 28명을 1개, 4개로 나타내었습니다.
조사한 3학년 학생은 5개, 20개이므로 사자를 좋아하는 학생 수를 나타내는 그림 수의 5배입니다.
따라서 조사한 3학년 학생은 모두 $28\times5=140$(명)입니다.

답 140명

4 전체 사탕의 수는 $8\times15=120$, $120+4=124$(개)이고, 현정이가 가지고 있는 사탕은 $18+25=43$(개), 진수가 가지고 있는 사탕은 $23+15=38$(개)이므로 성미가 가지고 있는 사탕은 $124-43-38=43$(개)입니다.
성미가 가지고 있는 알사탕의 수를 □개라 하면
막대사탕의 수는 (□+5)개이므로 □+(□+5)=43,
□+□=38, □=19입니다.
따라서 성미가 가지고 있는 알사탕은 19개, 막대사탕은 $19+5=24$(개)입니다.

답 19개, 24개

수학의 힘 γ | 최상위 3-2

발행일 2018년 6월 1일 초판 2018년 6월 1일 1쇄
발행처 (주)천재교육
주소 서울시 금천구 가산로 9길 54
신고번호 제 2001-000018호
고객센터 1577-0902
www.chunjae.co.kr

※ 정답 분실시에는 천재교육 홈페이지에서 내려받으세요.
※ **주의**
책 모서리에 다칠 수 있으니 주의하시기 바랍니다.
부주의로 인한 사고의 경우 책임지지 않습니다.
8세 미만의 어린이는 부모님의 관리가 필요합니다.
※ **KC 마크는 이 제품이 공통안전기준에 적합하였음을 의미합니다.**

교재 내용 문의 홈페이지 ··· 초등 ··· 학습상담
교재 내용 외 문의 홈페이지 ··· 고객센터 ··· 1:1문의
발간 후 발견되는 오류 홈페이지 ··· 초등 ··· 학습자료실 ··· 정오표

초등학교
학년 반 번
이름

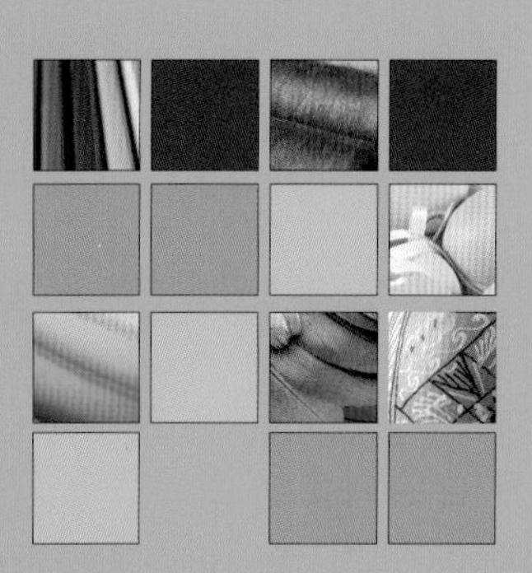

천재
수학교실